JN059154

エリア・スタディーズ
202
チェコを知るための60章
薩摩秀登
阿部賢一（編著）
明石書店

はじめに

チェコ共和国を訪れる人たちの多くは、まず、首都プラハに代表されるような風格のある都市景観に惹きつけられるだろう。北海道とほぼ同じ面積の国土のいたるところに、この国がたどってきた歴史が深く刻みこまれている。個性的な音楽・美術・文学など、豊かな文化を誇る国としても知られている。

チェコは、第一次世界大戦が終了してハプスブルク君主国が崩壊した1918年から1992年末まで、スロヴァキアとともにチェコスロヴァキアという国を形成していた。1969年からは連邦制をしいていたが、連邦を解体した結果、1993年1月1日にチェコ共和国とスロヴァキア共和国という2つの独立国が誕生した。筆者は2003年に本書と同じエリア・スタディーズの1冊として、『チェコとスロヴァキアを知るための56章』という編著をまとめて、この2つの国を紹介した。これはいわば本書の前身にあたる。

チェコスロヴァキアは、冷戦期には社会主義陣営の一員として共産党による事実上の一党独裁体制を続けてきたが、1989年に体制転換を果たして民主化を実現させた。連邦解体後のチェコとスロヴァキアは、ほぼ順調に政治・経済・社会の変革を進め、2004年にそろってEU（ヨーロッパ連合）に加盟した。『チェコとスロヴァキアを知るための56章』刊行はその前年にあたる。「ヨーロッパの普通の民主主義国」への転換（あるいは回帰）という目標にようやくたどり着いたという時期であり、長期間の加盟交渉にともなう疲れも多少見えたものの、ともかく一種の達成感のようなものは漂っていた。この2つの国について、基本的な事項をまとめて1冊の本を作ってみるにも、ちょうど良いタイミングだったと思う。

その後早くも20年近くの時間が流れ、筆者は再び明石書店から、そろそろ内容を一新させた本を作ってはどうでしょうかという相談をいただいた。そこで新たな構想を練り、執筆を依頼できそうな方々に内々に連絡をとっていたところ、その1人の長與進氏から、今回はチェコとスロヴァキアを分けて別の本にしませんかという提案を受けた。確かに、両国とも自立した国としての道を30年近く歩んでいるわけだから、エリア・スタディーズだけいつまでも連邦を続けなければならない理由はない。明石書店もこの分割案を了承して下さったので、長與氏がスロヴァキアを、筆者がチェコを担当して、それぞれ1冊の本を作ることになった。

今回は本全体をチェコにあてることができるので、それだけ多様なテーマを扱えるし、特に2000年代に入ってからの新しい話題も取り込むことになる。しかし筆者の専門領域は中世やハプスブルク朝期など古い時代の歴史なので、あまりそうした事情に詳しくない。そこで、近・現代チェコの文化に造詣の深い阿部賢一氏に共同編集として加わっていただき、これでようやく作業も進むことになった。スロヴァキアの側でも、文化人類学を専門とする神原ゆうこ氏が共同編集として加わった。結果として4名で、適宜、情報交換しながら新しく2つの本を作ることになった。したがって、昨年

（２０２３年）すでに出版された『スロヴァキアを知るための64章』と本書は、姉妹編のような関係にある。

本書の刊行の時点で、体制転換から35年近く、連邦解体から約30年という長い時間が流れた。その間、少なくともチェコという国自体を揺るがすような大きな変動は起きていない。チェコスロヴァキア共和国成立以来、激動の現代史をくぐり抜けてきた国としては、これは異例のことである。とはいえ、目につかない部分でチェコ社会は刻々と変化し、人々の意識も変わりつつある。冷戦期について実体験としての記憶を持たない人たちが、社会の中枢で活躍するようになった。そして何より、チェコを、そしてヨーロッパを取りまく国際情勢は大きく変動しつつある。当然、自分たちの国を見つめる視線にも微妙な変化が感じられる。

本書では、このような２０００年代以降の新たな状況に注目して研究を進めている方々や、現地で活躍されている方々にも執筆を依頼して、それぞれの視点からチェコについて論じていただいた。各章は独立しており、執筆者が独自の観点から語るという体裁をとっている。本書全体でこの国について一貫した統一的な姿を描くことは、あまり意図していない。国の成り立ちや歴史的由来などについては主に前半でとりあげているので、こちらから読み進んでいただければわかりやすいかもしれないが、基本的には、好みに合わせて、どの章から読んでいただいてもかまわない。

最後に、表記について少々補足しておきたい。チェコ語のカタカナ表記は執筆者によって方針が異なることが多く、統一させるのは難しい。また、人名や地名などに関して、チェコ語、スロヴァキア語、ドイツ語などのうち、どの表記を用いるべきか一概に決められない場合もある。１つの都市が複数の言語で異なる名称を持つことも多い。なるべく統一を図ったが、読み進めるのに大きな不都合が生じない範囲で、一部、不統一の箇所も残っていることをご了解いただければと思う。

本書をきっかけに、多様な魅力を持つチェコという国に多くの方々が関心を持っていただけることを願っている。

薩摩秀登

２０２４年1月

チェコを知るための60章

I 中世～近世のチェコ

Ⅱ　チェコ近代社会の形成

Ⅲ　チェコスロヴァキア共和国

Ⅳ　体制転換以降

CONTENTS

V　文化・芸術

ヴロツワフ
ルブリン
ポーランド
ェセニーキ
山地
カトヴィツェ
クラクフ
オパヴァ
オストラヴァ
オロモウツ
チェスキー・
チェシーン
プロスチェヨフ
クロムニェジーシ
ズリーン
ジリナ
小ファトラ山地
ウヘルスケー・
フラジシチェ
高タトリ山地
プレショウ
ドニーン
マルティン
低タトリ山地
バンスカー・
ビストリツァ
スロヴァキア
コシツェ
ヴァーフ川
フロン川
ニトラ
ラチスラヴァ
ノヴェー・
ザームキ
ハンガリー
ブダペスト
デブレツェン
ドナウ川

チェコとその周辺諸国

ドレスデン
ドイツ
クルコノシェ山
ジェチーン
リベレツ
ウースチー・ナド・ラベム
ヤブロネツ・ナド・ニソウ
モスト
クラスリツェ
ヘプ
カルロヴィ・ヴァリ
ムラダー・ボレスラフ
クラドノ
プラハ
ラベ川
フラデツ・クラーロヴ
マリアーンスケー・ラーズニェ
ボヘミア
パルドゥビツ
クトナー・ホラ
プルゼン
ヴルタヴァ川
プシーブラム
チェコ
ドマジュリツェ
シュマヴァ山地
ターボル
モラヴィ
イフラヴァ
インジフーフ・フラデツ
チェスケー・ブジェヨヴィツェ
ブル
レーゲンスブルク
チェスキー・クルムロフ
ズノイモ
ミュンヘン
リンツ
ドナウ川
ウィーン
ザルツブルク
オーストリア

I

中世〜近世のチェコ

1

国土と名称

★なかなか複雑な歴史的由来★

チェコ共和国はヨーロッパのほぼまん中にある小さな内陸国である。面積は7万8866平方キロメートル、人口は1053万人（2022年12月31日現在）。ドイツ、オーストリア、スロヴァキア、ポーランドの4ヵ国と国境を接している。歴史的には、首都プラハを中心としたボヘミア地方、その東のモラヴィア地方、その北の小さなシレジア地方から成り立っている。こうした地域区分は現在の行政区画には反映されていないが、今でも人々の意識の中には残されている。

ボヘミアはラベ川（ドイツ語でエルベ川。以下同様）およびこれに注ぐヴルタヴァ川（モルダウ川）流域の盆地状の地形をなしている。モラヴィアは、スロヴァキアの首都ブラチスラヴァ近郊でドナウ川に注ぐモラヴァ川（マルヒ川）流域の、南に向かって大きく開けた河谷に広がっている。シレジアはほぼオドラ川（オーデル川）の上流地域にあたる。エルベ川は北海へ、ドナウ川は黒海へ、オーデル川はバルト海へ注ぐので、この国はヨーロッパ大陸の分水嶺に位置している、とよく言われる。とはいえ周辺国との国境地域を除けば目立った山岳地帯はあまりなく、ゆるやかに波打つ丘陵が延々と続く風景が特徴である。その間

ボヘミア王冠諸邦。14世紀に成立した当初の姿。領邦の境界線には時代によって若干の変動がある（『図説　チェコとスロヴァキアの歴史』［河出書房新社、2006年］44頁をもとに作成）

を流れる河川はしばしば深い渓谷を刻んでおり、プラハの市街地もいくつかの丘がヴルタヴァ川の水面近くまで急傾斜で迫る複雑な地形の上に立地している。またラベ川やモラヴァ川の流域には、一部、平原も広がっている。

チェコ共和国は、70年あまり存在したチェコスロヴァキアが解体することによって1993年1月1日に発足したので、その意味では新しい国である。とはいえこの形で国家が登場するまでには1000年以上にわたる長く複雑な歴史的経緯がある。

ボヘミアやモラヴィアは海からは遠く隔たっており、地形的に河川の交通にもあまり適していないので、ヨーロッパの主要な交易路からは外れていた。しかし今日プラハがある場所は、国家が誕生する以前から、ヴルタヴァ川の渡河点として、ある程度の賑わいを見せていたらしい。第2章でみるように、9世紀末から、ここを拠点とした豪族プシェミスル家がボヘミア全体を徐々に統一していき、さらにモラヴィアなどへも勢力を広げていった。またボヘミアの君主は13世紀から一貫して王を名のるようになった。

そして第3章でみるように14世紀になると、ボヘミア王であり神聖ローマ皇帝でもあったルクセンブルク家のカレル4世（在位1346～1378年）が、ボヘミア、モラヴィア、シレジア、上ルサティア、下ルサティアの5領邦をボヘミア王固有の領土として設定し、これに10世紀に実在した聖人君主にちなんで聖ヴァーツラフの王冠諸邦という名前をつけた。一般的にはボヘミア王冠諸邦あるいはボヘミア諸邦と呼ばれることが多いので、本書でもこれに従っている。上の4つの地域名称はいずれもラテン語であり、チェコ語ではそれぞれチェヒ、モラヴァ、スレスコ、ルジツェとなる。ベーメン、メーレン、シュレージエン、ラウジッツというドイツ語の名称も使われている。これらのうちシレジアとルサティアではドイツ語の話者が多かったが、ボヘミアとモラヴィアはスラヴ語の話者が大半を占めており、この人々がしだいにスラヴ系の民族「チェコ人」を形成することになる。

1526年にオーストリアを本拠とするハプスブルク家がボヘミア王位を継承し、これが代々引き継がれたので、ボヘミア王冠諸邦全体もハプスブルク家の統治下に組み込まれた。ただしその後の戦乱などにより上下ルサティアは1635年にザクセン大公国に割譲され、さらに1748年にはシレジアが、オパヴァなどの都市を含むわずかな領域を残して、大半がプロイセン王国に割譲された。現在、ルサティアはドイツ領、シレジアの大部分はポーランド領になっている。こうしてボヘミア王冠諸邦は、ボヘミア、モラヴィア、そしてシレジアのほんの一部へと縮小したが、ウィーンを中心とするハプスブルク帝国の中で20世紀初頭まで制度としては維持され、まとまった領域とみなされていた。

第一次世界大戦終了間際の１９１８年10月に、ハプスブルク帝国の崩壊に伴い、ボヘミア王冠諸邦の主要民族であったチェコ人は、東隣のハンガリー領に住んでいた同じくスラヴ系のスロヴァキア人と合流してチェコスロヴァキア共和国を成立させた。その後、この国家は第３部と第４部で詳述されるように波乱含みの歴史をたどった末、１９９２年末に平和裏に解体され、翌年、今日存在するようなチェコとスロヴァキアという２つの共和国が誕生した。

これがチェコ共和国の由来であるが、実はこのチェコという呼び方には多少、注意すべき点が含まれている。まず、これは右に述べたチェヒと関連する言葉なので、ボヘミアの同義語とみなすこともできるのだが、実際にはチェコ共和国全体、つまり１９１８年の時点でのボヘミア王冠諸邦と同じ領域を指す名称として使われている。従ってこの言葉には狭義と広義の２つの意味があり、どちらを指しているのか曖昧になってしまう。そこで本書では原則として狭い意味でのチェコという言葉は使わずにボヘミアと呼び、チェコは共和国全体の地域を指す名称として用いている。

次に、チェコは英語の **Czechoslovakia** の前半部分にあたる言葉だが、この国名は「チェコの」を意味する形容詞 **Czech**（チェック）と **Slovakia** という名詞の合成語である。間にあるアルファベットのＯ「オ」は２つの単語を結びつける役目を果たしているのだが、日本ではこのＯをつけたままの形でこの国を「チェコ」と呼んできた。この呼び方はすでに定着しているので、特に変える必要性はない。それに、実は英語には、この国を一言で呼ぶ名称が長い間存在しなかった。かつてのボヘミア王冠諸邦がそのままスロヴァキアと合体して一足飛びにチェコスロヴァキア共和国を作ってしまったので、「ボヘミア王冠諸邦」に代わる名称を作る必要がなかったのである。これはチェコ語においても同じで、王冠諸邦にあたる地域を指す正式名称としてのチェコ語の名詞は、実は存在しなかった。また、英語の Czech は形容詞なので、たとえば Japanese と同じように民族名や言語名としては使えるが、国名として使うことはできない。

そのため、この国は正式には「チェコ共和国」と呼ぶ以外になかった。英語ならば Czech Republic、チェコ語ならば Česká republika（チェスカー・レプブリカ）となる。しかし第29章にあるように、今では英語では Czechia（チェキア）が正式名称として採用されている。チェコ語では、Česko（チェスコ）がしだいに用いられるようになり、定着しつつある。

（薩摩秀登）

2

中世ヨーロッパとチェコ

★モラヴィア国家からプシェミスル朝時代まで★

現在のチェコ共和国の領域は、古代にはケルト系ボイイ人（ボイイ人の住む土地＝ボヘミア）、次いでゲルマン系マルコマンニ人などが居住していた。彼らが移動した後、6世紀頃から西スラヴ系諸集団が定住し、9世紀に彼らは中世国家を形成し始めた。当初、西スラヴ系の中では、モラヴィアからスロヴァキアにおよぶ領域に建国したモラヴィア国家――最盛期にはハンガリー、オーストリアからポーランドまで拡大したため、現在のモラヴィア地方と区別するために「大モラヴィア」とも呼ばれる――が頭角を現した。この国家はフランク王国／ローマ・カトリック教会と、ビザンツ帝国／コンスタンティノープルの正教会に挟まれ、両者からの働きかけによりキリスト教に改宗した。「スラヴ人の使徒」と呼ばれるキュリロスとメトディオス兄弟が布教に訪れたのは、この時期のことである。こうしてモラヴィアは、政治的にも宗教的にも西欧世界に属することになったが、9世紀後半からパンノニア平原に進出してきたマジャール人の攻撃を受けて、10世紀初頭に滅亡した。

モラヴィア国家がキリスト教を受容した頃、ボヘミアでも複数の首長が改宗した。彼らはモラヴィア君主に臣従していたが、その滅亡後はプシェミスル家がボヘミアを統合した。このプロセスにおいて、同家に支配された集団と、ポーランドやラベ（エルベ）川中流域の集団との線引きがすすみ、今日のような「チェコ人」の枠組みが形成されていく。この統合をすすめたボジヴォイ1世（在位874～891年）は、最初に改宗した君主として知られる。彼はヴルタヴァ川左岸の丘上にプラハ城を建設し、これを本拠地と定めた。

聖ヴァーツラフ（《ヤン・オチコ・ズ・ヴラシミの祭壇画》1371年頃）

その孫ヴァーツラフ（在位921～935年）は、東フランク王国――のちの神聖ローマ帝国――の宗主権を認め、国王から聖ヴィート（ヴィトゥス）の遺骨を贈られている。彼はプラハ城内に聖ヴィート教会を建て、これを奉献した。ヴァーツラフは弟ボレスラフ1世（在位935～972年）に暗殺されたが、死後に様々な奇跡が語られ聖人視されるようになっていく。一方、ボレスラフはクラクフを占領してキエフ・ルーシへとつながる交易路を確保した。北からはフランク王国へと奴隷が運ばれ、ボヘミアは中継地として栄えた。ただし、拡大した領土は永続せず、逆に11世紀初頭の一時期、ポーランドによりプラハとモラヴィア地方が占拠されている。

ポーランドを追い払った後に即位したブジェチスラフ1世（在位1034～1055年）は、神聖ローマ帝国との封建関係を確定させた。これにより、プシェミスル家の統治するボヘミア大公領は皇帝から封として与えられたものとみなされ、大公は帝国の集会に参加するようになった。また、皇帝のイタリア遠征にも協力し、その恩賞として2人の君主が一代限りの王号を認められている。一方モラヴィアでは、ブジェチスラフ以来、大公の息子や弟が分封され、ブルノ、オロモウツ、ズノイモの各分国侯領が形成された。この当時のチェコには年長者相続の慣習があり、分国侯が大公位を継承することもあった。これらの分国侯領は12世紀末に統合され、モラヴィア辺境伯領が成立した。

キリスト教世界への参入以降、チェコは帝国のレーゲンスブルク司教座に管轄された。ようやく973年にプラハ司教座が設置されたが、マインツ大司教座に帰属し、帝国の影響下にあり続けた。その後、1063年にはオロモウツに司教座がおかれてモラヴィアを担当するようになり、プラハがボヘミアを担当するようになった。また、10世紀から各地にベネディクト会修道院が創設されたが、12世紀に入ると改革派修道院が増加する。

9世紀に複数の首長の改宗が伝えられたように、当時のチェコ社会は豪族層の連合体であったが、10世紀末に東ボヘミアのスラヴニーク家を滅ぼしたことにより、プシェミスル家の支配はいちおうの完成をみた。しかし、年代記史料には、各地の城砦とその周辺の奉仕人集落を委託された有力者たちが登場する。彼らは大公位の継承を左右したが、プシェミスル家に対しては明らかに従属しており、君主は地方城代職を交代させることができた。ところが、彼らはしだいに私有所領を形成し、貴族層へと成長していく。貴族の所領はとりわけ12世紀後半以降に拡大したが、その背景には改革派修道院の存在があった。なかでもシトー派は開墾活動のノウハウに精通しており、貴族層は彼らを積極的に招聘（しょうへい）した。

この時期に貴族層が招聘（しょうへい）した集団はもう1つある。ドイツ人植民である。紀元1000年前後から始まる中世農業革命の結果、神聖ローマ帝国領内での未開墾地の開発がすすむと、さらなる新天地を求め、高い技術力をもつ農民や都市法を知悉（ちしつ）する市民がドイツから東方へ、すなわちチェコやハンガリー、ポーランドへと旅立った。彼らは領主から免税やさまざまな経済特権を認められて、国境付近の森林地帯を切りひらき、城砦都市や市場集落を中世都市へと変貌させた。プラハをはじめとするチェコの統治拠点も、13世紀に入って一斉に都市法を備えるようになる。なお、チェコの都市は帝国のマクデブルク法やニュルンベルク法を導入しており、裁判時には母都市に先例を照会するなど、国際的なネットワークの中に組み込まれていた。修道院も同様に、母娘に擬した関係で帝国の修道院とつながっていた。

13世紀に入ると帝国は対立国王が立ち、分裂状態に陥った。プシェミスル・オタカル1世（在位1192～1193年、1197～1230年）は両派から有利な条件を引き出し、世襲の王号を獲得している。チェコの君主は名誉ある宮廷献酌官に任じられ、さらには選定侯の1人となった。13世紀は、ドイツ人植民の影響により鉱山が相次いで開発されるなど、経済成長が著しい時期でもある。こうした国力の充実を受けて、プシェミスル・オタカル2世（在位1253～1278年）は対外的にも積極策をとった。婚姻政策によりオーストリア諸邦を継承し、さらに対プロシア十字軍を企画・実行している。ところが、オタカルはハプスブルク家の皇帝ルードルフ1世と対立してオーストリアを没収されると、ついにはマルヒフェルトの戦いで戦死した。

遺されたヴァーツラフ2世（在位1278～1305年）は幼く、一時的に国外へ連れ去られるなど、王国は混乱を極めた。その後、帰国したヴァーツラフは彼の不在中に国政を担った有力貴族層と協調関係を築き、自身の立場を安定させた。また、舅となった皇帝ルードルフから選定侯としての地位を認められると、1300年にはシレジア諸侯から推戴されポーランド王位に就いた。さらに、母方の血統により推されたハンガリー王位を息子ヴァーツラフ3世（在位1305〜1306年）に継承させた。このようにプシェミスル家は3ヵ国に君臨して東中欧で影響力をふるったが、ヴァーツラフ2世が1305年に病死すると、後継者ヴァーツラフも子供をもたぬまま1年後に暗殺され、プシェミスル家のチェコ支配は幕を下ろした。

（藤井真生）

3

ルクセンブルク朝とチェコ

★帝国辺境から皇帝の本領へ★

１３０６年のプシェミスル朝断絶後、チェコ王位は二転三転したのちに新たな王家のものとなった。チェコ貴族が神聖ローマ皇帝ハインリヒ７世と交渉した結果、彼の息子ヨハン（在位１３１０〜１３４６年）がヴァーツラフ３世の姉妹と結婚することにより新たな国王に選出された。これが1世紀以上続くことになるルクセンブルク朝の始まりである。

即位した当時のヨハン（ヤン）は10代半ばであったため、父帝ハインリヒは帝国諸侯を後見人として派遣した。ところが、チェコ貴族は国政運営の場から排除されることを恐れ、しだいに国王およびその後見人団と対立するようになった。加えて、ヨハンは従来の有力貴族層に対して、新規に貴族を取り立てて側近層を形成しようとしていた。この対立はチェコ貴族の反乱という形で表面化する。彼らの圧力に屈したヨハンは後見人たちを帰国させ、有力貴族層が集団で王国政治を担うようになった。

内政上の権限を大きく制限されたヨハンは、やがて国外での外交・軍事活動に邁進するようになる。ハインリヒの死後、ヴィッテルスバッハ家とハプスブルク家が帝位を争い、ヨハンの与した前者のルートヴィヒ４世が選出された。しかしその後、彼と新皇帝との関係は悪化する。北方では、ヴァーツラフ2世以後もチェコ君主はポーランド王位の継承権を主張し、紛争が継続していた。ヨハンはシレジア諸侯と封建的主従関係を結び、それ以外の地域に関しては多額の代償と引き換えに継承権を放棄した。ヨハンの活動はさらに帝国西方にまでおよんだ。ルクセンブルクはもともとフランスと境を接しており、妹、そして娘がフランス王家に嫁いでいる。彼は親フランス派として英仏百年戦争に参軍し、最後はクレシーの戦いで戦死した。

ヨハンの長子カレルは、幼少の頃にフランス王宮で養育され、高度な教育を受けた。その後、10代でヨハンのイタリア遠征に同行し、父が帰国したのちもイタリア北部に駐留して外交的・軍事的経験を重ねた。やがてモラヴィア辺境伯としてチェコに戻ると、国王代理として有力貴族層との関係を構築していく。彼はフランス時代の家庭教師が教皇クレメンス6世となった関係を生かして、プラハ司教座を大司教座へと昇格させ、これに併せて聖ヴィート教会をゴシック様式の大聖堂へ改築した。なお、この大聖堂内には聖ヴァーツラフ礼拝堂が建設され、ボヘミア、モラヴィア、シレジアおよび新たに獲得した上下ラウジッツを統合するためのシンボルとして制作された「聖ヴァーツラフの王冠」が置かれた。これら5つの領邦は総称してボヘミア王冠諸邦と呼ばれる。さらにカレルは、ラテン語で「聖ヴァーツラフ伝」を執筆し、母方の祖先への崇敬の念を表した。

この頃、帝国ではローマ教皇と皇帝ルートヴィヒの対立が激化していた。既述のように、ヨハンは皇帝との関係を悪化させていたが、ヨハンの叔父バルドウィンもトリーア大司教として教皇を支える反皇帝陣営に属していた。やがてバルドウィンを中心とする聖界選定侯とヨハンの間でルートヴィヒ廃位の話し合いがもたれる。彼に代わる皇帝候補として1346年に対立国王に選出されたのがカレ

プラハ大学の設立許可状をもつカレル像（プラハ・聖十字架修道会広場、1848年、筆者撮影）

ルだった。ルートヴィヒが翌年に亡くなったため、カレルは単独王カール4世となり、１３５５年のイタリア遠征で皇帝戴冠を果たした。またカレルは、１３５６年に「金印勅書」を発布して皇帝選出に関わる諸規則を定めている。この中でボヘミア王国の従来の権利が承認されるとともに、ボヘミア王の地位も明確に帝国国制内に位置づけられた。

カレルは父の戦死後にボヘミア王（カレル4世。ボヘミア王としては1世だが、皇帝としての数え方により4世と呼ぶことが多い。在位１３４６～１３７８年）としても即位すると、さらなるプラハ改造を推進した。まず、市街地（旧市街）の市壁の外側に新たな都市（新市街）を建設した。次に、教皇の許可を得て、神学部も擁するヨーロッパ屈指の大学を設立した。その後、プラハ城のある左岸と右岸の市街地を結ぶべく、ヴルタヴァ川に石橋（カレル橋）を架けている。こうして発展したプラハは、帝国出身のドイツ系はもちろんのこと、ユダヤ人、イタリア人も入り混じる街になった。国際化したのはプラハだけではない。イタリアからはワインが輸入され、ポーランドへはビールを、ドイツへは小麦を輸出するなど、チェコ全体がヨーロッパの人とモノの流れの中に位置づけられた。プラハやブルノといった政治拠点以外にもクトナー・ホラのような鉱山都市も発展し、有力都市の参事会員にはドイツ系市民も多く選ばれている。都市は高位聖職者とともに国王を支える政治勢力として成長していった。なお、カレルは父と異なり貴族層と良好な関係を保ったが、王権強化を狙った「カレルの法典」は貴族の反対にあい、撤回に追い込まれている。

カレルは信仰心が篤く、聖職者を保護し、教会に多くの所領を寄進した。また、聖職者の文書行政能力を向上させるために、カレルはイタリア時代の人脈も駆使してチェコに人文主義を花開かせた。しかし、過剰な保護は教会へ富を蓄積することにつながり、聖職者の腐敗も招いた。教会がため込んだ財産への批判と不満はカレルの死後に強まることになる。

カレルは1376年に長子ヴァーツラフをドイツ王に選出させると、次子ジギスムントには選定侯でもあるブランデンブルク辺境伯位を与え、ルクセンブルク家による帝位世襲をはかった。ジギスムントはハンガリー王女と結婚し、のちにハンガリー王に即位している。ルクセンブルク朝の繁栄は約束されたかのようにみえた。しかし、1378年に父を後継したヴァーツラフ4世（在位1378～1419年）には、帝国はもちろん王国を運営する経験も不足していた。王国内では1390年代からヴァーツラフの失政が相次ぐ。まずプラハ大司教と対立して大司教代理を殺害し、教会との関係が悪化した。さらに従兄ヨシュトに煽動された有力貴族層から反乱をおこされ、彼はしばらく捕囚生活を送った。このときは末弟ヨハンの仲裁により釈放されたが、1402年にはジギスムントにも捕らえられている。

ヴァーツラフは皇帝として教会大分裂の解消を期待されていたが、政治的能力にも意欲にも欠けていた彼は、帝国諸侯から見放されてしまう。ついには聖界諸侯とライン宮中伯の投票により、

１４００年に廃位された。新たに選出されたループレヒトが10年後に亡くなっても、帝位はヴァーツラフの下に戻らず、ジギスムントが皇帝に即位した。ヴァーツラフには子供がなく、彼が１４１９年に死去すると、ボヘミア王位継承権は弟のジギスムント（在位１４１９〜１４３７年）のものとなった。ただし、ジギスムントが実質的にボヘミアを支配できたのは、フス派戦争終結後の1年間だけであり、ルクセンブルク家によるチェコ支配はヴァーツラフ時代をもって事実上の終焉を迎える。（藤井真生）

4

中世・近世の宗教事情

★フス派戦争とその後★

中世も後半になると、神と人間の唯一の仲介者として絶大な権威を獲得し、巨大な機構となったカトリック教会は、しばしば批判の対象になった。14世紀に生じた教皇庁のアヴィニョン移転および教会大分裂は、問題の深刻さを露呈させた。教会とはいかなる組織であり、この世の物事とどう関わるべきなのか。この問いは、ヨーロッパ全体に等しく投げかけられていたが、チェコの歴史はこの問題をめぐってとりわけダイナミックな展開を見せる。カレル4世時代に教会が王権の基盤として優遇され、とりわけ多くの富が集中していたことも、その背景にあった。1400年頃から、プラハ大学には、イングランドの神学者ウィクリフの説をもとに教会批判を展開する人々が現れた。プラハのベトレーム礼拝堂で説教師を務めるヤン・フス（1370頃～1415年）もその1人であった。フスは、聖職売買や贖宥状販売を厳しく批判し、教会とは本来、明確な形を持つ組織ではなく、救いを予定された人々の共同体それ自体を意味すると主張したため、教皇の権威に挑戦する危険人物とみなされた。フスは皇帝ジギスムントが開催したコンスタンツ公会議に正式に招かれて出席したが、審問の結果、異端者として断罪され、火

現在のベトレーム礼拝堂。もとの建物はほとんど解体されていたが、1950年代に古い図版などをもとに再建された（筆者撮影）

刑に処せられた。

しかしボヘミアにおける教会改革運動は、貴族や一般民も巻き込んでさらに拡大し、フス派と呼ばれるグループを形成していった。１４１９年に熱狂的な説教師ジェリフスキー（?～１４２２年）が起こしたプラハ新市街市庁舎襲撃事件をきっかけに、フス派はほぼプラハでの実権を掌握した。フス派戦争の始まりである。翌年、ボヘミア王位継承者でもあるジギスムントは、フス派を撲滅すべく、自ら軍を率いてプラハ攻撃を企てた。この時の遠征も含めて、ジギスムントやカトリック教会は、フス派討伐のための十字軍を5回にわたって送り込んだが、いずれもフス派の果敢な反撃によって敗退した。

しかしフス派も統一された集団ではなかった。穏健フス派は、聖体拝領（聖餐）の秘跡において俗人にもパンとブドウ酒の双方を与える二種聖餐を基本的な主張とした。これはフス自身の発案ではないが、俗人にはパンのみで十分とするカトリック教会一般の方式に対し、フス派の教会の正しさを示す象徴的な意味を持っていた。この穏健派は、ラテン語の「ウトラクエ（「双方から」の意）」をもとにウトラキストと呼ばれた。これに対して急進派は教会による財産所有を否定するなど徹底した改革を求め、カトリック教会からの離脱をも辞さない構えを見せた。また、下級貴族出身のヤン・ジシュカ

（１３６０頃〜１４２４年）などが市民や農民を訓練して組織した野戦軍は、銃砲を効果的に用いた戦法で十字軍を大いに悩ませた。

フス派の軍事制圧を断念したカトリック教会は、１４３１年に開幕したバーゼル公会議に和解交渉を委ねた。和解を拒否した急進派は34年にプラハ東方のリパニの戦いで敗北し、和解交渉は公会議と穏健派の間で進められた。36年に公布されたバーゼル協約において、公会議がボヘミアとモラヴィアにおける二種聖餐の実施を容認し、フス派のカトリック教会への復帰を宣言したことで、フス派戦争は終結した。

平和を実現させたのはバーゼル公会議の大きな成果であった。しかし二種聖餐を正式に承認されたウトラキストは事実上独自の宗派を形成したので、結果としてチェコとモラヴィアでは宗教的分裂が定着することになった。その後もカトリックとウトラキストの対立が続いたが、１４８５年に議会の決議という形でクトナー・ホラの協定が結ばれて、双方が現状維持に努め、互いに干渉しないことで合意が成立した。宗教紛争によって国家の安定が損なわれることを避けるべく、当事者たちが信仰の問題への不介入を取り決めた意義は大きい。

16世紀に入り、ドイツで宗教改革が起こると、ボヘミアやモラヴィアでもドイツ系住民の間でルター派が広まり始めた。ウトラキストもまたその影響を受けて本来の教会改革の理念に立ち戻り、プロテスタント的性格を強めていった。また、15世紀半ばにフス派の一派として成立し、非合法集団として迫害されつつも祈りと労働に徹する生活を続けてきた「兄弟団」（ボヘミア兄弟団、チェコ兄弟団、モラヴィア兄弟団とも呼ばれる）も、この時期からしだいに貴族などの支持を得て、宗派として確立していった。

こうして16世紀のボヘミアやモラヴィアは多様な宗派が共存する場となり、カトリックは少数派にとどまった。フス派戦争以降、貴族や市民が勢力を拡大させ、強い権力を握っていたことも、多様な宗派の共存を可能にした要因の1つである。

１５２６年以来ボヘミア諸邦を治めることになったハプスブルク家は、基本的にはカトリックによる統一をめざしたが、強硬な手段をとることは差し控え、現状を容認した。75年にはルター派の「アウクスブルクの信仰告白」に倣った「ボヘミアの信仰告白」が主にウトラキストと兄弟団によって作成され、プロテスタント系宗派としての体制が整えられた。１６０９年には、ハプスブルク家の内紛を利用したボヘミアのプロテスタント系貴族たちが、国王ルドルフ２世から信仰活動の自由を認める勅書を獲得し、宗教的寛容の体制はついに完成したかに思われた。

しかし１６１８年5月23日にプラハ城でプロテスタント系貴族らがカトリック側の貴族ら3名を２階の窓から投げ落とした、いわゆる「窓外放擲事件」が大きな転機となる。この後、ボヘミアを中心にプロテスタントを主体とする政府が組織されたが、その軍は20年11月8日、プラハ西郊のビーラー・ホラ（「白い山」の意）でハプスブルク軍に完敗した。戦後の処置によりプロテスタント系貴族は所領を没収されて多くが亡命した。一般民はカトリックへの改宗を余儀なくされた。27年の改定領邦条令によってカトリック以外の信仰が正式に禁止された。

とはいえ、ハプスブルク家による徹底したカトリック化がただちに効果を上げたわけではない。十分な数の司祭を確保し、教区を整えるだけでも短期間でできる話ではなかった。また、政府はこの頃から教会の裁判権への介入を強め、軍事費を調達するためにしばしば教会の免税特権を侵害するなどしたため、ハプスブルク家とカトリック教会の関係も常に良好というわけではなかった。ボヘミアやモラヴィアの「再カトリック化」は、実は18世紀後半に新たな宗教寛容政策が打ち出された時点でようやく完了したという見方もある。１７８１年の寛容令において非カトリックにも再び信仰活動の自由が認められた際、所属する教会を明確にする必要に迫られた人々にとって、多くの場合カトリック以外に選択の余地がなかったからである。こうして数百年におよぶ波乱に満ちた展開の末、カトリック国としての体制がほぼ整った時点で、ボヘミアやモラヴィアは近代社会へと移行していくことになる。

（薩摩秀登）

コラム1

ヤン・フス

薩摩秀登

1999年12月、教皇庁で「ヤン・フスについての国際シンポジウム」が開かれた。その席上、ローマ教皇ヨハネ・パウロ2世は「ヤン・フスに課せられた過酷な死について、そしてその結果としてチェコの人々の頭と心の中に生じ、紛争と分裂の原因となった傷について、深い哀惜の念を表明しなければならないと感じている」と述べた。1415年にフスを異端者として処刑したコンスタンツ公会議の決定が誤りであったとは、さすがに認めていない。しかし、これでフスは教会改革運動の指導者として事実上の名誉回復を果たしたと、多くの人々は受けとめたであろう。

フスは南ボヘミアのフシネツに生まれたと言われるが定かではなく、生年もはっきりしない。プラハ大学に学び、1396年に自由学芸のマギステルになり、1400年に聖職者になった。そして教皇の権威に正面から挑んだウィクリフの説を支持する「ウィクリフ派」の1人として論陣を張ったが、とりわけフスの名声を広めたのは、ベトレーム礼拝堂の主任説教師としての活動であった。フスはこの大規模ホールのような礼拝堂で、あらゆる身分の人々が神の定めに従ってその務めを果たすことが大切だと説き、特に聖職者のモラル低下を強い口調で攻撃した。教会が財産をため込み、聖職売買が横行する現状への痛烈な批判は貴族ら有力者からも支持され、国王ヴァーツラフ4世もフスの活動を事実上黙認した。1409年に国王は、プラハ大学を構成する4つの「国民団」のうち「ボヘミア国民団」を優遇する内容の「クトナー・ホラの勅令」を発した。ドイツ出身者たちの多くがこれに抗議して退去した結果、大学はほぼウィクリフ派によって占められることになった。

しかし教会当局から見ればこれは極めて危険な動きであり、１４１０年以降、フスは大司教や教皇庁から繰り返し破門され、説教の禁止を言い渡された。当初、フスはこれを無視していたが、１４１２年に教皇庁による贖宥状販売を非難したことがきっかけで国王の恩顧も失い、プラハを離れて貴族たちの保護に頼る生活に入った。

フスは著作の中で、教会とは救いを予定された人々の共同体を意味するのであり、その首長はキリスト以外にないと説いていたが、教皇を頂点とするローマ・カトリック教会はこれを容認できなかった。さらにフスは、最高の規範は神の法（聖書）であり、人間の作ったいかなる法もこれにそむくならば無効であると述べたため、国王や皇帝の権威にまで挑戦する人物として批判されることになった。

１４１４年にドイツのコンスタンツで開かれた公会議に、フスは正式メンバーとして参加を求められた。フスも、公会議という場で自説を述べれば賛同者が得られると期待したらしい。しかしコンスタンツ到着後、まもなくフスは投獄され、異端の嫌疑による審問にかけられた。

この公会議の主要課題は数十年来の教会大分裂の解消であって、フスら「ボヘミアの異端的グループ」への対応は最重要案件ではなかった。そして教皇への過度の権力集中によってもたらされている弊害について、フスが重要な問題提起を行っていることは、公会議側ももちろん理解していた。かといって、このような人物を野放しにしておくのもあまりに危険であった。公会議の首脳部は、フスから最低限の譲歩だけでも引き出そうと工夫を重ね、1415年6月には異端審問としては異例の3回にわたる公聴会まで開かれた。しかし、著作の中から誤謬とされる条項を示されて撤回を求められたフスは、それが誤りであることが明確に示されなければ撤回できないとの立場を崩さなかった。こうした態度自体が、教会から見れば反逆的であった。そして7月6日、フスは矯正不可能な異端者であると宣告され、コンスタンツ郊外で火刑に処せられた。

果たしてフスは誤謬に染まった異端者だったのか、それともキリスト教の根本原則をあくまで忠実に貫き通した人物だったのか。19世紀以降、チェコにおいてフスを民族の英雄として讃える風潮が強まるなか、神学者としてのその位置づけについてもさまざまな解釈が打ち出された。冒頭に示した教皇の言葉は、その長い議論の末の1つの到達点であった。

コラム2

コメニウス売りは教育だけじゃない

相馬伸一

チェコ共和国の現在の200コルナ紙幣には、ヨハネス・アモス・コメニウス（1592～1670年）が描かれている。コメニウスはラテン語表記で、チェコ語表記ではヤン・アーモス・コメンスキーという。チェコ人の前ではコメンスキーと呼ぼう。

彼の著作は文学・言語・哲学・科学・宗教・教育・道徳・政治にわたり、近世哲学の祖といわれるデカルトとも対談した。しかし、日本では教育以外の分野で触れられることは少ない。ちなみに、教員採用試験の西洋教育史分野に登場する人物のなかでは、だいたいベストテン入りしている。

彼が教育で大きな業績をあげたのは事実だ。とくに、最初の絵入り教科書とされる『世界図絵』は、挿絵のアイテムに振られた番号に対応した複数の言語による説明を見比べながら自学自習もできる教材で、1658年に初版が出てからは各国語に翻訳され、後世の改作も含めて長く普及した。

しかし、彼が教育分野だけで扱われるのは惜しい。彼は、ヤン・フス以来の宗教改革の精神を継承するチェコ兄弟団の指導者であり、その信念ゆえに、三十年戦争に見舞われた故郷を去らざるを得なかった。滞在したのは、現在のイギリス、オランダ、スウェーデン、スロヴァキア、ハンガリー、ポーランドにわたる。教育方法の改革者として知られるようになると、彼は各地の教育改革に関わり、政治指導者とも交流した。

そんな彼にとって、三十年戦争のウェスト

ユルゲン・オヴェンスによるコメニウスの肖像（アムステルダム国立博物館蔵）

ファリア講和は、故郷に帰還する望みが絶たれる衝撃だった。彼はチェコ人による統治の回復を遺言として残す一方、なおもプロテスタント勢力の糾合にとりくみ、ハプスブルク家やカトリック教会の没落を予言するパンフレットを拡散した。それは厳しい批判を招いた。

当時のヨーロッパで最も自由であったアムステルダムで、彼は市の指導者や豪商の後援を受けて晩年を過ごした。『教授学著作全集』全4巻を出版し、さらに若い頃からのライフワークであった独自の知の体系であるパンソフィア（汎知学）について考察し、学問・政治・宗教にわたる普遍的改革を展望した。しかし、膨大な草稿は、一部が出版されただけで忘れさられてしまう。78歳で亡くなると、星形要塞都市ナールデンに埋葬された。

彼の教育者としての評判は、ヨーロッパ19世紀における国民教育の成立とチェコの民族再生運動のなかで定まっていった。教育史に必須の人物として扱われ、日本で彼が知られるようになったのも、明治初期に翻訳された教育史教科書による。チェコの民族再生運動は啓蒙主義によって支えられており、宗教者としてよりも、彼の知識人や教育者としての側面が強調された。彼は、諸国民の教師（ウチテル・ナーロドゥー）と呼ばれて絵画や像にも表象された。チェコスロヴァキア共和国が建国されると紙幣の肖像に登場し、第二次世界大戦後の社会主義時代には教育者に加えて社会改革者としての側面が強調された。誕生日の3月28日は「教師の日」になった。

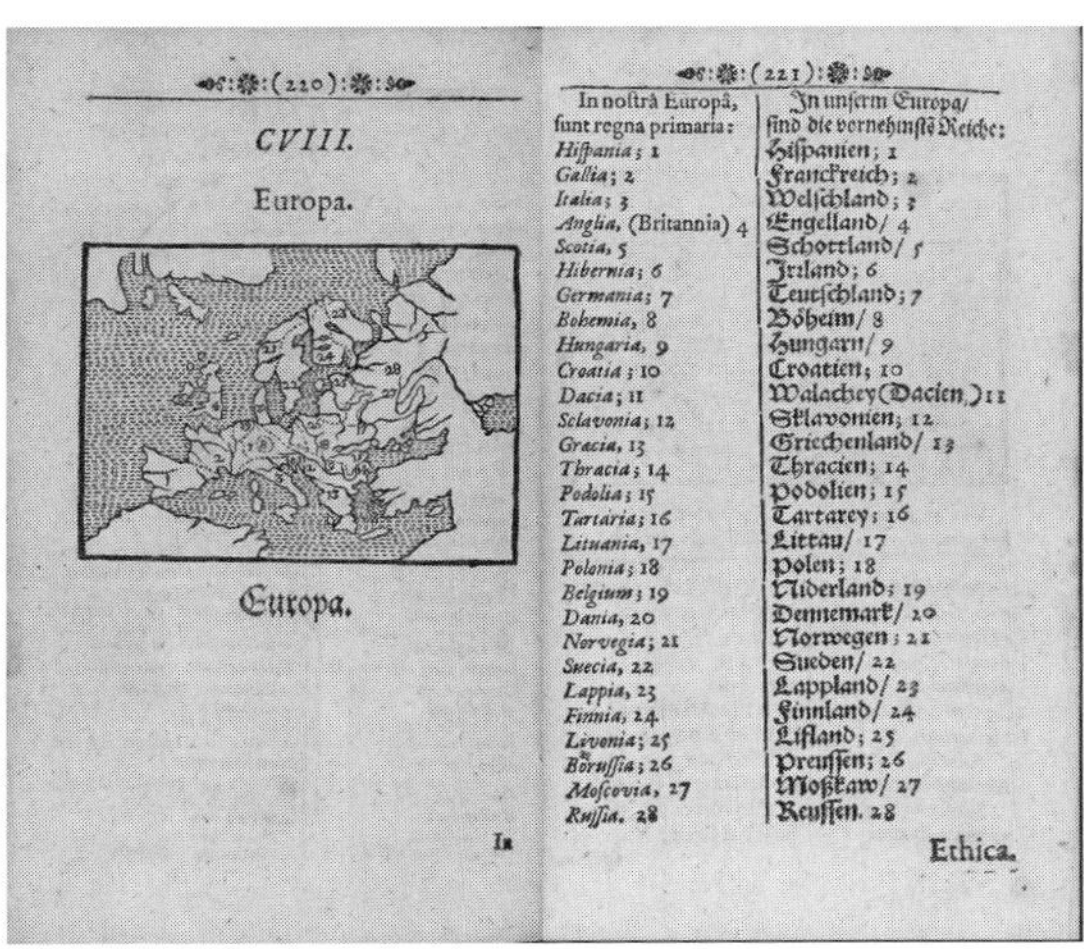

(220)

CVIII.

Europa.

Europa.

(221)

In nostrâ Europâ, sunt regna primaria:	In unserm Europa/ sind die vornehmste Reiche:
Hispania; 1	Hispanien; 1
Gallia; 2	Franckreich; 2
Italia; 3	Welschland; 3
Anglia, (Britannia) 4	Engelland/ 4
Scotia, 5	Schottland/ 5
Hibernia; 6	Irland; 6
Germania; 7	Teutschland; 7
Bohemia, 8	Böheim/ 8
Hungaria, 9	Hungarn/ 9
Croatia; 10	Croatien; 10
Dacia; 11	Walachey(Dacien,) 11
Sclavonia; 12	Sklavonien; 12
Græcia, 13	Griechenland/ 13
Thracia; 14	Thracien; 14
Podolia; 15	Podolien; 15
Tartaria; 16	Tartarey; 16
Lituania, 17	Littau/ 17
Polonia; 18	Polen; 18
Belgium; 19	Niderland; 19
Dania, 20	Dennemark/ 20
Norvegia; 21	Norwegen; 21
Suecia, 22	Sueden/ 22
Lappia, 23	Lappland; 23
Finnia, 24	Finnland/ 24
Livonia; 25	Liefland; 25
Borussia; 26	Preussen; 26
Moscovia, 27	Moßkaw/ 27
Russia. 28	Reussen. 28

In

Ethica.

『世界図絵』1658年版より「ヨーロッパ」

彼のパンソフィアの草稿は、教育者としての評価がすっかり定着した1930年代に発見された。一度広がった評価は変えるのが難しい。しかし、知恵の光は必ず世界に広がり世界を変えていく、と彼は書いている。たしかに、投稿しても読まれるとは限らないが、投稿しない限り読まれることはない。それならば、この短いコラムも、彼のイメージの更新へのささやかな寄与になるに違いない。

5

ハプスブルク朝とチェコ

★中世にさかのぼる長年のお付き合い★

「1526年、ボヘミア王国議会はハプスブルク家のフェルディナント（1世、チェコ王在位1526〜1564年）を王に選出した。フェルディナントは1556年に神聖ローマ皇帝となった。その後ハプスブルク家の歴代の皇帝は、1918年11月にカール1世（在位1916〜1918年）が退位するまで、わずかな中断を除いて、ボヘミア諸邦を統治した」。王家の名前を用いてわかりやすくチェコの歴史を区切るならばこうした説明になる。そしてこの「ハプスブルク朝時代」は、強力な君主権による国家統合が進み、ボヘミアやモラヴィアがいわゆる「ハプスブルク帝国」の中に組み込まれていった時代とされている。しかし王朝を基準にしたこうした時代区分では、かえって見えづらくなる側面もある。

まず、チェコとハプスブルク家の関係はこれよりはるか以前にさかのぼる。プシェミスル家のボヘミア王ヴァーツラフ2世（在位1278〜1305年）はハプスブルク家の皇帝ルドルフ1世の娘グータを妃として迎えた。そして1306年にプシェミスル家の男系が断絶した翌年にボヘミアの聖職者、貴族、市民からなる「領邦諸身分」（以下、「諸身分」と略記）が王に選んだのは、ルドルフ1世の同名の息子ルドルフであった。ただしこの王は翌年死去した。

その後もボヘミア王家とハプスブルク家の間には頻繁に婚姻関係が結ばれている。そしてボヘミア王位継承者がただちに定まらない場合には、諸身分が国王選出権を行使したが、その際、過去の王たちとの血縁関係は重要な基準となった。1437年にルクセンブルク家のジギスムントが男子継承者を残さずに没した際には、娘婿にあたるハプスブルク家のアルブレヒト2世が次の王に選ばれた。アルブレヒトは2年後に没したが、空位期間をはさんで遺子ラジスラフ（在位1453〜1457年）へ王位は継承され、2代にわたるハプスブルク家の統治が実現している。

従って、1526年にヤゲウォ家のルドヴィーク（在位1516〜1526年）がモハーチにおけるオスマン帝国軍との戦いに敗れて死去した後、ボヘミア議会がその義兄弟にあたるフェルディナントを選出したのは、過去の事例を踏襲したまでの話であり、新しい時代への転換を意味するものではない。

ボヘミアやモラヴィアではフス派戦争によってカトリック教会の権威が失墜し、聖職者は議会を構成する特権身分の地位を失った。逆に教会財産や国王財産を占有した世俗の特権身分、特に貴族は社会的・政治的に大きく進出し、ヤゲウォ家時代（1471〜1526年）にその勢力が頂点に達したとされている。特に1490年にヴラジスラフ2世（在位1471〜1516年）がハンガリー王も兼任することになり、宮廷をプラハからブダに移してから後は、ボヘミアやモラヴィアの統治はほぼ貴族に委ねられた。慣習法の集成という形でボヘミア議会が1500年に公布した領邦条令に、この体制は明文化されている。

フェルディナント1世が即位しても、この貴族優位の状況は変わらなかった。フェルディナントはオーストリア大公およびハンガリー王も兼任しており、その本拠はウィーンにあったので、やはりボヘミアやモラヴィアの統治には現地の諸身分の協力が不可欠であった。しかし諸身分の側では不和や対立が目立ち、王が介入する余地を与えた。貴族と市民は経済的特権や議会における投票権をめぐってしばしば衝突し、貴族の間でも家門や派閥の抗争が絶えなかった。また、王冠諸邦の盟主のごとくふるまうボヘミアの諸身分を、モラヴィアの諸身分は快く思っていなかった。フェルディナントは即位後まもなく、宮廷に付属させる形でボヘミア宮廷官房およびボヘミア財務局を設置し、これらはそれぞれ行政実務および財政を王のもとに集中させる役割を果たした。

プラハの聖ヴィート大聖堂内にあるフェルディナント1世と妃アンナ、息子マクシミリアン2世の棺。精巧な彫刻が施されており、美術作品としての価値も高い（筆者撮影）

1547年にボヘミアで生じたプロテスタント系諸身分の反乱は、王にとっては、特権身分に対して強い手段をとる好機となった。しかしこの時実際に武装蜂起を起したのは市民だけだったので、結果としてはプラハなどの都市が裁判権や所領を大幅に削減されるにとどまり、その分、貴族の地位が一層強化されることになった。この時代のボヘミアやモラヴィアは宗教的には甚だしい分裂状態にあったが、王の信頼を得て大幅な権限を委ねられた貴族主体の体制により、信仰をめぐる混乱は巧みに回避された。南ボヘミアの大貴族ロジュンベルク家のヴィレーム（1535～1592年）のような、豊かな見識と能力を備えた人物の果たした役割は大きい。

1600年代に入り、こうした均衡状態は、皇帝ルドルフ2世（在位1576～1612年）と弟マティアス（在位1612～1619年）の間に生じた対立、そしてドイツにおける宗教紛争の再燃によって破られた。ボヘミアとモラヴィアの諸身分は分裂し、ボヘミアの諸身分がルドルフから1609年に勝ち取った勅書は、フス派を含むプロテスタントの立場を圧倒的に有利にした。反発したカトリック側は対抗手段に訴え、急激に緊張が高まった。その結果として生じたのが、1618年5月23日のプラハにおける「窓外放擲事件」およびその後のプロテスタント系諸身分の反乱であった。

1620年のビーラー・ホラの戦いにおけるプロテスタント側の敗北、そしてハプスブルク家による戦後処理が、歴史の大きな節目となり、君主権を強化させたことは間違いない。1627年にボヘミアに対して出された改定領邦条令は、ハプスブルク家の男系によるボヘミア王位の世襲、カトリック以外の信仰の禁止（ユダヤ教は例外）、聖職者が第一身分の地位を回復することなどを定めていた。議会は課税協賛権などを残して多くの権利を失った。また、ドイツ語がチェコ語と同格の地位に引き上げられた（ハプスブルク家がチェコ語の使用を制限・禁止したという説明は誤りである）。

しかし、貴族が中心となって王を支えつつ統治するという体制はその後も維持され、ボヘミアでは最高城伯、モラヴィアでは領邦長官が最有力貴族の中から選ばれて政治運営にあたった。議会も、17世紀半ばには、公安や下級行政、インフラ整備などに関する権限を取り戻した。また、諸身分による行政機関としてモラヴィアでは１６８６年に、ボヘミアでは１７１４年に常設の領邦委員会が活動を始めた。

およそ１７００年頃を境として、政治活動の舞台はしだいに各領邦から君主の周辺へと移動しつつあったが、これは同時期のヨーロッパ全体に見られた傾向である。ボヘミアやモラヴィアでも、16世紀から、上昇志向の強い貴族はウィーンの宮廷に活躍の場を求めていたが、17世紀後半以降、その動きは加速した。その際、ドイツやオーストリア各地の貴族との親戚関係など個人的つながりは重要な意味を持っていた。そして18世紀になると君主側による制度改革が進められ、ボヘミアやモラヴィアはハプスブルク家による統一的な支配体制の中にしだいに強く組み込まれていくことになる。

（薩摩秀登）

コラム3

ルドルフ2世とプラハ

薩摩秀登

1526年にハプスブルク家のフェルディナント1世を王に選んだ時、ボヘミアの貴族や市民ら諸身分は王がプラハに住むことを望んでいた。そうすれば国の威信は大いに高まるし、街も活気づく。しかし、オーストリアやハンガリーその他の広大な領土も統治していたフェルディナントは、結局その期待には応えなかった。その代わり1547年から20年間、同じくフェルディナントと名のる次男がボヘミア総督を務めたので、プラハには多少、ハプスブルク家の宮廷都市らしい風格が備わることになった。そして1583年、フェルディナント1世の孫にあたるルドルフ2世がプラハに宮廷を移したことで、ついにボヘミアの諸身分の念願はかなった。引っ越しのための特別税の徴収にも彼らは快く応じた。

ルドルフの生年は1552年。10代の大半をスペインで過ごし、国王フェリペ2世のもとで養育されて高い教養を身につけた。そしてオーストリアに戻った後、76年には父マクシミリアン2世（在位1564～1576年）の後を継いで皇帝およびオーストリア、ボヘミア、ハンガリーの君主になった。ルドルフがなぜボヘミア王国の首都を終生の住みかに選んだのかはよくわからない。政治向きのことが嫌いで人前に出るのが苦手だった皇帝には、ウィーンの宮廷は煩わしかった、あるいはオスマン帝国の脅威に直接さらされていないプラハの方が安心できた、などといわれるが確かなことは不明である。

しかしこの「遷都」のおかげで、プラハは帝国の政治の中心になっただけでなく、多数の芸術家や文化人が集まる都になった。すでにプラハに居を構えていたフランドル出身のバルトロメウス・スプランヘル（1546～1611年）ら、後期マニエリスムを代表する画家たちの寓意に満ちた作風は、今でもプラハという街のどこか謎めいた気分と重ね合わせて語られる。ユダヤ教など異教の秘儀に関心を示し、錬金術や占星術などオカルト的分野に没頭した皇帝ルドルフという話題にも事欠かず、これもまた「魔術的・神秘的な街プラハ」のイメージ作りに大いに貢献している。ただしこの時代の王侯貴族に錬金術の隠れファンは多かったから、ルドルフだけが風変わりであったわけではない。またルドルフがユダヤ教の指導者たちと交流したのも、1つには、その財産に目をつけたからであった。

それでも、ルドルフ2世時代のプラハが空前の活況を呈していたことは間違いない。プラハはもともと政治の中枢として発展した街なので、宮廷が置かれる意味は大きかった。宮廷それ自体が巨大な消費者であったから、市内の商人や職人、そして近隣の農村地帯もまた大いにその恩恵にあずかった。もちろん、大口の顧客の集まるプラハは、多くの外国商人も引き寄せた。プラハの交易相手としては古くからニュルンベルクやアウクスブルクが重要であったが、フェルディナント総督の時代からミラノやヴェネツィアの人々が目立ち始め、ルドルフの時代になると、イタリア各地やオーストリア方面の商人や銀行家たちが増えていった。プラハに運び込まれた物資は旧市街にあるウンゲルトと呼ばれる税関を通すことになっていたが、必ずしも守られなかったらしい。

商品とともに各種の情報も（一部は印刷された新聞のような形で）もたらされた。プラハに関する情報も外国に流され、たとえばある高名なユダヤ人銀行家が死去した際に、ルドルルフが口実を設けてその財産を押収してしまったスキャンダルは、ただちにアウクスブルクのフッガー家のもとにも伝えられた。また、こうしてプラハが各地の出身者、商品、情報が集まる国際的な都市になった背景としては、ルドルフのもとで宗教的にも寛容な体制が維持されていたことも見逃してはならないであろう。

ルドルフの死後、その後を継いで皇帝になったマティアスは、１６１７年に宮廷をウィーンに戻し、プラハにこうした時代が戻ってくることはもはやなかった。国際色豊かな「帝都プラハ」がその後も長く保たれたならば、この都市の、そしてボヘミア王冠諸邦の歴史はどのように展開していたか、想像をたくましくしてみたい気もする。

6

中・近世の都市と農村

★庶民が生きた世界★

チェコを旅行していると、どの地方に行っても必ず、古風だが整然としたたたずまいの町並みに出会う。このような都市は、そしてその背後ののびやかな田園風景の中に点在する農村は、どのような歴史をたどってきたのだろうか。

中世の半ば頃まで、この国は大半が深い森林に覆われ、川沿いには湿地が広がっており、人の住める場所は限られていた。しかしその景観はほぼ13世紀を境に大きく変わった。ドイツからやってきた人たちも加わって森林や沼地は開拓され、今見るような開けた国土に変貌した。修道士たちは山奥まで入り込んで僧院を建てた。地元の有力者たちは、開墾事業によって広大な領地を集積することで貴族階層へと成長していった。この頃、貴族たちが本拠として築いた城のいくつかは、その後増改築を繰り返して今も美しい姿を見せている。

またこの時代には、国王や貴族の指揮のもとで、地域の拠点として多くの都市が建設された。１２５３年から１３０６年までの間にボヘミアだけで約１３０の都市建設が確認できるというから、かなり「都市化」が進んだことになる。とはいえそれらの大半は非常に小さく、人口１０００人に満たないものもあった。それでも、長方形の広場を囲んで市民の家が立ち並び、まわりを城壁で囲った都市の基本構造は、この頃にはできあがっていた。イフラヴァやクトナー・ホラ、そしてだいぶ遅れて16世紀以降のヤーヒモフのように銀の採掘で繁栄した都市もある。特にクトナー・ホラは14世紀には王宮や貨幣鋳造所も備え、プラハに次ぐ王国第二の都市として繁栄した。こうした中世都市は、領主である国王や貴族から特権を与えられて、有力商人たちによって自主的に運営され、通常12名、時には18名で構成される参事会が市政を担当した。14世紀のボヘミアとモラヴィアでは、有力市民は貴族や聖職者たちと並んで特権身分の一角を占めるようになった。

15世紀には、フス派戦争でカトリック教会の権威が大きく失墜した結果、聖職者は特権身分としての地位を失った。15～16世紀のボヘミアでは上級貴族、下級貴族、市民が特権身分を構成することになり、議会もこの三者で構成された。しかし圧倒的に優勢だったのは貴族、特にボヘミアとモラヴィア合わせて数十の家門からなる上級貴族である。ボヘミアやモラヴィアにほとんど来なくなってしまった国王たちは、この国を統治するにあたって貴族との提携を優先させ、彼らに大幅な権限を委ねた。貴族たちは議会における市民の投票権に制限を加え、またビール醸造などの産業に進出して市民と対立した。

17世紀に入ると、都市は三十年戦争によってさらに大きな痛手を被った。戦争の被害に疫病の流行が重なり、ボヘミアとモラヴィアでは人口の約３分の１が失われ、都市の経済活動は停滞した。貴族による権力独占はさらに進み、１６２７年の改定領邦条令により、ボヘミア王国議会において都市代表は全体合わせて１票しか投じられないことになった。また、16～17世紀に生じた商業革命の結果、

近世の街並み。トシェボン（ボヘミア南部）（筆者撮影）

ヨーロッパの商業の中心が地中海沿岸と北部ヨーロッパを結ぶルートから大西洋沿岸へと移ったため、ボヘミアやモラヴィアを含むヨーロッパ東部は取り残される形になった。

それでも、今も残る古びた街路や広場を歩いてみると、そこにはかつて市民たちの世界が息づいていたことを感じ取らずにはいられない。大規模な商業都市に発展する可能性は低くても、一つひとつの都市は、それぞれの地方の経済の中心として、ささやかな繁栄を築いていた。比較的安価なボヘミア産やモラヴィア産の毛織物や亜麻布は16世紀頃から輸出にも回されるようになったし、18世紀に入ると綿織物工業で急成長をとげる都市も現れた。一部の地域ではガラス器や陶磁器も地場産業として展開し始めた。

また、近世ボヘミアやモラヴィアの貴族たちは、しばしば領内の都市に壮麗な城館を構えて住むようになった。これにバロック風の教会や修道会関係の施設などが加わり、きわめて小規模ながら宮廷都市的な風格を備えた町並みが各地に出現した。都市と貴族、そして都市と教会は、しばしば財産権や課税問題などで対立したが、裕福な貴族や聖職者は商人や手工業者たちにとっては重要な顧客だったし、活発な建築活動は職人たちの仕事を生み出した。国外からボヘミアやモラヴィアに来て工房を構え、そのまま定着した著名な建築家も多い。貴族、聖職者、そして市民たちの織りなした独特な都市の姿が、ボヘミアやモラヴィア各地で、今も明瞭に残されている。

人口の約９割が住んでいた農村の姿はどうだっただろうか。中世の植民活動は、一定の自治を備えた村落を各地に誕生させ、農民の地位は一時的に向上したといわれる。また特殊な例として、ドイツのバイエルン地方との境界に近いホツコ地方などには、警備の任務につく代わりに広範な自治を認められた農民がいた。

しかしフス派戦争による荒廃と人口減少は、農村にとっても大きな痛手となった。労働力不足と地代収入の減少に直面した領主たちは、農民の義務を拡大し、移動の自由を制限し始めた。そして三十年戦争による被害が、これに追い打ちをかけた。改定領邦条令によって安定した地位を得た貴族たちは、しだいに農民を人格的にも支配するようになり、農民は貨幣や現物による地代納入のほか、領主の直営地における賦役労働の義務を課せられ、移動の自由も制限された。こうしてボヘミアやモラヴィアの農民の多くは、いわゆる隷農という身分へと陥っていった。

しかし、近世の東欧に広く見られたいわゆる再版農奴制という概念は、必ずしもボヘミアやモラヴィアにはあてはまらない。中世から近世にかけての社会的混乱の中で、農村社会においてもしだいに格差が生じ、有力な農民は自ら土地を集積して、使用人や労働者を雇う生産者の地位へと上昇していった。そうした人たちは、身分的には隷農であっても、地域社会の中ではゆとりのある富裕層であった。各地の野外博物館を訪れれば、そうした地元の有力農民たちが構えた堂々たる木造農家を今でも見ることができる（次頁およびカバー写真参照）。

村長の館（18世紀末）。モラヴィアのロジュノフ・ポド・ラドホシチェムにあるヴァラシュスコ野外博物館（筆者撮影）

農民は、領主側の不当な要求に対しては様々な手段で抵抗した。17世紀後半になると、西欧への穀物輸出の不振などを背景に領主が農民支配を強化したため、各地で緊張が高まった。１６７９年に疫病の流行を避けて皇帝レオポルト1世（在位１６５８～１７０５年）がプラハに滞在した折には、賦役軽減を求める多数の嘆願書がそのもとに届けられた。これをきっかけに翌年ボヘミアの広い地域で生じた農民の武装蜂起は、結果としては過酷に鎮圧されたが、農村問題の解決が、いずれは真剣に取り組まなければならない課題であることを、多くの人々に実感させたのである。

（薩摩秀登）

7

啓蒙主義の時代

★上からの改革、そして郷土への関心★

1720年代初め、皇帝カール6世（在位1711〜1740年）がハプスブルク家領の不可分性および女系も含む継承権を定めた文書『国事詔書』は、ボヘミアをはじめ帝国各地の議会によって承認された。しかし1740年にカールが死去すると、娘マリア・テレジア（オーストリア大公、ボヘミア王 在位1740〜1780年）への継承に反対するプロイセンやバイエルンなど諸外国が介入し、オーストリア継承戦争が勃発した。最終的にマリア・テレジアによる継承は実現したが、ボヘミア王冠諸邦の一部であるシレジアの大半がプロイセンに奪われた。この深刻な事態に直面し、帝国は大改革に乗り出した。

めざすところは効率的な統治の実現であり、税制の整備、そして軍備の強化である。まず従来のような特権身分への依存を脱し、有能な人材を積極的に登用する必要があった。この時期の改革はシレジア出身のフリードリヒ・ヴィルヘルム・ハウクヴィッツ（1702〜1765年）を中心に進められ、ボヘミア、モラヴィア、オーストリアがその対象となった。各領邦の身分制議会は10年分の軍事費負担を承認させられ、議会の役割はしだいに形骸化していった。1749年には、ボヘミアとオーストリアの行政機関は単一の監理府に統一され、下級の行政機関もそのもとに組み込まれた。ボヘミア王冠諸邦の自立性はこうしてしだいに失われていった。

さらに司法改革の一環として、ウィーンに最高法院が作られた。後にこれは最上級の控訴審として各領邦の裁判所の上に置かれ、裁判権を帝国政府に集中させる役割を果たした。

しかしこうした初期の改革により、あまりに行政権が一局集中しすぎたため、1760年以降、ヴェンツェル・アントン・カウニッツ（1711〜1794年）のもとで進められた行政改革により、監理府はボヘミア・オーストリア統合行政庁および財務庁に分割された。また国家会議が最高の統治機関として設置された。

農村の改革も重要課題であった。農村住民の多くは領主の人格的支配のもとにおかれ、賦役労働を始めとする多くの義務を課せられていたが、これに対する不満は強く、各地で農民蜂起が生じていた。特に、1775年にボヘミア北東部を中心に生じた大規模な農民反乱は、政府が領主の反対を押し切って本格的な賦役規制令を発布するきっかけとなった。

1765年にマリア・テレジアの子ヨーゼフ2世が皇帝に即位して母と共同統治を開始してから、ヨーゼフ2世の単独統治期間（1780〜1790年）までの間、ハンガリーも含めた帝国全体で、ヨーゼフ主義と呼ばれる徹底した啓蒙主義的改革が推進された。その基本理念は、身分・階層や地域などの区別なく、政治や社会に合理主義的精神を浸透させることで公益を拡大させ、その恩恵をすべての人々に行き渡らせることであった。そして最終的には、帝国全体を均質な国民からなる統一的な国家に編成替えすることが目標であった。

そのための人材育成の必要性から教育改革が進められ、1774年の学校令で6歳から12歳までの義務教育が定められた。大学の科目には経済学、自然科学、地理学などが新たに加えられ、それぞれの専門分野で活躍する官僚が育成された。

また、所属の身分にかかわらず国民を同じ法の下に置くために、1750年代から法制改革が徐々に進められ、刑法典や民法典が整えられていった。これは最終的には1811年の一般民法典に結実する。

またヨーゼフ2世は、帝国全体で官庁用語をドイツ語に統一する方針を打ち出した。これは効率性や利便性の向上が目的であり、他の言語への抑圧を意図したものではない。そして公式の場におけるドイツ語の使用がかなり定着していたボヘミアやモラヴィアでは、特に大きな反発は見られなかった。1781年には寛容令が発布されて、正教徒、カルヴァン派、ルター派などカトリック以外の信仰も容認された。さらにユダヤ教徒も営業の自由や大学で学ぶ権利を認められるようになった。これも宗派や宗教の別に関わりなく、人々を国家や社会のために役立てようという発想によるものである。

同じ1781年の隷農制廃止令により、農民は領主に対する人格的従属から解放されて自由な身分となった。また、89年には租税・土地台帳令が公布されて賦役労働の廃止が決められた。しかし翌年にヨーゼフ2世が急死したため、この問題の解決は後まで持ち越された。

教会もまた徹底した改革の対象となった。国家や社会に実利をもたらさないとみなされた修道院は廃止に追い込まれ、その財産は公益のために役立てられることになった。しかし同時に教区の整備も進められ、公式の教育機関で育成されて国家から俸給を受け取る司祭が配置され、地域住民を教導する役割を担っていったことも付け加えておかねばならない。

　こうした大胆な改革は貴族など特権身分の強い反発を招いたのみならず、あまりに性急で社会の実情を無視していたために、一般民衆の間にも混乱を引き起こした。結果としてヨーゼフ2世はその死の直前に、自ら指導した改革の多くを撤回しなければならなかった。しかし寛容令および隷農制廃止令は重要な成果として残り、教育制度および司法制度の改革、そして効率的に運営される行政組織も引き継がれた。ハプスブルク帝国が近代的な国家体制を整えていく基礎がこうした形で作り出された意義は大きい。

　このように帝国政府が大改革に乗り出した一方で、この時代には、領邦単位で地域の伝統に立脚しながら、同じく啓蒙主義の精神にもとづき、社会全体の水準を高めていこうとする運動がボヘミアやモラヴィア各地で生じていた。開明的貴族や聖職者、教養のある市民などがその主な担い手であった。最高城伯フランツ・アントン・ノスティッツ伯（1725～1794年）が1783年にプラハ中心部に建設したエステート劇場（294頁参照）は、こうした熱烈な「国起こし」の雰囲気を今に伝えている。

　アカデミックな方面では、自然科学や郷土史の研究所として設立された私的な学術機関をもとに、1784年にボヘミア学術協会が正式に発足し、これは90年には王立の機関となった。郷土としてのボヘミアやモラヴィアの歴史や文化に対する関心はこの時期非常に高まり、ゲラシウス・ドブナー（1719～1790年）、ニコラウス・アダウクト・フォイクト（1733～1787年）、フランツ・マルティン・ペルツル（1734～1801年）、ヨゼフ・ドブロフスキー（1753～1829年）などが重要な成果を残した。

ボヘミア学術協会の機関誌『プラハ学術報知』を始め、こうした人たちの学問的成果は主にドイツ語で発表されたので、チェコ語を用いる一般民には近づきにくかったが、代わりに多数の祈祷書、聖歌集、説話集、実用書などがチェコ語で執筆され、民衆教化の役割を果たした。1780年代半ばにはプラハにボウダ（掘立て小屋）と呼ばれる大衆向けの劇場が建てられ、チェコ語の作品や外国作品のチェコ語への翻案を上演して人気を博した。こうしたチェコ語による文化活動・啓蒙活動の浸透・拡大は、民族復興と呼ばれる次の時代の運動のための重要な前提を作りだしていくことになる。

（薩摩秀登）

ヨゼフ・ドブロフスキー。生まれは現在のハンガリー。ドイツ語を話す環境で育ち、チェコ語はギムナジウムで学んだ。言語学や歴史学の分野で多くの業績を残した

II

チェコ近代社会の形成

8

民族再生

★現代チェコ文化の創造と「チェコ史の意味」★

「民族再生」の使命感

チェコ語の辞書で「再生 obrození」という語を引くと「18世紀後半から19世紀なかばにいたるチェコ国民の再生過程」という語義が示される。「再生」過程を歴史として最初に記述したのはヤクプ・マリー『私たちの再生』（プラハ、1880年）だが、ここには「再生」過程に参加した同時代人たちの使命感、「再生」のモチーフをよく読みとることができる。

「わが民族が長きにわたるまどろみから目覚め、新たな行動に踏み出したことはまさに再生と呼ぶのにふさわしい。まさに棺に横たえられ、その棺に敵どもは足をかけて『深き淵より』を高らかに歌わんとしていた。底なしの没落、深い屈辱のなかにあってチェコ民族はヨーロッパ諸民族のあいだから消されるところだったのである。ところがわが民族の抜きんでた個性、つまり不滅の生命力は民族の死を許さなかった。チェコ民族はことばの真の意味で死から立ち上がったのである」。

ヨゼフ・ユングマン生誕百周年の記念誌（1873年）はこう誇る。「いまや私たちはあの運命的なビーラー・ホラの戦いの前と同じようにしっかりと立ち、文化と倫理、確信に支えられた力が漲(みなぎ)っている。ビーラー・ホラの後に生まれた人が生き返ったなら、目も耳も信じられないだろう。私たちに溢れ出る生命力は夢にもみなかったにちがいない。世界の眼前で起こった奇跡、秘密に満ちた奇跡。一時はボヘミアの知識人が異言語を学ぶのは当然必要で、私たちの言葉が思想を伝えたり、そもそも文芸に向いているなどとは誰も思わなかったのだ」。

「民族再生」運動の歴史像によれば、チェコの歴史は古代スラヴの民主的で調和ある社会にはじまり、中世におけるゲルマン人との闘争を経て、フス派戦争から宗教改革期に文明的頂点に達する。しかし三十年戦争でチェコ貴族がハプスブルク帝国に決定的に敗北してから（ビーラー・ホラ）、チェコ語文化は抑圧され、チェコ「民族」の権利は蹂躙された。19世紀の「民族再生」の担い手たちはこうして失われたチェコ民族の「生命力」、その歴史と文化の「再生」の担い手として自己を任じていた。

歴史としての「民族再生」

同時代人たちの自己認識を離れるなら、「民族再生」とはチェコ・ネイションの創造過程と捉えることができる。ネイション形成はチェコにかぎらず18世紀末から20世紀にかけて、ヨーロッパ、さらに世界に広がった政治・文化・社会運動である。ここでは主権を担うべき人々の政治的共同体として「ネイション」を考えよう。19世紀ヨーロッパでは「主権者」として個性を主張するには十分な歴史的生命力を持っていることが不可欠だと考えられた。独自の国家的伝統や文語文芸の伝統はネイションの歴史性の根拠だった。中央ヨーロッパでは言語こそがネイションの個性の本質だと考えられたが、ネイションの言語は19世紀の文明的進歩（学術、芸術、哲学、思想、技術などなど）を表現するだけの語彙、文体、レトリック、概念体系を備えていなければならず、その言語による教育が行われ、教養が培われていることが必要だった。「民族再生」とはその課題に応じてチェコの歴史性と固有のチェコ語文化を創造して幅広く共有する共同体の形成過程であり、さらにそれを政治的主権者としてハプスブルク帝国の政治社会に確立しようとする運動である。こうして生み出されたのが「再生期の文化」である。これを担ったのは、市民的出自（非貴族の都市民）の知識人・実業家（「教養市民層」、「財産市民層」などといわれる）、そしてボヘミア王国の愛国主義を奉じる貴族たちである。彼らはみずからを「愛国者」と称した。

チェコ語による学術・文芸活動、ジャーナリズムの発展は1810年代に始まるが、その「書き手と読み手の共同体」に参加するのはわずかな人々だった。ボヘミアでは18世紀後半の啓蒙改革期からドイツ語による教育が拡大したため、エリート・文人になるためには、古典語やドイツ語で教育を受け、教養を積まなければならなかった。ボヘミア、モラヴィアの歴史をはじめてチェコ人の歴史として構想した歴史家、フランチシェク・パラツキー（1798～1876年）は、大著『ボヘミア史』を最初ドイツ語で刊行している。「民族再生」運動は、ドイツ語で知識・教養を得た人々が、ドイツ語で開かれる知的世界をチェコ語で再創造する運動だった。最初のチェコ語＝ドイツ語辞典はヨゼフ・ユングマンの編纂した『チェコ語＝ドイツ語辞典』*Slownjk česko-německý*（1835～1839年）である。この辞典は「チェコ語＝ドイツ語」辞典の体裁を取っているが、その実、ドイツ語の語彙に応じてチェコ語の語彙を創造することを目的としている。それにはポーランド語などスラヴ諸語からの借用、古語からの創造、翻訳借用など、さまざまな戦略が駆使された。ユングマンはドイツ・ロマン派の哲学者ヘルダーやウィーンのスラヴ学者コピタルの文章をチェコ語に翻訳しているが、その本質的な課題は新たなチェコ語の表現を獲得するためにドイツ語の原典をチェコ語の世界に移植することであって、そのためには原典を改変することも厭わなかった。チェコの知識人はドイツ語教養を共有していたので、そもそも彼らにはチェコ語訳よりも原典の方がアクセスしやすかったのである。

似たようなことは「古代チェコの手稿」にもいえる。これは１８１７年に「発見」された２つの文書で、それぞれ13～14世紀、８～10世紀の叙事詩を伝えるとされた。「発見」当初から、手稿の真贋をめぐる論争が存在したが、贋作という結論で一応の決着を見たのはようやく１８８０年代のことである。しかし真贋より重要なのは、それまでに「手稿」が果たした役割、すなわちそれが「チェコ文芸の古い起源」をどれだけよく表現したか、という機能であった。パラツキーは「手稿」を古代スラヴ社会の民主的性格を示す「史料」として使ったし、スメタナはゼレナー・ホラ手稿の「リブシェの審判」を原作としてオペラ「リブシェ」を創った。「チェコ文化」の創造はこうした共同作業によっていたのである。文学作品、学術研究、造形芸術、音楽、演劇、建築、ジャーナリズム、そして政治の世界など、様々な分野で行われた創造作業は互いに引用・参照し、補完しあって、全体として「チェコ的な文化」を生み出していった。もちろん、読者（観衆）もその当事者であった。

「チェコ社会」の誕生と「再生期の文化」に対する批判

一方でそうした創作活動は再生期の知識人を悩ませるものでもあった。１８４６年に生まれたスヴァトプルク・チェフは、プラハに出てきた１８６０年代についてこう回想している。

「最初のチェコ語の新聞を見て、私は非常に嬉しかったが、心の奥底で、それは何かためにしたようで、不自然で、わざとらしく、押し付けがましいという気持ちが囁(ささや)くのだった。特に当時の広告が私にそんな印象を与えた。広告は誰もがドイツ語で知っているものを、新しく作ったチェコ語で言い換えたものにあふれていたのだ」。

1882年にはカレル＝フェルディナント大学（プラハ大学）はチェコ語部とドイツ語部に分割されて小学校から大学までチェコ語で教育をうけることができるようになった。1883年には国民劇場が開場し、1891年にはボヘミア王国科学アカデミーが設立された。全27巻におよぶ『オットー百科事典』の刊行が開始されたのもこのころのことである（1888～1909年）。プラハ市をはじめ数多くの都市ではチェコ語による行政の経験が蓄積され、それは帝国の行政・言語政策にも反映した。こうして1880年代を迎えるころには、チェコ語は文化と社会領域全般のコミュニケーションを支え、制度的にも社会的現実としても「チェコ・ネイション」の社会が出現したのだった。ハプスブルク帝国は諸ネイションの社会の形成を促し、帝国の近代化と諸ネイションの社会の発展とは相互依存関係にあった。ちなみに先に引用したマリーは帝国について次のように語っている。「チェコ人であるとともに、私たちはオーストリア人、つまり諸国民の連合の一員であり、私たちの存在そのものがその存続にかかっている。私だけでない、教養のあるチェコ人であればだれでもそう感じるし、私たちはみんなそれを熱心に信じている」。

「民族再生」は狭義には18世紀末からチェコ語の学術・文芸活動が生み出され定着する19世紀なかばまでの歴史的過程を指すが、広義には「チェコ文化」が社会的現実となる1880年代まで含めることができる。それは同時にチェコ社会が多極化し「民族再生」の思想と運動に内省的な批判が加えられる時期でもあった。Ｈ・Ｇ・シャウエルの「私たちの２つの問い」（１８８６年）はその端的な例である。「チェコ史は存在するのか」「存在するにしてもそもそれに意味はあるのか」、シャウエルの問いは「民族再生」を根本から問い直すものだった。チェコ史の存在根拠を考察してその問いに全面的に答えようとしたのがＴ・Ｇ・マサリクである。今日まで続く「チェコの問題」のはじまりである。チェコの歴史と文化に奥行きを与えているのは、成功した「再生」の意味を問い直し続ける思想史的営為にほかならない。

（篠原琢）

9

19世紀の社会と政治

★「近代化」のなかを生きた人々★

19世紀を通じて、中欧・東欧ではナショナリズムが高まり、自治権の強化や独立を求める運動が活発化したことが知られている。この時代のチェコの政治も、チェコ人とドイツ人、あるいはチェコ人とハプスブルク帝国の対立を中心に語られることが多い。しかし、19世紀のチェコの政治は、近代化に伴う大きな社会変容を反映して、ナショナリズムの高まりという視点からだけではとらえられない変化をみせた。

18世紀後半に身分や宗教に基づく制約が緩められたものの、チェコの人々は19世紀前半も、依然として身分制のもとに生活しており、各領邦の議会は諸身分の代表から構成されていた。そして、人口の約8割が農村に居住する圧倒的な農業社会であった。

しかし、ナポレオン戦争は、チェコの産業を活発化する契機となり、1830年代にチェコは本格的な産業化の時期をむかえた。この時期には、綿織物工業や毛織物工業のほか、製糖業をはじめとする食品産業、機械工業が発展した。さらにボヘミア南部のチェスケー・ブジェヨヴィツェとオーストリアのリンツを結ぶ馬車鉄道の開通（1832年）に始まる鉄道建設が、産業化を促進した。産業化の影響は農業にも及び、市場向け農業生産が拡大した。

経済的成長を背景に人口は増加し、ナポレオン戦争前に約490万人だったチェコの人口は、1840年代半ばには650万人を上回った。人口増加、産業化、交通網の充実などにより、農村からウィーン、プラハ、ブルノといった大都市に働き口を求めて移動する人々も増加し、都市化も進展した。

こうした変化のなかで、新たな社会階層もうまれた。経済活動によって力を得た企業家、国家行政の業務拡大により急増した官僚、さらに弁護士、大学教授、医者、文筆家といった教養により威信を備えた人々が、新たな中間層である市民階層を形成した。また工業、農業における資本主義的生産の拡大により、賃労働に依存する労働者が増加し、労働者階層を形成していった。新たな階層の出現は、従来の身分制秩序を大きく揺るがすことになる。

1848年のパリ2月革命がチェコで反響を呼んだ背景には、以上のような社会変容があった。プラハでは早くも3月11日に聖ヴァーツラフ浴場で集会が開かれ、皇帝への請願書が作成された。2月革命を受け、プラハのみならずハプスブルク帝国の各地で皇帝への請願、革命のプログラムが作成されたが、それらは言語的権利などを要求しただけではなく、憲法制定、議会改革、隷農制の廃止、法の前の平等、言論・出版・結社の自由をはじめとする市民的権利を求めた点で共通していた。

革命は最終的に鎮圧されたものの、隷農制の廃止といった一定の革命の成果は維持された。そして、イタリア統一戦争の敗北を経て、1860年代に入ると再びハプスブルク帝国への立憲制の導入が模索され始めた。1861年の「2月勅令」により、従来の諸身分の代表から構成される領邦議会にかわり、財産制限や等級選挙制といった制約を伴いつつも、選挙制度に基づく領邦議会が成立した。

皇帝フランツ・ヨーゼフによる帝国議会の開会

またウィーンには、各領邦議会の代表からなる帝国議会も発足した。さらにアウスグライヒによってオーストリア・ハンガリー二重帝国が成立する1867年には、市民的権利を保障する条文を含む「12月憲法」が発布され、立憲制が成立した。新たな政治体制の下で自由主義的諸政策が推進され、1873年には帝国議会にも直接選挙が導入された。

こうして1860年代に議会制が導入されると、立憲党（Verfassungspartei）や国民党（後の通称は老チェコ党）など、「ドイツ人」や「チェコ人」といった国民（ネイション）を基盤とする政党の編成が進んだ。立憲党や国民党は、自らをそれぞれの国民の代表者とみなし、言語的権利や、中央集権制か自治に基づく連邦制か、といった国制問題などをめぐって対立した。しかし、市民層を中核とし、自由主義に依拠するこれらの政党は、多様な利益や関心をもつチェコの住民を、「ドイツ人」や「チェコ人」として一枚岩的に組織できたわけではなかった。

労働者の窮状はすでに1848年の革命の段階で明らかになっていたが、19世紀半ば以降の資本主義の発展は、いわゆる「社会問題」を深刻にした。さらに1873年に生じた大不況、1870年代末にはじまる農業不況とその社会的帰結は、工業労働者のみならず小生産者、農業生産者の不満を高め、従来の自由主義的経済政策と既存の政党への厳しい批判を呼び起こした。そして、1882年の帝国議会選挙の選挙権拡大にも後押しされて、さまざまな階層や社会集団の間で、それぞれの利益を政治の場で追求しようとする動きが強まった。こうして１８８０年代以降、社会民主主義運動、農民主義運動、キリスト教社会運動など、大衆的な基盤を持つ社会・政治運動が活発化し、独自の政党の設立を進めた。例えば、労働者の利益を代表する社会民主党、農業利益を代表するチェコ農業党やドイツ農業党、カトリシズムに基づく資本主義社会の改革を目指すボヘミアキリスト教社会党、ドイツ・ボヘミアキリスト教社会連合などである。

このように立憲制の導入、政治的権利の拡大、さらに結社制度やメディアによる政治的言論の場の拡張などにより、19世紀を通じて次第に多くの人々が直接政治に関与するようになった。この過程で形成の進んだ諸政党が、多くの場合国民ごとに組織されたように、19世紀を通じてチェコの政治における国民という枠組みの重要性は確実に増してゆく。しかし、全てのチェコの住民が一律に国民ごとに組織され、諸国民の間の対立だけが政治を支配した訳ではなかった。複数の言語を話す人々の間では、19世紀末でも国民に対する無関心が広くみられたといわれる。さらにより多くの人々が直接政治に参加するようになるなかで、さまざまな階層や社会集団の間の利害対立も鮮明になり、それぞれの国民の内部でも、相互に競合する多様な政治勢力が生まれた。また19世紀を通じて政治的権利の拡大が進むが、その対象となったのは男性であった。しかし、女性の政治からの排除を批判し、政治的権利を求める運動も19世紀末頃から活発化する。

以上のように、チェコの政治は19世紀に大きく変化した。この時代、チェコの政治は広範な社会変容を反映し、国民のみならず、階層・性差・理念や思想などに基づく諸集団の利害や主張、相互の競合関係などによって形作られることになったのである。

（桐生裕子）

10

チェコ人のための政治の理想と現実

★19世紀末から20世紀初頭のチェコ政党政治★

『善良な兵士シュヴェイクの冒険』の作者として有名であり、第一次世界大戦前から人気作家として活躍していたヤロスラフ・ハシェク（1883～1923年）は、チェコ人政党や当時の政治を揶揄するべく、飲み友達と「政党」を「設立」して「選挙戦」を行ったとされる。今の日本でいえば、人気ユーチューバーが動画のネタとして新党を設立したという感じだろうか。その体験をもとにした『プラハ冗談党レポート――法の枠内における穏健なる進歩の党の政治的・社会的歴史』では、当時の政治や政治家が各所に面白おかしく風刺されている。このような揶揄が少なくない人々のあいだで共有できるほどに、当時のチェコ政治やチェコ人政党には「とほほ」な話やスキャンダルが多かった。同時に、多くの人が理解できるお笑いのネタになるほどに、当時のチェコ社会において政党が大きな位置を占めていたことも忘れてはならない。

近年の研究では、チェコ人政党の活躍の場の1つであったウィーンの帝国議会やオーストリア政治については、19世紀末以降の国民間の対立に起因する帝国議会の機能不全を強調する従来の見解を修正するかたちで、活発な議会活動や政党の果たした役割に注目が集まっている。また、政党は自党の支持者への利益誘導や猟官活動にも積極的であった。このような行為は、現代の日本と同じように当時でも批判されていたが、同時に政党と有権者との結びつきを強めるという効果も有していた。チェコ人政党を含む諸政党は、自党の支持基盤の維持と拡大に熱心であったのである。

チェコ人政党が活発な活動を展開するようになった背景には、帝国議会選挙の選挙権が徐々に拡大したことに加えて、前章で紹介されたようにさまざまな部分利益が自らの利益を追求するようになったことが挙げられる。そもそも、19世紀後半までのチェコ政治は、制限選挙を前提として、自由主義政党の老チェコ党、後には青年チェコ党（正式名称は国民自由党）によって主導されていた。しかし、社会・経済的な近代化に両政党が対応できなかった結果、労働者利益を代表するチェコ社会民主党、農業利益を代表するチェコ農業党、国民意識の強い労働者やホワイトカラーなどを代表する国民社会党、篤い信者などを代表する複数のカトリック政党が結成された。とりわけ社会民主党や農業党のような大衆政党タイプのチェコ人政党は各地に党支部網を整備するとともに、青年組織や余暇団体などの傘下組織を次々と設立した。それにより、20世紀初頭には、オーストリアやドイツと比肩しうる政党システムと政党を頂点とする部分社会がチェコ政治社会に形成されたのであった。このような多党化は、帝国議会選挙への男子普通選挙権の完全導入とそれによる初の選挙となった１９０７年の帝国議会選挙により固定化した。それによる初の選挙となった１９０７年の帝国議会選挙では、１８９０年代からチェコ政治を支配してきた青年チェコ党は、チェコ人政党の間で第三党に転落したのであった。

それにもかかわらず、１９０７年の選挙後も、チェコ社会民主党以外のチェコ人政党は帝国議会において共同会派を結成した。その共同会派においては、社会・経済的な問題に関しては各政党に委ねることにしたうえで、チェコ人全般にかかわる問題について各政党が一致団結して取り組もうとした。いわば、チェコ人政党が、政党間の争いを「なかった」ことにして、「チェコ人のため」という名の下で結集しようとしたのだ。そのうえ、この共同会派では第三党にすぎない青年チェコ党が優越的な地位を占め、同党のリーダーであるカレル・クラマーシュ（1860〜1937年）がチェコ政治の主導権を握ったのであった。

このように、選挙結果がその後の政治のあり方へ十分に反映されないという状況が現出した。しかし、19世紀後半から20世紀初頭までの文脈からすると、この共同会派の試みは異常というほどでもなかった。まず、歴代のオーストリア政府は概して、安定的な議会運営のために必要な議会多数派を確保するために、または議事妨害をしないという確約を得るために、チェコ人政党と交渉する意欲をもっていた。そのような政府と交渉を有利に進めるためには、チェコ人政党が一致団結していることは重要であった。さらに、当時は政党間競合を前提とした議会制民主主義が一部の国でようやく実現したにすぎず、民主主義がよいものという考えそのものも十分に浸透していなかった。現在と比較して、当時の政党間関係や政府と政党の関係は多様性に富んでいたのである。

しかし、「チェコ人のため」という理由は政党・政治家の違いや対立を覆い隠すには十分ではなかった。議場では社会・経済的な利益を棚上げにして結集することができたかもしれないが、選挙関連でそれを実現するのは困難であった。諸政党は選挙のために自党の支持者への積極的な働きかけを必要としていた。その際には、自党がいかに成果をあげているかをアピールするとともに、他党がいかに無能かつ怠慢であるかを示すことが有効であった。議会での協力と選挙での競合は相反するのである。そのうえ、政府やドイツ人に譲歩してでも合意形成を目指す青年チェコ党と、要求の完全な実現を有権者に訴えることに熱心な国民社会党の対立のように、チェコ人としての要求の実現そのものが政党間の争点となっていた。「チェコ人のため」という金看板は、どのチェコ人政党が真にチェコ人を代表しているのかという争いをも惹起したのであった。このような対立を乗り越えるためには、共同会派を結成するメリットとその成果が必要であった。しかし、チェコ人政党からの一定の協力を欲していたはずの政府からは十分な見返りは提供されなかった。また、共同会派を主導する青年チェコ党は、協力の見返りとして他の政党に配分するだけの資源を有していなかった。

その結果、チェコ社会民主党を除くチェコ人政党による青年チェコ党主導の共同会派は不安定なものになり、共同会派の再編と崩壊が繰り返された。そのために一時はクラマーシュも事実上の失脚の憂き目にあった。最終的には、共同会派を形成する試み自体が断念され、チェコ人政党間には遠心的な競合が現出した。このように、チェコ政党政治は新たな段階に進むことになった。しかし、そのかたちが見通せないうちに第一次世界大戦が勃発することになる。

20世紀初頭においてチェコ人政党は目を見張るような成果をあげることはできなかった。しかし、人目につく議事妨害や「とほほ」な話の裏では、議会多数派の確保や法案審議をめぐる政府や政党間の交渉が行われていたのであった。耳目を集めにくい法案などは、議事妨害さえ回避できれば成立していたのである。このような議事運営における「イロハ」の習得、政府や他の政党の豊富な折衝経験は、チェコスロヴァキア第一共和国の議会政治や政権運営に寄与したのである。

（中根一貴）

11

モラヴィア

★国になりきれなかった国★

モラヴィアと呼ばれる地域は、現在のチェコ共和国の東部、地理的にはボヘミア・モラヴィア高地とスロヴァキアの間に位置する。この地域は中世のプシェミスル家の統治以降、西の隣国のボヘミアと特別に強い結びつきを持っていた。モラヴィアはボヘミアと同じく、聖ヴァーツラフの王冠に帰属するとされ、ボヘミア王あるいは王の一族がモラヴィア辺境伯となった。また両国の貴族の間にも強い結びつきがあった。だが同時に、モラヴィア辺境伯領は独自の法と議会を保持しており、領邦の自治に強い誇りを持っていた。たとえば、1620年のビーラー・ホラの戦いでは、当初モラヴィア領邦議会は、ボヘミアの主導する反ハプスブルク蜂起に加わることに慎重であった。また1848年革命の際も、ボヘミアとの統合に反対し、モラヴィアの自治を強く主張している。

ビーラー・ホラの戦いは、モラヴィアにとっても大きな転換点となった。中欧を支配するハプスブルク家の統治のもとで、モラヴィアはボヘミア、プラハよりも、距離の近い帝都ウィーンとの結びつきを強めた。その結果、ドイツ的な性格が、とりわけ都市において強まっていった。このことは19世紀の民族再生運動の動向に多大な影響を与えることになる。史料によれば、少なくとも19世紀前半、モラヴィアのスラヴ系住民は自分たちのことをチェコ人ではなく、モラヴィア人であり、自分たちの話す言葉はモラヴィア語であると考えていた。とはいえ、この時代にモラヴィア民族、あるいはモラヴィア語というものが、存在していたわけではない。彼らはモラヴィアの住民であるから、自分はモラヴィア人であり、モラヴィア語を話すと素朴に考えていただけである。現実にはモラヴィアの住民は、各地方でそれぞれ異なる方言を話し、異なる習俗を持っていたのであり、統一されたモラヴィア性というものは存在していなかったのである。モラヴィア内部の多様性は現在も残っており、モラヴィア中部を中心とするハナー、南東部のスロヴァーツコ、北東部のヴァラシュスコなどが、それぞれ独自の方言・文化を持っている。

いわゆる「民族再生期」において、モラヴィアの人々は、漠然としたモラヴィアへの帰属意識を持ちつつも、独自の「モラヴィア民族」を構成することはなかった。その最大の原因は、スラヴ系の知識人たちが拠って立つ拠点が、モラヴィアには存在しなかったことであろう。

ボヘミアでは、貴族たちによって設立された、プラハのボヘミア王国博物館を中心として、パラツキーを筆頭とする知識人が、領邦愛国主義からチェコ国民主義を展開させていった。同時期のモラヴィアでも、モラヴィア領邦博物館が設立された。しかしその活動はモラヴィア民族の形成に結びつくことはなかった。モラヴィア貴族の領邦愛国主義は、モラヴィアの自治を擁護するという文脈において、ボヘミアに対して敵対的であった。しかしモラヴィアのスラヴ的要素とゲルマン的要素を独自のモラヴィア民族へと止揚する試みは行われなかった。この時代のモラヴィアの知識人の世界では、ドイツ系の人々が圧倒的な優位を占めていた。当初彼らはスラヴ的要素に敵対的ではなかったが、スラヴ的要素をモラヴィア性の表出として、定式化する試みに関心を持たなかった。こうした状況の中、独自の中心を持たないモラヴィアのスラヴ系知識人は、プラハに依拠せざるを得ず、その結果ボヘミアの愛国者たちの成果を受容していくことになる。そしてモラヴィア語、モラヴィア民族の創出というプロジェクトは、プラハの愛国者にとっては、批判されるべき分離主義でしかなかった。

こうして一部のモラヴィアのスラヴ系知識人による、モラヴィア語、モラヴィア民族創出の試みは潰えることとなった。モラヴィアにおけるドイツ性の強さが、モラヴィアのスラヴ系住民による独自の国民形成の道を閉ざし、チェコ国民意識の受容へと至らしめたのである。

19世紀後半から20世紀にかけて、モラヴィアのスラヴ系住民は、チェコ国民意識を受容していく。しかしモラヴィア人という意識を喪失してしまったわけではない。1918年のチェコスロヴァキア建国を、モラヴィアのチェコ系住民は歓喜して迎えたが、モラヴィアの象徴である鷲の紋章と黒黄の州旗も同時に掲げられた。モラヴィアにとって最大の打撃は、共産主義政権による州制度の廃止であろう。この結果モラヴィアという行政単位が消滅し、ボヘミアとモラヴィアの歴史的な境界線は大幅な変更をこうむった。それでもモラヴィア意識は消滅せず、1968年「プラハの春」の時代には、ボヘミア、モラヴィア・シレジア、スロヴァキアの三重連邦構想が提唱され、モラヴィアの人々の間で大きな反響を呼んだ。

モラヴィア自治運動は、1989年のビロード革命の後に、大きな盛り上がりを見せた。1990年にはモラヴィアの自治の再興をうたう「自治民主運動－モラヴィア・シレジア協会（HDS-SMS）」が、連邦議会選で全体の9％、チェコ国民評議会選では約10％の票を獲得した。また1991年の国勢調査では、約136万人（約13・2％）が、モラヴィア民族であると申告している。しかし2001年には約38万人（約3・7％）に急落、2021年は約36万人（約3・4％）と低迷している。現在モラヴィア自治運動を支持する者は、ごくわずかとなっている。

統計上、チェコ人ではなく、モラヴィア人であると申告する者は少ない。現在自分のモラヴィア性を意識している人々は、チェコ意識に優先順位を与えているが、決してモラヴィア意識を失くしてしまったわけではない。モラヴィア意識とチェコ意識は矛盾せず、両立しうるものと考えている。2015年、モラヴィアの中心都市ブルノに、モラヴィア辺境伯ヨシュト（在位1375〜1411年）の騎馬像が建てられた。ヨシュトはカレル4世の甥で、ブルノに宮廷を置き、短期間だがドイツ王になった人物である。この偉大なモラヴィアの君主を顕彰すべく、建てられた像は、英雄然とした厳めしい武人像ではなく、ユーモラスなモダンアートの像であった。モラヴィア性に誇りを持つが、攻撃的ではない、現在のモラヴィア意識の表れと言えるのではないだろうか。

ブルノのヨシュト像（筆者撮影）

モラヴィア性というものは、今日に至るまで定式化されることはなく、漠然とした同郷意識にとどまっている。おそらくモラヴィア人を自認している人であっても、それを他者に納得できる形で定義することはできないだろう。しかしモラヴィア性の持つその曖昧さがまたかえって人々を引き付けるのかもしれない。

（京極俊明）

オロモウツ

コラム4

薩摩秀登

モラヴィアの古都オロモウツは、モラヴァ川沿いに広がる渓谷の北部、イェセニーキ山地の麓にある。かつて城壁がぐるりと囲んでいた旧市街は、ボヘミアやモラヴィアの都市には珍しく、東西に細長く中央がくびれたいびつな形をしている。街路もそれに応じて不規則に入り組んでいるが、どこを歩いても、この街がたどってきた多彩な歴史にめぐり合うことができる。

プラハを中心に国家を築いたプシェミスル家にとって、オロモウツはモラヴィア統治のための重要拠点の1つであった。1063年にはプラハから分離する形で司教座がおかれ、1777年に大司教座に昇格した。プラハがフス派戦争や宗教改革の影響で大きく揺れ動いた15～16世紀にも、オロモウツはカトリックの街としての立場を崩さなかった。1566年に創設されたイエズス会の学院は73年に正式に大学になり、現在はパラツキー大学と呼ばれている。大司教館や大学本部などの建物は旧市街の東部に集中しており、このあたりはどこか厳粛な雰囲気が漂っている。1848年にはハプスブルク家の宮廷が革命を逃れてウィーンからこの大司教館に移転し、若きフランツ・ヨーゼフの即位式もここで挙行された。

この地区の北側にはプシェミスル家の分国侯が住む城があったが、今はほとんど遺構しか残されていない。かつての城の敷地内には12世紀の創建になる聖ヴァーツラフ大聖堂がある。19世紀にネオ・ゴシック様式で建て替えられ、端正な姿を見せているが、市街地の外れに位置しているためか、控えめな印象である。

旧市街の西部には、「上広場」と「下広場」が半分つながった形で南北に並んでおり、上広場の中央に市庁舎がある。１３７８年にモラヴィア辺境伯ヨシュトの許可を得て着工し、15世紀末にひとまず完成した。１６０７年には時計塔が加えられ、また北側正面は１９０４年にネオ・ゴシック風に改修された。ひときわ目を引くのは、北面の壁龕（へきがん）にはめこまれた天文時計であろう。本来はプラハ旧市街の市庁舎にあるものと同じような古風な時計であったが、１９４５年の戦闘で破損したため、社会主義リアリズム調でしかも民族色濃厚なデザインの時計に生まれ変わった。街の雰囲気を損ねているとして一部では評判が悪いらしいが、これも街の歴史の一コマを物語っているし、あえてプラハとの差異化をめざしたユニークな時計として見てみるのもいいと思う（カバー写真参照）。

市庁舎からやや離れた場所に、高さ35メートルの聖三位一体柱が立っている。ペスト終息への感謝を示すために１７１６年に建設が始められ、54年に完成した。多数の聖人像が段をなして並ぶ壮麗な姿は、柱というより一種の彫刻ギャラリーであり、こちらは間違いなく市民の誇りである。内部は小さな礼拝堂になっている。

各所に点在するバロック風の噴水も見逃せない。もとは市民に水道水を供給するための施設であったが、17世紀末以降、ジュピター、ネプチューン、マーキュリー、トリトン、ヘラクレスなど古代の神話や伝説にもとづく彫刻が加えられていった。「カエサル（シーザー）の噴水」もあり、カエサル率いるローマ人がオロモウツを建設したという伝説にもとづいている。もちろん荒唐無稽な作り話だが、これらの彫刻群と噴水を眺めていると、明るく華やかな南欧の都市の気分を自分たちの街に

カエサルの噴水。左の建物は市庁舎（筆者撮影）

取り込もうとした人々の熱意が伝わってくる。

旧市街から北東へ向かうと、モラヴァ川を隔てて市街地と向かい合うようにしてフラジスコ修道院がある。創建は１０７７年と古いが、１６８６年から１７３７年にかけて新たな建物が完成し、その堂々たる姿はマドリッド近郊のエル・エスコリアルをイメージしているといわれる。

ここからさらに数キロメートル離れた場所にはスヴァティー・コペチェク（「聖なる小さな丘」の意）と呼ばれる小山がある。オロモウツの市街地を一望のもとに収めるその頂にはもともと巡礼教会があったが、この地を管理するフラジスコ修道院によって、やはり18世紀初めに端正なバロック様式の教会が完成した。教会の後ろは居酒屋やレストランが立ち並び、市民たちの気軽な行楽地になっている。

オストラヴァ

コラム5

森下嘉之

プラハから高速特急で3時間半、モラヴィア地方北部に位置するオストラヴァはチェコ国内ではプラハ、ブルノに次ぐ規模の都市である（2022年現在、人口約27万人）。もっとも、「観光」を目的にこの街を訪れる人はそれほど多くないだろう。近代以前は一村落であったオストラヴァで炭鉱採掘がはじまり、当時ハプスブルク帝国のウィーンからガリツィア（現ポーランド南東部から現ウクライナ西部）地方を結ぶ鉄道路線の中間に位置したことで工業化が進展した。1828年にはオストラヴァ近郊のヴィートコヴィツェ地区に製鉄所が建設された後、経営はウィーンのロートシルトとグッドマンの兄弟に移譲され、1873年には現在に連なる「ヴィートコヴィツェ鉱山・製鉄組合」（以下、ヴィートコヴィツェ製鉄所）が設立された。チェコスロヴァキア建国後の1930年代末には、同地域での鉄鋼の生産高は同国全体の60％以上に達していた。都市化の進展に伴い、20世紀初頭にはモラヴィア・シレジア国立劇場（アントニーン・ドヴォルザーク劇場）が開館し、同地ゆかりの音楽家レオシュ・ヤナーチェク（1854〜1928年）の名を冠したオーケストラもこの街に本拠を置いた。

1939年3月にオストラヴァはナチス・ドイツの支配下に入り、市内産業の多くがドイツ系の所有となった。同年10月には、当時のナチ占領下チェコ、オーストリアのユダヤ人をポーランド東部に追放・移送する中継地として、オストラヴァには多くのユダヤ人が集められた。ニスコ・プランと呼ばれ、中央駅前には、当時の移送に関する記念碑が設置されている。1945年のナチス・ドイツの敗北後すぐにヴィートコヴィツェ製鉄所は国有化され、1948年の共産党政権の成立以降は、5ヵ年計画による重工業化が推進された。製鉄所の近隣には、戦前より労働者住宅のコロニーが建設されていたが、1950年代の製鉄所拡張により、大規模な住宅建設・都市開発が進められ、オストラヴァは「共和国の心臓」とも呼ばれた。特に、この時期に開発されたポルバ団地には、社会主義リアリズム様式の建造物が立ち並び、往時の雰囲気を今に伝えている。

1989年の共産党政権の終焉に伴う体制転換「ビロード革命」は、ヴィートコヴィツェ製鉄所に代表される社会主義期の産業にも影響を与えた。同製鉄所も、製鋼所など各部門に分割・民営化された。1990年代の経済的混乱を経て21世紀のEU加盟に向かう同市の変化を象徴するのが、市中心部の「ストドルニー Stodolní」地区だろう。EUの支援を受けて2006年に再開発されたこの地区は、飲食店がひしめく歓楽街へと変貌を遂げた。加えて、シュコダ車両工場など国内外の企業の市内への移転・進出も見られるようになった。2000年代以降、市は外資を呼び込むプロジェクトを推進し、EUの「欧州文化首都」にも立候補するなど、大規模な都市再開発を進めている（欧州文化首都は2015年、

ヴィートコヴィツェ製鉄所跡地の博物館（筆者撮影）

プルゼン市に決定)。その一方で、1980年代から市内の鉱山では閉山が相次ぎ、1990年代には失業率も増加した。筆者はオストラヴァのヴィートコヴィツェ文書館を訪問し、居合わせた利用者と話をする機会があった。筆者が思わず「1989年の〝ビロード革命〟」と口にしたとき、かつて家族とも製鉄所で働いていたという氏から、「あれは『革命』じゃない」という返答をされた記憶がある。その後、氏の好意で、閉鎖されたヴィートコヴィツェ製鉄所跡地の博物館を案内していただいた。20世紀を色濃く残す製鉄所の威容と、体験学習の子どもたちの歓声が印象的であった。

12

女性の社会進出

★「婦人のアメリカン倶楽部」の足跡をたどって★

観光客の行きかうプラハ市内ベトレーム広場の一角にナープルステク博物館がある。19世紀、ここにはナープルステク家が経営するビール醸造所や飲料製造・販売等の事業施設や経営者の住居があった。実質的な経営者である未亡人アンナには2人の息子がいたが、次男のヴォイチェフは1848年革命に関わってアメリカに亡命し、1858年に帰国した。この場所で、彼と彼の実家ナープルステク家の支援の下、「婦人のアメリカン倶楽部」の名で集ったプラハの上流市民層の女性たちが様々な活動を行った。

19世紀に入るとチェコでも、女性が中心となって様々な社会活動を行う団体が現れるようになった。最初の記録は1813年とあるが、明らかなのは1848年革命のさなかに結成されたスラヴ女性協会である。これはすぐに消滅するが、1860年代以降女性たちの活動は活発になった。「婦人のアメリカン倶楽部」（以下倶楽部）もその1つである。きっかけはヴォイチェフ・ナープルステク（1826～1894年）とナープルステク家のサロンの客だった作家カロリーナ・スヴェトラー（1830～1899年）が企画した1865年1月15日の天文学の講演会である。女性だけを招待したこの講演会が好評だったため、定期的に行うことになり、名称をつけることになった。名前の「アメリカン」は「近代的」「進歩的」という意味だという。倶楽部の目的は、「会員の教育、特に女性に必要な知識の拡大、〝有益な〟（すなわち慈善事業）機関への支援、新たな思想の導入や家庭への機械導入の推進、子供や学生のケア、卓越した女性の業績を称えること、楽しみ」だが、必要な場合には社会の恩恵にあずからずに自立して生きていけるように自覚を持たせるという意図があった。倶楽部は16歳以上の女性たちの緩やかな集まりであり、著名な女性作家（スヴェトラーやエリシュカ・クラースノホルスカー等）や有力者の夫人やその娘、その友人が主であった。会費はなく、自主財源も持たず、活動資金は寄付やイベントごとの収益で賄うこととした。

　こうして発足した倶楽部の主な活動の1つは専門知識の取得や最新技術の情報収集を目的とした講演会を通じての学習・自己啓発活動だった。ナープルステク家の図書室が活動の中心場所で、水曜日と土曜日の午後に会員は自由に使用することができ、日曜日には専門家による講演会が開催された。講演会には女性だけが参加で

ヤン・マロフの画による「婦人のアメリカン倶楽部」の読書室の様子（ナープルステク博物館所蔵。Inventární číslo 206.82 Národní muzeum - Náprstkovo muzeum, Praha, Česká republika.）

き、会場に入ることのできる男性は講演者とその助手だけだった（ヴォイチェフでさえ例外ではなかった）。テーマは様々で天文学や医学、文学や法律、言語学、旅行家の冒険譚まで幅広かった。内容は学術的で、たとえば、科学者のヤン・プルキニェが助手と一緒に人体について講演した時には、彼がパリ万博で手に入れた人体モデルを使い、実際に内臓等を分解しながら説明した。テーマによっては母親が娘に参加禁止を言い渡す家庭もあったようだ。当時、このような試みは新しく、「女性は教会に行ったら、後はかまどの所にいるべきだ。肉を焼かないなら知識などいらない」と批判した大学教授もいた。講演者は男性がほとんどだが、会員女性が話をすることもあり、初期にはクレメンティナ・ハヌショヴァー（１８４５〜１９１８年）がライプツィヒでの女性会議の報告を行っている。70年代後半にはスイスで医学の学位をとったアンナ・バイェロヴァー（１８５２〜１９２４年）が、80年代後半には後に社会民主党の政治家になるカルラ・マーホヴァー（１８５３〜１９２０年）が講演している。その他に歴史的建造物や博物館、美術館、工場、企業等の訪問、語学学習、音楽レッスン、体操が行われた。当時、体操は女性の身体に悪い影響を及ぼすとされていたが、はやくから体操に親しんでいたハヌショヴァーの影響で新しい試みとして行われた。また当時、目新しかったミシン、冷蔵庫、ガスレンジ等家事に有用な最新技術に興味を持ち、使い方を熱心に学んだ会員もいた。

上流市民層の女性の社会活動として病院や社会福祉施設への慰問は重要だったが、その中で特にプラハ郊外のジェピにあった女子刑務所への慰問は世間の注目を浴びた。初等学校の生徒が喜ぶような、子供向けのイベントを行い、日刊紙のニュースにもなった。１８６６年の普墺戦争の負傷兵への対応は、倶楽部の特色を十分発揮できた活動であっただろう。プラハの病院に送られた帝国各地出身の負傷兵のために短時間で大量のリネン類を準備するには、ミシンは欠かせない道具だった。字を書けない兵士のために代筆をしたが、ポーランド語やハンガリー語の勉強が役に立った。タバコを欲しがる兵士のために、フラチャニに駐留するプロイセン軍の兵舎に行き交渉した。この活動が皇帝フランツ・ヨーゼフ1世（在位1848～1916）に認められ感謝状が授与されている。

倶楽部の活動は発足後約20年間は以上のような学習・自己啓発活動や慈善事業中心だったが、それ以降はボランティア活動（幼稚園へのリネン類提供、墓地清掃、博物館運営補助等）が中心になる。「教育と特に女性に必要な知識の拡大」という当初の目的は女性人材の育成という機能を果たし、それは自立して社会で活動できる（倶楽部出身の）女性が主宰・中心となる様々な互助団体、社会福祉団体の活動につながった。また倶楽部と同じような活動をする団体もプラハのみならず各地で設立された。倶楽部が発足当時の目標をひとまず達成して活動を見直した結果ともいえよう。スヴェトラーを中心に1871年に設立されたチェコ女性職業訓練協会が運営した学校や教育コース、1885年の調理専門学校「ドマーツノスト（家事）」は、いずれも倶楽部や会員が深く関与した。1890年に開校した帝国内初の女子ギムナジウムの設立や運営に尽力したのは、倶楽部の創設以来の会員であるクラースノホルスカーだった。また、男子のみのソコル協会に対応した女性のための「プラハ婦女子体操協会」で中心的な役割を担ったのも倶楽部会員である。倶楽部も、ヴォイチェフの死後倶楽部を支えた妻ヨゼファを中心に、「女性労働者のための茶話会」を主催した。1901年に始まったこのイベントは声楽や楽器演奏、朗読などが主であるが、日露戦争が始まる前年には旅行家コジェンスキーによる日本についての講演も行われている。政治の世界では会員のボジェナ・ヴィコヴァー・クニェチツカー

（１８６２〜１９３４年）が１９１２年の補選で女性として初めてチェコ領邦議会に当選した（チェコ総督はこれを認めなかった）。

１９０７年のヨゼファの死去は、ナープルステク家の後援の終了を、そして緩やかなつながりで活動する社会団体としての終了を意味した。それまで結社法による登録を行っていなかったが、１９０８年に「チェコ婦人のアメリカン倶楽部」の名称でプラハ市に団体登録した。その後改名や活動禁止を経て、１９９６年に復活している。現在、女性の親睦団体として、19世紀以来の伝統を引き継いで活動している。

（石田裕子）

13

女性に教育を！

――★中等教育における女子ギムナジウム・ミネルヴァ設立の歩み★――

1890年9月30日に、プラハに開校した帝国内で初の女子ギムナジウム・ミネルヴァの入学式が、多数の来賓を迎えて行われた。校長は「友人たちの女性教育のための飽くなき努力によって、特に最も精力的に活動したエリシュカ・クラースノホルスカー嬢の努力によって、皆さんはより高いレベルの教育を目指し、今まで女性に閉ざされてきた職業に将来就くための準備をすることができる学校を手にすることができたのです」と新入生に述べた。ここで名前の挙がった作家クラースノホルスカー（1847〜1926年）は病気のため出席できなかったが、ミネルヴァ開校に際して、彼女の強力な支援者のヴォイチェフ・ナープルステクから大きなバラの花束を渡されて、おめでとうと言われた、と回想している。こうして始まったプラハの女子ギムナジウムは女性の大学進学への道を大きく開いた。チェコでの女性教育の歩みを簡単に追っていこう。

チェコは1774年の学校令によって義務教育が始まった。形式上、男女の区別なく6歳からの初等の義務教育を母語で受けた。読み・書き・計算を中心とする6年（1869年以降は8年）の教育が終了した後、女子がその後の中等教育を受ける機会は非常に限られた。そもそも貧しい家庭では義務教育さえ否定的だった。裕福な階層は家庭の外の教育をあまり信用しておらず、子供の頃から家庭教師をつけたり修道院の付属学校に子供を預けたりした。結婚までどのように過ごすか、農村でも町でも、家庭の経済状態や両親の決定によることが大半で、自分で決めることはほぼできなかった。勉強したければ家庭教師を雇うか、私塾に通うなどが考えられた（もちろんそうできる女子はとても少なく、たいていは家庭内外でいわゆる「女子の仕事」に就くことが多かった）。

女子の中等教育機関として19世紀半ばごろから女性教師養成コースはあったが、60年代以降には慈善事業を行う社会団体が運営する、職業訓練を主な目的とした学校や教育コースがでてくる。プラハには１８７２年開校の女子商工業学校や70年代後半の看護学校があり、ブルノでは１８７０年に設立されたヴェスナ女性協会が教育機関を運営した。公立の上級女子学校は１８６０年代から各地で開校するが（１８６０年ピーセク、１８６２年プラハ他）、結果として「良妻賢母」養成所のようになり、そこに通ったのは結婚持参金を十分に確保できる名士の娘に限られた。能力はあるが結婚持参金を準備できない家庭の娘や、学校の授業に飽き足らない女子は有力市民のサロンや、その延長での社会団体の教養講座（その代表的なものが「婦人のアメリカン倶楽部」の講演会）に通ったり、女性教師養成機関（１８７０年以降プラハやその他で開校）で勉強した。

大学という高等教育への進学を目的とした中等教育学校の女子ギムナジウムをプラハに設立しようという試みはすでに１８６８年にもあったが実現せず、本格化したのは80年代後半である。すでに外国の大学で医学の学位をとった女性も現れたが、国内の大学で勉強できる条件を整えるために女子用のギムナジウムが必要であるとクラースノホルスカーらは考えた。そのために、チェコ女性職業訓練協会発行の『ジェンスケー・リスティ（女性新聞）』紙（1890年2月24日付）で、女子の中等・高等教育の必要性を呼びかけ、女性が大学の哲学部や医学部で勉強できるような環境にしてほしいという請願をウィーンの帝国議会に提出すると発表した。しかし、請願書はチェコ選出の帝国議会議員の賛同を得られず、わずかに青年チェコ党のカレル・アダーメクの協力で提出することができた。この請願には4800人あまりの署名が集まったが、一般世間の女子ギムナジウムについての考えは厳しかった。「婦人のアメリカン倶楽部」の会員からさえも「あなたのやっていることは悪魔の所業です。いずれ罰せられるでしょう」と言われたとクラースノホルスカーは回想している。女子がギムナジウムに通ってマトゥリタ（大学入学資格）を取得し大学に進学することは生涯を通じての職に就くことであり、一生結婚しない、というよりもできないと受けとめられた。当時は、女性の幸福は職業のために質の高い教育を受けることではなく、持参金をたっぷり持つことであると信じていた家庭が大半だった。

その後、クラースノホルスカーらにより女子中等学校運営を目的としたミネルヴァ協会が設立され、領邦学校評議会の認可を経て、協会の運営する私立の女子ギムナジウムであるミネルヴァが、プラハ市の補助も受けつつ誕生した。この年入学したのは14歳にあと数週間の13歳から20歳の53人（14歳以上が原則）。これは校長も想定外の数であったと驚いていた。プラハとその周辺の出身者が多く（38人）、また教師、大学教授、役人の家庭が主だった。当初は5年制で1年目は準備の年、次の年が8年制の男子ギムナジウムの5年目にあたるとした。1年目の授業は大変だったようで次年度に進んだのは50人である。校長を含む教師の大半は男子校の帝国アカデミー・ギムナジウムから来ていた。授業も男

プラハのプシュトロソヴァ通りにある、クラースノホルスカーの尽力によりミネルヴァが開校したことを記念するプレート（撮影：薩摩秀登）

子の古典ギムナジウムと同様に行われ、特にギリシャ語は難しかったようだ。校長は、生徒は熱心なので苦にしているギリシャ語も期待できる水準に達するだろうし、ラテン語の試験もよい結果が出ている、と報告している。2年目の時間割では、週30コマのうち語学（ラテン語、ギリシャ語、ドイツ語、チェコ語）が半分ぐらいの割合を占めている。

最初にマトゥリタの試験を受ける学生が出たのは1895年で、アカデミー・ギムナジウムで16人が受験し（ミネルヴァで受験できるようになるのは1908年から）、13人が合格した。1900年9月から初めてミネルヴァの卒業生4人が母校で教師となった（その内2人はすぐに他の町の学校に移り、数年後1人は結婚のため規則により退職した）。ミネルヴァ開校の目的である大学進学に関しては、1895年以降、プラハ大学哲学部、医学部で女子学生の受入れ態勢が徐々に整った。

最後にミネルヴァの卒業生を簡単に紹介しよう。初年度の入学生アンナ・ホンザーコヴァー（1875～1940年）は1895年にマトゥリタを取得した後、1902年にチェコ・プラハ大学医学部で学位を取得、1905年からプラハ市内で開業した。彼女に続いて医学部では女子の学位取得者が次々と出ている。彼女の妹アルビーナ（1877～1973年）も卒業生で母校の教師となり、30年あまり勤めた。後に共和国初代大統領となるマサリクの娘アリツェ・マサリコヴァー（1879〜1966年）は1898年にマトゥリタを取得、1903年にチェコ・プラハ大学哲学部で学位（歴史学）を取得後、教師として働き、1919年からチェコスロヴァキア赤十字の代表を務めた。なお、法学部が正規の学生として女性を受け入れるのは共和国成立後の1919年になる。

（石田裕子）

14

チェコ近代社会における芸術の制度化

★ナショナルな対立の狭間で★

チェコの近代化が進むにつれ、数多くの芸術施設や芸術家団体が設立されていった。多様な主体が関与したこれらの組織には、ほとんど常にナショナルな対立の問題が付きまとった。ときにネイションの大義に与し、ときに急進的なナショナリズムのうねりに抵抗して、芸術家や芸術に利害を置く人びとは様々な活動を展開したのであった。その概略を、「長い19世紀」のプラハを中心に辿る。

１７９９年、ヨーロッパ諸都市の先例にならい、教養と体系的な教育を重んじる美術アカデミーがプラハに設立された。チェコを代表する美術大学として現在も運営を続けている由緒ある教育機関である。設立を主導したのはチェコ／ボヘミア愛郷的芸術愛好家協会という貴族を中心とする芸術愛好家たちの団体であった。ボヘミア諸邦では19世紀後半以降、様々な機関がチェコ系とドイツ系に分かれ、１８８２年にはプラハ大学もチェコ語大学とドイツ語大学に再編されるにいたったが、同校はそうした区別を行わずに運営し続けていた点で特殊であった。

とはいえ、芸術界がナショナリズムと無縁であったわけではは全くない。19世紀前半のプラハにはエステート劇場と呼ばれる歌劇場が存在したが、ドイツ語での上演に比べてチェコ語での上演回数が限定的であったことから、チェコ系ナショナリストの間で不満が生じていた。そのため、チェコ語のオペラや戯曲を中心に行う劇場の建設計画が19世紀中頃から生じ、1881年に国民劇場が開館した。劇場の装飾芸術を担ったのは、多くの美術アカデミー出身の芸術家たちであった。この事業に携わった芸術家たちは、国民劇場世代と呼ばれる。同劇場の開館を受けて、1888年に新ドイツ劇場（現在の国立オペラ）が開館したことからも分かるように、言語に基づくナショナルな対立は芸術界にも浸透してきていた。

国民劇場世代の芸術家たちの多くは芸術家協会（ウムニエレッカーベセダ）と呼ばれる1863年設立のチェコ系芸術家団体に属してもいた。芸術家協会は音楽、文学、造形芸術の3部門から構成される芸術家団体で、音楽の部門には「わが祖国」で有名な作曲家スメタナがいた。ドイツ系との間に区別を設け、民族的にチェコ系の芸術家だけで団体を構成することを目指した最初の事例に位置づけられる。これと対になる形で、ドイツ系の団体コンコルディアが1871年に設立された。

それぞれのネイションを代表する劇場がつくられたのと同じころ、それらとは性格を異にする芸術機関が1885年に開館した。ルドルフィヌムである。「芸術家の家」として知られるルドルフィヌムには、チェコ・フィルハーモニー管弦楽団の拠点として有名なコンサート・ホールのほか、美術ギャラリーが設置された。施設の名称は当時の皇太子ルドルフに由来し、また芸術愛好家であったルドルフ2世（在位1576～1612年）の存在も意識された。ハプスブルク家への忠誠心を表して建設された施設であったと言える。特定の民族に資することは意図せず、施設の建設にもボヘミア諸邦以外の君主国地域の芸術家が携わったが、かえってそのことが現地の芸術家たちの反発を招いた。2階の

ルドルフィヌムの式典ホール
（Wintermute314, CC BY-SA 3.0）

ギャラリーに通じる巨大な式典ホールの装飾のためにコンクールが開かれた際には、チェコ系芸術家たちのボイコットや抗議が続き、コンクール自体は遂行されたものの、ついに作品は完成せずじまいに終わった。そのため、本来絵画が設置されるはずであったホールの壁面には何も設置されず、現在もそのままとなっている。このような困難はあったものの、ルドルフィヌムは愛郷的芸術愛好家協会のコレクション（現在のプラハ国立美術館の前身）や商工会議所が運営した産業工芸博物館の展示の拠点となり、数多くの展覧会が開かれた。また、当時すでに数の上でマイノリティに転じていたドイツ系の芸術家協会の重要な展示拠点の1つともなった。

1890年代後半に入ると、急進的なナショナリズムに対する反動と呼ぶべき潮流が生じた。1895年、「チェスカー・モデルナ」と呼ばれる声明文がチェコ語の文学界から発表された。「われわれは決してチェコ性を強調しはしない。自らであれ。さすればチェコ的となろう」という一見矛盾した主張は、相次ぐナショナリズムの紛争を経て、純粋なチェコ性なるもののためにチェコ社会内部に閉じこもろうとしていた文芸世界への批判を表している。こうした思想は「マーネス造形芸術家協会」というチェコ語話者を中心とした造形芸術家団体にも引き継がれ、同様の主張がその機関誌『自由な潮流』でも展開された。1887年に設立され、1896年頃から活動を本格的に始動させたこの協会は、チェコ芸術の発展を重要な目的としつつも国際的活動の展開に力を入れた。協会は、ウィーンなどの君主国内の諸都市はもちろん、フランス、イギリス、オランダ、ロシア、イタリア、さらには日本といった様々な国の芸術動向をチェコ社会に伝えようと尽力した。

マーネス協会の努力は実を結び、20世紀に入るとチェコ芸術界はより国際的で自由な活動を展開できるようになった。1905年に協会が開催したエドヴァルト・ムンク展はプラハの若い芸術家たちに多大な影響を与え、表現主義とフォーヴィズムを志向する芸術家グループ「オスマ」の結成に繋がった。同グループを最初に構成したのは、エミル・フィラ（1882～1953年）、ボフミル・クビシュタ（1884～1918年）、ヴィリ・ノヴァク（1886～1977年）らを含む8人の芸術家で、ここにはチェコ語話者とドイツ語話者が含まれ、またユダヤ系の出自の者もいた。その活動は1907年と1908年の2度の展覧会に限定され、加えて当時のメディアの反応は否定的なものばかりであったが、チェコ芸術界における前衛芸術の先駆けとして現在は重要視されている。若い芸術家たちが一定のまとまった芸術思想を持って独自にグループを形成するというスタイルはその後定着し、象徴主義の「スルスム」（1910年）や表現主義とキュビスムの「造形芸術家グループ」（1911年）などが結成されていった。

近代のチェコ芸術界を知る上では、応用芸術分野の発展も見逃せない。ボヘミア諸邦では、1870年代から1880年代にかけて、ガラス、磁器、陶器、繊維等の専門学校が次々と設立されていった。1885年には国立プラハ工芸美術学校が設立され、建築や彫刻、絵画の他、金属加工技術や繊維技術などを学ぶことができる学校として、多くの芸術家や職人を輩出した。美術アカデミーに並ぶ重要な教育機関の1つとして、今もプラハで運営を続けている。

（中辻柚珠）

15

第一次世界大戦と独立運動

★マサリクと国外の義勇軍★

1914年7月にオーストリア＝ハンガリー君主国がセルビア王国に宣戦を布告し、それを引き金に第一次世界大戦が始まった。ボヘミア諸邦でも、チェコ系の兵士たちは、ドイツ系の兵士たちとともに戦線へと送られた。同じスラヴ系のロシアやセルビアを敵とする戦争であったため、チェコ系兵士の士気について懸念する声もあったが、チェコ系兵士の動員は順調に進んだ。緒戦で、当時は君主国領でボヘミア諸邦の北東部に接続するガリツィア地方へとロシア軍が侵攻したため、ボヘミア諸邦は軍による厳しい統制下におかれた。

チェコ系の政党指導者たちは戦前からボヘミア諸邦の歴史的領土内での自治の獲得を目指していた。彼らは一定の戦争協力をとおしてウィーン政府の妥協を引き出そうとしていた。その中で青年チェコ党の党首、カレル・クラマーシュはロシア帝国の保護下でスラヴ系諸国が連邦を形成し、ボヘミア諸邦が自治国となるという「スラヴ帝国」構想をもち、ロシア軍のボヘミア諸邦への到来を待つ待機主義をとった。しかし、1915年に入るとクラマーシュは反逆罪の疑いで逮捕され、またその時期にガリツィアへ侵攻していたロシア軍が独墺軍の反撃で退却することになり、その構想の実現は遠のいていった。クラマーシュは死刑判決を受けたが、1917年に減刑され、その後、恩赦で釈放された。

他方、プラハ大学の哲学教授で帝国議会議員でもあったトマーシュ・ガリグ・マサリクは、英仏などの支持を得てボヘミア諸邦が独立するという道を模索し、独立運動を組織した。やがて運動はアメリカのチェコ系、スロヴァキア系移民の支持を受けて展開された。しかし、連合国はオーストリア＝ハンガリーを敵としつつも、君主国を欧州における勢力均衡の不可欠の要素と考え、マサリクたちの運動を支持することには消極的であった。クラマーシュとマサリクの国内の支持者たちは志向を異にしつつも、協力関係にあったが、チェコ系政治家たちの間では孤立していた。なお、両者ともボヘミア諸邦の自立や独立を目指していたが、ともに想定していた領土はハンガリー側のスロヴァキアを含んでいた。

大戦勃発直後からロシアではチェコ系、スロヴァキア系の移民たちが義勇軍を編成し、ロシア側で戦っていた。ロシア帝国はこの義勇軍を対敵宣伝の道具と考えていた。1917年3月の革命でロシア帝政が倒れると、この義勇軍は欧米で独立運動を展開するマサリクの指導下に入った。それ以後、多くのチェコ系、スロヴァキア系戦争捕虜を加えて義勇軍は拡大した。同年11月にボリシェヴィキ革命が起きたとき、義勇軍は兵力4万人ほどの軍団に成長していた。この軍団は1918年5月末にソヴィエト軍と武力衝突を起こし、ロシアの反ソヴィエト派勢力とともにウラル以東のシベリア横断鉄道沿線を占領するという事件が起きた。この事件が引き金となり、日米の「シベリア出兵」が開始され、またロシアでの内戦が本格化した。ロシアでの武力干渉政策との関連で、英仏米などの連合国も

トマーシュ・ガリグ・マサリク

この軍団の存在に注目するに至り、国外でのチェコスロヴァキア独立運動への支持をしだいに明確にしていった。マサリクは、その片腕たる社会学者のエドヴァルト・ベネシュ（1884～1948年）やスロヴァキア人の天文学者であるミラン・シュチェファーニク（1880～1919年）らと1916年春にパリでチェコスロヴァキア国民評議会を設立し、そのもとで移民や戦争捕虜などを集めてフランスやイタリアでも義勇軍を編成した。終戦時において前者が1万人、後者が2万人ほどの兵力をもっていた。これらの義勇軍は1918年春以降にロシアの義勇軍とともに連合国側で戦う軍隊として、また国民評議会はその軍隊を統括する組織として連合国によって承認された。

1916年末にフランツ・ヨーゼフ1世が死去し、その地位はカール1世に引き継がれた。新帝カールは国内の諸勢力の融和を目指し、停会とされていたウィーンの帝国議会（オーストリア側の議会）を1917年5月に招集し、また秘密外交による連合国との単独講和を模索した。チェコ系の政治指導者たちの多数派は、なお君主国内での自治の獲得を目標としていたが、国外での独立運動の影響もあり、各党の中では独立を志向する急進派の台頭が見られた。その影響もあってチェコ系の指導者たちは帝国議会開会時にボヘミア諸邦だけでなく、ハンガリー側に位置するスロヴァキアを含む自治を求めることになった。これによって、チェコ系の政治家たちと帝国政府との妥協は困難になった。

第15章
第一次世界大戦と独立運動

1917年以降、君主国内で食糧や物資が欠乏し、人々の不満が高まった。1918年に入るとチェコ系の諸党内で急進派の影響はさらに強まり、国外の運動に呼応して独立を目指す声が高まった。国内の政治家たちは16年末からチェコ国民委員会という組織をつくっていたが、18年7月になるとこの委員会はチェコスロヴァキア国民委員会と改称され、スロヴァキアを含む独立を志向する姿勢を明確にした。また、同年4月には連合国との単独講和の可能性も消失し、連合国はしだいに君主国の解体も視野に入れるようになる。

1918年夏以降、独墺などの中央同盟側は戦場で劣勢に立ち、9月末にはブルガリアが休戦するに至った。10月に入るとオーストリア・ハンガリーもアメリカに休戦を打診するが、カポレットの戦闘でイタリア軍に大敗を喫し、軍隊の崩壊が始まった。こうして、10月末には、君主国内の各地で新しい政権がつぎつぎと発足し、ハプスブルク君主国は消滅した。

10月16日にパリの国民評議会は臨時政府の樹立を宣言し、米国にいたマサリクは同月18日に独立宣言を発表した。また、このような情勢を受けて、プラハの国民委員会は10月28日に新国家の独立を宣言した。パリとプラハで樹立された2つの政府の合意に基づいて、新国家の建設が始まった。11月13日に国民委員会が暫定憲法を制定し、翌日に暫定議会が招集され、大統領にマサリク、首相にクラマーシュ、外相にベネシュが任命された。

ボヘミア諸邦のドイツ系住民たちは新国家の樹立に反対し、ドイツおよびオーストリア国境沿いの4地域で自治区をつくり、ドイツとオーストリアの合邦を前提にドイツ国家への帰属を主張した。プラハの新政府は復員兵や体操団体のソコルの成員などで軍隊を編成し、ドイツ系住民地域に派遣し、その地域の支配を確保した。また、スロヴァキアはなおハンガリー軍の支配下にあったが、翌年1月末までにプラハ政府は同地方を新国家へ併合した。このときのハンガリー軍との戦いはイタリアとフランスから帰国した部隊が担った。

その後、1919年1月からのパリ講和会議で締結された諸条約で新国家の国境は画定され、1920年2月に制定される新憲法によって国家のかたちが整えられることになる。

（林忠行）

16

「帝国の記憶」

★聖マリア柱像の破壊と「復活」★

聖母マリア柱像とフス像

プラハの旧市街広場に立つフス像はヤン・フスの処刑500周年、1915年7月6日の除幕を目指して準備されたものである。「民族再生」期に神格化されたフス像は、カトリック教会の改革を訴えた聖職者というより、チェコ史の象徴だった。宗教改革の先駆者、チェコ語で説教を行いチェコの民衆に直接語りかけた民族文化の擁護者、古代スラヴの民主主義を復活させようとした改革者、さらに貴族と教会の封建支配に抵抗した人民の指導者、などなど、19世紀の人々の様々な理念と期待がフス像には込められた。フス像の建立の場所については長く激しい論争がたたかわされたが、「諸都市の母」、チェコ文化の空間的中心であるプラハに建てるからには、フスの立つ場所はさらにその真中、旧市街広場であるべきだった。ラジスラフ・シャロウンによる当初のフス像案は、15世紀の聖職者の姿で焚刑台に悄然と縛られてまさに死を迎えようとする殉教者の姿だったが、今日私たちが見る通り、実現したフス像は、悲嘆に暮れてうずくまる人々、戦いに赴こうと立ち上る人々のなかで昂然と顔をあげ、波打つ群像のもっとも高い波濤に屹立している。像の台座は舞台のように設えられ、チェコ国民の「アゴラ」に擬されている。シャロウンによればここは人々が集まって議論して、フスが表象する「チェコ史の本質」と現在が交錯する場になるのだという。

当時、旧市街広場には聖母マリア柱像が立っていた。マリア柱像は1650年、三十年戦争の勝利、特に1648年のスウェーデン軍によるプラハ劫掠を退けた「奇跡」を聖母マリアに感謝するために、ヨハン・ゲオルク・ベンドルらによって建造されたものである。柱像の台座の四隅では天使が悪鬼を打ち据えているが、悪鬼はプロテスタントの寓意だという。バロック期には、戦乱、疫病その他の厄災の終息にあたって聖母マリアへの感謝のしるしにマリア柱像が各都市に建設された。プラハの柱像はその最も早い例の1つで美術史的には非常に価値の高いものであったし、旧市街広場に華麗なアクセントを与えていた。

フス像建設運動が盛り上がるとカトリック系の諸団体はマリア柱像の前で大規模な集会を組織してこれに抗議した。旧市街広場はにわかに「歴史と現在が交錯」する政治的な場となったのである。1915年7月には戦時下のため予定されたフス像除幕式は行われず、わずかに葬送を模した小さな集会がもたれただけだった。それでもカトリックの勝利を祝う聖像とカトリック教会に異端を宣告されて焚刑に処された「民族の殉教者」が旧市街広場という閉じた空間のなかに並び立つ様子は、この場所に不穏な緊張をもたらしたに違いない。フス像はマリア柱像よりわずかに数センチ高くデザインされて、場所の意味の争奪戦が意識されていたのは明らかだった。

マリア柱像の破壊

1918年11月3日、チェコスロヴァキア共和国建国の6日後、マリア柱像は引き倒され破壊された。ハプスブルク帝国を象徴的に葬る行為だった。破壊はこの日に行われたビーラー・ホラの記念集会と関連づけられていた。ハプスブルク帝国の崩壊、チェコスロヴァキア共和国の建国でビーラー・ホラの敗北は拭われなければならなかった。こうして旧市街広場は「フスの広場」「チェコ史の中心」となり帝国の記憶は消去された。プラハではマラー・ストラナ広場のラデツキー将軍像やスメタナ河岸通りの「クラネルの泉」に据えられていた皇帝フランツ1世の騎馬像も撤去された。ブラチスラヴァではマリア＝テレジア像が撤去された。各地に立っていたヨーゼフ2世像も撤去された。チェコスロヴァキア共和国は帝国の政治文化、行政・司法制度をほぼそのまま継承したからこそいっそう、表象レベルで帝国との断絶を強調することが重要だったのである。

チェコスロヴァキア共和国大統領となったマサリクは第一次世界大戦を「世界革命」と呼んだ。「神権的王朝国家」が解体し諸国民の国家が成立した「革命」である。第二次大戦後ドイツ人追放の完了を宣言したとき、ベネシュ大統領は「いまやわが国は法的にばかりでなく現実に国民国家となった」と誇った。その後社会主義期を通じて、歴史学と歴史教育は階級闘争と民族解放とを重ね合わせ、社会主義チェコスロヴァキアで「チェコ人民とスロヴァキア人民」とが解放されたと強調していたから、ハプスブルク帝国の過去が肯定的に想起されることはなかった。帝国は「諸民族の牢獄」であり封建的反動国家だった。

帝国への郷愁と再評価

1960年代後半に歴史学のなかでネイション形成について新しいアプローチが現れると、それに応じて帝国評価にも変化が生じた。ネイションとは「市民社会」の実現形態であり、19世紀のハプスブルク帝国は市民社会の形成、すなわち諸ネイションの社会の形成に対して積極的な条件を整えたというのである。ボヘミア諸邦は帝国の経済的中心でチェコ社会の発展はとりわけ際立っていた。1980年代、「正常化」体制も末期になるとこうした歴史像にもとづく通史も出版された。

他方、1980年代には異論派知識人のあいだで「中央ヨーロッパ論」がさかんに議論されて、ハプスブルク帝国の過去、その共通文化は積極的に評価されるようになった。地下出版雑誌『中央ヨーロッパ *Střední Europa*』の刊行が始まったのは1984年のことである（創刊号にはクンデラのエッセイ「誘拐された西欧、あるいは中央ヨーロッパの悲劇」に対する長い評論が収められている）。1848年革命の際に歴史家フランチシェク・パラツキーの主張したオーストリア帝国の擁護論・連邦化論は、失われた中央ヨーロッパの多文化性を想起するのにしばしば引用された。「ヨーロッパのために、ウィーンは地方都市に落ちぶれてはならないのです」という彼のことばは、ソヴィエト帝国の支配下に生きる異論派知識人にとって予言的な洞察であった。歴史研究の新潮流と中央ヨーロッパをめぐる政治・文化論は相互に刺激を与え、帝国の想起は単なる文化的郷愁に留まらなかった。なぜ帝国は崩壊したのか、多文化的中央ヨーロッパはなぜ失われたのか。帝国の記憶はこの地域の20世紀史の省察につながった。

マリア柱像の「復活」

体制転換期に掲げられたスローガン「ふたたびヨーロッパの中心へ Zase do srdce Evropy!」を、やがてチェコ社会は現実として自負するようになった。帝国の過去はチェコ史に統合され、共和国独立後に撤去された帝国のシンボルは文化遺産として時には元の場所に戻された。2003年にはフランツ1世像が「クラネルの泉」に帰ってきた。ラデツキー将軍像の帰還も議論された。それどころか2020年にはプラハ城の裏、かつての城壁の近くに新たに「マリア＝テレジア」と称する公園が作られ、抽象的で白い影絵のような「ボヘミア国王」マリア＝テレジア像が設置された。そして2020年8月15日、聖母マリア昇天祭の日、旧市街広場に聖母マリア柱像が「復活」した。再建を主導したのはカトリック系の市民運動である。国民博物館石像館（ラピダリウム）に完璧に保存されていたフランツ1世像やラデツキー像と違って、マリア柱像から残されたのは乏しい破片ばかりで記録も十分にないため、建造されたものは復元像というより過去の似姿にすぎなかった。旧市街広場にはビーラー・ホラの戦いに敗北して斬首されたチェコ貴族・市民を記念する27の白十字も記されている。こうしていまは閉鎖的な空間に起源も意味も異なる記念碑が並び立っている。帝国の記憶とチェコ国民史のシンボルがせめぎあい、旧市街広場という場所の意味が激しく争われた時代は過去のものとなった。いまや帝国はチェコに欠かせない過去として積極的に想起されるようになったのだろうか。それとも帝国の記憶とチェコ史の概念が矛盾したまま投げ出されているのか、あるいはそもそも旧市街広場がすでに歴史的な磁場でなくなったからなのだろうか。

（篠原琢）

チェコ芸術界におけるミュシャ／ムハ

コラム6

中辻柚珠

パリのアール・ヌーヴォーと言えば画家アルフォンス・ミュシャ（1860～1939年）を想起する人が多いだろう。また、20枚の巨大な絵画から成る連作《スラヴ叙事詩》（1910～1928年）の展覧会が2017年に東京で開かれたことをきっかけに、彼がチェコの出身で、彼の名前がチェコ語ではムハと呼ぶのだと知った人も多いはずだ。しかし、同展覧会を訪れ、《スラヴ叙事詩》の作品群の巨大さに圧倒された人たちは疑問に思ったことだろう。パリのアール・ヌーヴォーの旗手にまで上り詰めた人物が、晩年になってあんなにも多大な労力を要する歴史画を描くにいたったのはなぜなのかと。言うまでもなく、20世紀前半において歴史画はすでに過去の様式であり、時代遅れであった。また、《スラヴ叙事詩》のテーマはスラヴ諸民族の歴史や神話であり、こうした内容の面でも賛否があった。《スラヴ叙事詩》への好意的な評価を裏づける事例としては、1920年代に同作の内容をモデルに野外劇「同胞のスラヴ」が計画されたことや、1928年に「見本市宮殿」と呼ばれる建物（現在のプラハ国立美術館の本部）のこけら落としが同作の展示によって迎えられたことが挙げられる。

しかし、第14章と第47章を見てもらえれば分かるように、プラハの芸術界はすでに20世紀転換期頃には急進的なナショナリズムに距離を置いており、スラヴ主義的な作品もミコラーシュ・アレシュ（1852～1913年）の世代を最後にあまり見られなくなっていった。ミュシャ／ムハは確かに著名な芸術家であるが、彼をチェ

《原故郷のスラヴ民族》

コ芸術界の代表者として捉えると、当時のチェコの文化的様相を誤って評価することになりかねない。彼がチェコの芸術界においてどのような位置を占めていたのかを考える必要がある。

1887年、パリに移住し、1900年頃に「ミュシャ・スタイル」と呼ばれる装飾的で優美な作品を次々と生み出したミュシャ／ムハは、1910年、チェコに帰郷した。彼が《スラヴ叙事詩》の制作に勤しむのはこれ以降のことである。制作を経済的に支えたのはアメリカの実業家で親スラヴ主義者のチャールズ・クレインであった。

《スラヴ叙事詩》の構想が公になるや否や、本件に関する記事がマーネス造形芸術家協会の機関誌『自由な潮流』に掲載された。その内容は辛辣なものであった。同作を「不吉な『イデオロギー芸術』」だと揶揄したのである。

チェコスロヴァキアが建国されると、再び『自由な潮流』にて、今度は《スラヴ叙事詩》を美学的に考察した論稿が掲載された。著者である美術史家のフランチシェク・ジャーカヴェツ（1878〜1937年）は、アール・ヌーヴォー時代のミュシャ／ムハの作品がパリで人気の異国趣味的な要素を多く採用していたことを指摘し、それがスラヴ的な民俗衣装に身を包んだ少女たちの絵にも適用されていると論じた。ゆえに彼の作品のスラヴ性は表層的なものに過ぎず、根本的にスラヴ的とは呼びえないと批判したのである。

ミュシャ／ムハがパリへ旅立つ以前のチェコでは、確かにアレシュに代表されるようなスラヴ主義的作品が人気を博した。しかし、彼が帰郷した頃にはすっかり状況は変わっていたのである。ミュシャ／ムハが晩年にスラヴ民族を称える歴史画に傾倒できたのは、彼が長らくチェコ芸術界から遠ざかっていたことにこそ由来するように思われる。

チェコスロヴァキア共和国

17

第一共和国の政治

★1920年憲法と議会政治★

1918年10月28日にプラハでチェコスロヴァキア国家の独立が宣言された。この国家は第一共和国と呼ばれる。11月13日に暫定憲法が制定され、翌日に暫定革命議会が発足した。議員は選挙ではなく、任命で選ばれた。1911年の帝国議会選挙での獲得議席数に応じてチェコ系諸党に議席が配分され、後にスロヴァキア系議員が追加で任命された。新国家の人口の23・6%を占めるドイツ系や、5・8%（いずれも1921年の数字）を占めるハンガリー系の諸勢力は新国家樹立を受け入れず、この議会に代表を送らなかった。ドイツ系やハンガリー系の代表を欠いたまま、暫定革命議会は1920年2月29日に新憲法を採択した。この1920年憲法は、フランスの第三共和国憲法をモデルとし、三権分立、基本的人権、法の前の平等を基本としていた。

立法権は二院制の国民議会にあった。下院（代議院）は300議席で、議員の任期は6年、選挙権は21歳、被選挙権は30歳からで、上院（元老院）は150議席で、議員の任期は8年、選挙権は26歳、被選挙権は45歳からであった。選挙権、被選挙権ともに男女に与えられた。議員は両院とも拘束名簿式の比例代表制選挙で選出された。

執政権は大統領と政府（内閣）に属した。大統領は被選挙権が35歳以上で、議会両院の合同会議で選出された。任期は7年で、再選は1回のみとされたが、初代大統領のトマーシュ・ガリグ・マサリクは例外とされ、新憲法の下で1927年と34年に再選されている。大統領は議会の招集と解散、首相を含む大臣の任免などの権限を有した。なお、マサリクは「建国の父」としての権威を背景に、憲法上の権限を越えた影響力をもった。内閣は実際の執行権の行使を担い、議会の下院に責任を負っていた。

1920年憲法前文では、「我々、チェコスロヴァキア国民」がこの憲法を採択したと述べられている。それはチェコ語とスロヴァキア語の話者たちが「1つの国民」であるという「チェコスロヴァキア主義」を宣言するものと見ることができる。ただし、この言葉は憲法の条文ではつかわれず、国籍をもつすべての者を意味する「国家の市民」がつかわれていた。また、憲法典と同時に制定された言語法では「チェコスロヴァキア語」が「国家語／公用語」とされ、公的な機関での使用が義務づけられていた。「チェコスロヴァキア語」とはチェコ語とスロヴァキア語であったが、両者は政治的に「1つの言語」とみなされたのである。

チェコスロヴァキアは、他の継承諸国と同様に、サンジェルマン条約および少数者保護条約によって、「人種、言語、宗教」での少数者の保護が義務づけられていた。それを受けて憲法典の最終章では、少数者にも法の前の平等が保障され、私的、社会的、職業的な活動ではいかなる言語の使用も自由とされた。さらに、言語法では、地方裁判管区を単位として人口の20％以上の言語的少数者がいる場合、

議会で宣誓を行うマサリク大統領（1920年）。議会の建物は音楽公会堂のルドルフィヌムで、第一共和国時代は下院の議場としてつかわれていた

その言語での公教育が保障され、その言語による公的機関とのやりとりが認められていた。この少数者保護規定の内容は、他の継承諸国との比較では一定の評価を受けていたが、多くの批判もあった。たとえば、鉄道や郵便などを含む公的機関内では、「チェコスロヴァキア語」の使用が求められ、ドイツ系やハンガリー系の人々がそこで職を得ることは困難だったからである。

新共和国では言語をめぐる対立が継続したため、地方自治に関する問題でも対立が続いた。1919年に基礎自治体（市や村）に関する法整備が全国レベルで行われたが、その上位におかれる広域自治体に関しては諸勢力間での合意が得られなかった。当初、ボヘミア諸邦とスロヴァキアで21の県（ジュパ）の設置が提案されたが、ドイツ系住民が多数を占める県の出現を警戒したチェコ系の政党が反対したため、それはスロヴァキアのみで実施された。その後、1928年から全国はボヘミア、モラヴィア、スロヴァキア、ポトカルパツカー・ルスの4領邦で構成されることになり、スロヴァキアの県は廃止された。各邦には内務省の指名で大統領が任命する知事がおかれた。あらたに領邦議会が設置されたが、その議員の3分の2は選挙で、残りは政府の任命で選ばれた。憲法ではポトカルパッカー・ルスの自治が規定されていたが、それは1938年に至るまで実現しなかった。このように、課題とされていた国家の分権化は部分的にしか進まず、中央集権的な単一国家体制が継続した。

1920年5月に最初の国政選挙が実施された。選挙にはドイツ系、ハンガリー系の政党も参加し、議席を獲得した。議会では言語集団ごとに複数の政党が議席をもったので、小党分立が続いた。政府はつねに複数政党による連立政権となった。また、連立合意が得られず、政党政治家によらない官僚内閣が任命されることもあった。そのため、「チェコスロヴァキア主義」に立つ主要5政党、すなわち農業党、人民党、国民民主党、国民社会党、社会民主党の代表が「ピェトカ」(数字の5を意味する)と呼ばれる非公式会合で合意をつくる慣行が生まれた。なお、これらの中で農業党と社会民主党はチェコ系だけでなくスロヴァキア系の住民の支持も得ていたが、それ以外の3党は実質的にはチェコ系政党であった。ピェトカは議会政治の安定をもたらしたが、同時に議会政治を形骸化し、チェコ系諸党の優位を維持する役割も果たした。共産党は合法政党としてつねに議会で議席をもっていたが、他の政党と連立を組むことはなかった。また共産党はチェコ系、スロヴァキア系だけでなく、ドイツ系やハンガリー系の人々も含む政党であった。

建国後は、チェコ系、スロヴァキア系の政党による連立政権が継続したが、1926年に成立する第3次シュヴェフラ内閣にはじめてドイツ系の農業同盟とキリスト教社会党が入閣し、その後の連立にはドイツ系の社会民主党も参加している。これらのドイツ系政党は国際情勢の安定化を踏まえつつ、チェコスロヴァキア共和国をひとまずは受け入れ、その上で地方分権化の実現や、それぞれの支持層の経済的利益の擁護を目指したのである。それ以後、第一共和国の終焉までドイツ系政党の連立政権への参加は継続した。

１９３８年9月のミュンヘン協定受諾によってチェコ国境地域がドイツに割譲された。10月以後の第二共和国では、スロヴァキアとポトカルパツカー・ルスが自治を宣言したことで国家は連邦化し、国名も「チェコ＝スロヴァキア共和国」となった。こうして１９２０年憲法体制は実質的に中断したが、第二次世界大戦中の亡命政府はミュンヘン協定の無効と１９２０年憲法の継続を主張した。大戦後にこの政府が帰国することになるので、形式的には１９４８年の新憲法制定まで、１９２０年憲法は効力を維持したということになる。

（林忠行）

18

第一共和国時代の外交

★ヴェルサイユ体制とベネシュ★

チェコスロヴァキア第一共和国の外交はその全期間をとおしてエドヴァルト・ベネシュが担った。ベネシュは第一次世界大戦期の国外での独立運動で英仏との外交交渉を担い、独立後は継続して外相を務めた。1935年にトマーシュ・ガリグ・マサリクの後任として大統領に就任するが、その後も外交政策の指導はベネシュのもとにあった。

1919年1月からのパリ講和会議でベネシュは、ロシアにおける義勇軍の存在などをたくみに利用し、また東欧に関心をもつフランスの強い支持を背景に、その領土要求の大部分を実現した。大戦後に東欧では中小規模の新国家群が出現したが、その政治・経済基盤は脆弱で、この地域の国際秩序はきわめて不安定であった。ハンガリーでは1919年3月に社会主義政権が成立したが、隣接諸国の武力干渉で間もなく崩壊し、その後、保守的で権威主義的なホルティ政権が発足した。同政権は1920年6月にトリアノン条約に調印したが、その後も同条約でさだめられた国境の修正を求めた。また1919年2月から21年3月までソヴィエト＝ポーランド戦争が継続した。チェコスロヴァキアもポーランドとはチェコ語でチェシーン（ポーランド語ではチェシン、ドイツ語ではテッシェン、コラム11参照）と呼ばれる地域などをめぐり、またハンガリーとはスロヴァキア南部国境をめぐる対立を抱えていた。

ベネシュ外交の最優先目標はパリ講和会議でつくられたヴェルサイユ体制の維持であった。1920～21年にユーゴスラヴィアおよびルーマニアとの間で小協商と呼ばれる同盟条約を締結した。小協商はハンガリーによる領土修正要求に共同で対抗することをおもな目的としていた。当初、フランスはポーランドおよびハンガリーとの提携によってソ連に対抗するという構想をもっていたが、このフランスの構想を阻止することも小協商形成の目的であった。その後、フランスは方針を変更し、小協商およびポーランドとの提携を軸に東欧での影響力を確保することになる。これらの地域はフランスから見ると、一方でドイツに対する障壁であり、他方でボルシェヴィズムに対する「防疫線」という意味をもっていた。

チェコスロヴァキアの建国とその後の外交にとってフランスとの提携は重要な支柱であったが、ベネシュはフランスと一定の距離を保つことにも腐心し、1924年にフランスと結んだ条約は政治同盟という性格にとどめた。また、フランスとは異なり、一方的な反ソ政策も採らず、ソ連とは1922年に代表部の設置と貿易についての暫定条約を締結した。

1925年のロカルノ条約でドイツの西部国境に関する地域的な合意がなされた。ドイツ東部国境の保障では問題を残したが、この合意によって欧州全体での緊張が緩和し、ドイツはその翌年に国際連盟に加盟した。ベネシュは小協商やフランスとの提携で具体的な安全保障を模索しつつ、国際連盟での集団安全保障の実現にも期待していた。ベネシュは、連盟において理事会議長を6回、総会議長を1回、その他の委員会の長を数多く務めることになり、国際連盟を代表する政治家の1人とみなされた。1920年代後半の国際関係の安定化にともない、チェコスロヴァキア国内での言語グループ間の対立も緩和した。建国直後の時期には、ドイツ系諸党は新国家の独立を否定していたが、1926年にはそれらの諸党の中から新国家の存在を受け入れて、連立政権に加わる政党が現れたのである。

ボヘミア諸邦は、第一次大戦前のハプスブルク君主国の主要工業地域のひとつであった。それを引き継いだ第一共和国は大戦後の10年間に工業製品の生産額も輸出額も順調に成長した。しかし、1929年に米国で起きた大恐慌の影響が30年代には東欧にもおよび、チェコスロヴァキアでは生産と貿易の急激な縮小で失業者は100万人にも達した。とくに、繊維、窯業、ガラスなどの輸出志向の強い工業が立地し、ドイツ系住民が多くを占めるチェコ国境地域（当時のドイツ系住民は「ズデーテン地方」と呼んでいた）での恐慌の影響は他の地域よりも大きく、その結果としてドイツ系の人々は政府の対応に不満を募らせ、チェコ系とドイツ系の政治勢力間の対立は激化した。1933年にドイツでヒトラーのナチ政権が誕生すると、第一共和国内のドイツ系の住民の間でもそれへの支持が拡大した。

エドヴァルト・ベネシュ（1919年）

東欧地域全体で見ると、大恐慌の影響はおもに農業製品の価格の下落とその貿易の縮小というかたちで現れた。小協商を構成するルーマニアやユーゴスラヴィアの経済は農産品の輸出に依存していた。ドイツはこれらの農産品を積極的に輸入することで、東欧諸国への影響力を強めた。このドイツの政策に対してベネシュの外交は有効な対抗手段をもたなかった。ドイツと比べるとチェコスロヴァキアの経済規模は小さく、また内政では農産品の保護を重視する農業党が継続して政権の中枢を占めていたからである。ドイツでのナチスの台頭に対して、1933年にベネシュは小協商の組織化をおこない、また東欧での地域的な安全保障体制の構築にも積極的に加わった。この試みは「東方ロカルノ」構想と呼ばれた。この構想は実現しなかったが、その一連の交渉の結果として1935年にフランスとチェコスロヴァキアはソ連との間で相互援助条約を締結した。

このような国内外の情勢の中で1935年に実施された選挙では、コンラート・ヘンライン（1898～1945年）が率いるズデーテン・ドイツ人党がドイツ系住民票の66%を得て、議会第一党となった。選挙後も同党は野党にとどまったが、しだいにその要求は過激なものとなり、それは国際問題となっていった。同党は、チェコ国境地域の高度な自治を求めていたが、1938年に至ると、その内容は政府の受け入れ可能な範囲を超えるものとなり、さらにドイツ政府もチェコ国境地域のドイツへの併合を要求するに至った。

英国のネヴィル・チェンバレン首相はこの問題を引き金にして欧州が再度、大戦へと至ることをおそれ、フランスとともにドイツとの妥協の道を探る「宥和政策」をとった。38年9月に英仏独伊によるミュンヘン協定が締結され、チェコ国境地域のドイツへの併合が認められた。国際的に孤立した中でベネシュ大統領はミュンヘン協定を受け入れざるをえなかった。それにあわせて、ポーランドとハンガリーもチェコスロヴァキアに対する領土修正を求め、それも実現した。こうして第一共和国は終焉を迎え、スロヴァキアおよびポトカルパツカー・ルスは自治を宣言し、国家は連邦化され、国名は「チェコ＝スロヴァキア共和国」となった。この第二共和国も翌39年3月にはドイツによって解体され、ボヘミア諸邦の中で共和国に残されていた部分は、ボヘミア＝モラヴィア保護領となり、ナチスの厳しい支配下におかれ、スロヴァキアは外交や軍事面でドイツに依存する保護国として独立した。

（林忠行）

19

ドイツ人のチェコ

★いくつもの層が織りなすドイツ人とチェコ人の歴史★

ドイツ人の追放

1946年10月28日、プラハのヴァーツラフ広場でドイツ人追放の「完了式典」が行われた。第二次世界大戦後の300万人のドイツ人の追放は、ナチス・ドイツ占領下で実行されたユダヤ人絶滅政策とともに数世紀にわたって築かれてきたチェコの文化的・人文地理的景観を断絶させるものだった。追放自体はその後続くが、「完了式典」は象徴的にチェコスロヴァキアの建国記念日を選んで行われた。「追放」の歴史的意義を強調するためである。当時首相だったチェコスロヴァキア共産党のクレメント・ゴットヴァルトはこう述べている。「今日と明日、最後のドイツ人移送列車が共和国をあとにする。わが国民とわが国家の長年の敵に対する偉大な勝利をこれ以上にあきらかにするものがあろうか。ドイツ人追放の完遂でわが国民の解放はきわまり、わがチェコの地に外から侵入してきた敵対分子に対して長年私たちが闘ってきた闘争の終結をつげるものである」。

優れた歴史家・音楽史学者で、社会主義体制期のチェコ史像を固めたズデニェク・ネイェドリーは終戦直後の1945年5月、ボヘミア北部のリベレツでこう述べている。「ボヘミア諸邦からドイツ人を排斥するという課題の解決にはるか昔に取り組んだのはフス派である。私たちはしばらくその課題をおろそかにしていたが、いまやそれをやりとげるときが来た。みなさんに請け合おう、フス派流にやりとげるのだ」。フス派流、というのは、フス派の軍事指導者ヤン・ジシュカのように「容赦なく」という意味である。リベレツ、すなわちドイツ名ライヘンベルクは19世紀以来ボヘミア・ドイツ人の政治・経済・文化の中心都市で、第一次世界大戦後、チェコスロヴァキア建国に抗するドイツ人たちはこの町をドイツ・オーストリア共和国「ドイツ・ボヘミア州」の州都と宣言した。

2人の演説はともにドイツ人の追放を長い歴史の帰結と捉える点で共通している。チェコの歴史は「ドイツ人とチェコ人」の戦いの歴史、チェコ民族の受難と再生の歴史であり、ナチス・ドイツの占領と過酷な人種政策は受難の頂点、そして「追放」は解放と再生の大団円であった。「フス派はドイツ人を追い出そうとした」と歴史家がいうのはどうかと思うが、「解放」の恍惚のなかでネイエドリーがみずから称えてやまないフス派の過去を引き合いに出したのは自然なことだった。こうした歴史像でドイツ人追放を正当化することに反対する声は、当時のチェコ社会ではほぼ聞こえなかった。

帝国時代の「民族対立」

さかのぼって1897年秋、ボヘミアの帝国官僚にチェコ語とドイツ語の両言語の習得を義務づける「言語令」(オーストリア首相だったカジミェシ・バデーニの名をとって「バデーニの言語令」と呼ばれる)が発布されると、各都市ではドイツ系の政治団体が街頭にくり出して大規模な反対行動を繰り返し、プラハとその周辺には戒厳令が発布された。ハプスブルク君主国を越えて、ドイツ帝国のドイツ人との一体化を主張する全ドイツ運動はこうした風潮のなかでいやましに拡大していった。プラハではそれ以来この種の騒擾には事欠かなかった。ボヘミア西部のエガー（チェコ語でヘプ）出身でライヘンベルクに学び、全ドイツ運動のカリスマ的指導者となったカール・ヘルマン・ヴォルフは、1908年訪れたプラハで群衆に囲まれて石を投げつけられた事件を非難して帝国議会でこう述べている。

「ほかのどんな大都会でも見られないような無頼漢の群れがプラハの街頭でドイツ人学生、ドイツ人少数派を脅かしている。それに対抗して、我々の学生にはドイツ最古の大学でみずからの旗を立て、ドイツ的個性を担う権利があることは明らかだ。私たちは、プラハで私たちのものを少しも一つも一瞬たりとも譲らない。この地はドイツ的勤勉とドイツ人の働きで守られてきた。どんな場合でもその権利を守るのが私たちの歴史的責務である」。

プラハ／プラークは誰のもの？

ヴォルフのような全ドイツ運動の指導者ばかりでない。フリッツ・マウトナー（1849～1923年）はフラデッツ・クラーロヴェー近くでユダヤ系の家庭に生まれた言語哲学者だが、彼は第一次世界大戦最後の年、1918年にミュンヘンで出版した『回想』に似たような感懐を記している。「私より前の時代にはプラハにもボヘミアにもドイツ語のギムナジウム（人文系の中・高等学校）しかなかった。1848年よりまえのボヘミアでは、学ぼうと思えばドイツ語の助けを借りなければならなかったのである。……ドイツ・ボヘミア人として、プラハがいまやもうスラヴ的都市になってしまい、ドイツ人は外人として憎まれながら生きざるをえない、とか、ボヘミア全体が近い将来、チェコ人に握られ支配される、などと考えるのは私には我慢ならない」。

マウトナーがこう書いた直後、実際にプラハが「チェコ人に握られ」、チェコスロヴァキアの首都になってもこの感覚は続いた。ドイツの美術史家オスカー・シュラーは『プラハ　文化・芸術・歴史』(1930年)でこう書いている。「今日のプラハでは何よりも民族的立場が争われている。『外人』がこの町を叙述しようなどと思い上がるのは、それもドイツ人の立場でそれを書こうなどとは不届き千万だと非難されるだろう。それに対しては率直にこう言おう。ドイツ人として、私はプラハの歴史遺産に私の民族がなしとげた成果をみるのである」。1939年の第三版の序では誇らしげにこう書きつける。「今年3月の日々にプラハの運命が決せられたために本書は売り切れてしまった。発売以来九年間にわたって本書は、この素晴らしい町の千年にわたる建設にドイツ人の民族的力量がいかに豊かに組み込まれてきたかをドイツ人に伝えようとしてきた。現在の政治状況からして、その東方への使命をより深く理解することはわが民族の義務である」。

ドイツ・ボヘミア人の歴史像

ボヘミア諸邦のカトリック化がバイエルンはレーゲンスブルク司教の下に進んだのも、プシェミスル朝の国家建設が神聖ローマ帝国との緊密な関係のなかで実現したのも、また12世紀以来、ボヘミア諸邦にドイツ植民運動が進出して、特にプシェミスル・オタカル2世の時代には植民者によって農地の開墾が進み、鉱山が開発され、多数の修道院が創設され、ドイツ都市法にのっとって次々に都市が建設されていったのも、みな歴史の事実であった。ただし、ボヘミア諸邦の「文明化」はドイツ文化、

「ドイツ的労働」によるものだとし、プラハをはじめボヘミア、モラヴィアの諸都市をドイツ的伝統に連なる遺産として認識する歴史像は、19世紀後半にチェコ社会がダイナミックに発展するのに対抗して成立し、強調されるようになったものである。フランチシェク・パラツキーの『ボヘミア史』に張り合うかのように出版されたルートヴィヒ・シュレジンガーの『ボヘミア史』（1872年）は13世紀、ドイツ植民期のボヘミアを次のように描いている。「スラヴの農民は隷属状態にあり、農地の世襲権を持っていたドイツ人農民の状況と根本的に異なっていた。ドイツ人農民が定着して自由なドイツ人村が成立し、スラヴ人農民は次第に隷属から解放された。……ドイツの聖職者とドイツの都市民がいなければ、ボヘミア史は非常につまらないものになっただろう。中世に東方へ赴いたドイツ人植民者たちは、単調な繰り返しであるスラヴ人の民俗生活に生命力と多様性をもたらした。ボヘミアのスラヴ人は、ドイツ人移民によって中央ヨーロッパの文化秩序の中に引き入れられたのである」。

同時代の政治・文化状況と交錯しながらボヘミア・ドイツ人とチェコ人の歴史記述が対抗的に発展するなかで、チェコ人（スラヴ人）とドイツ人とを歴史の主体として対比的に描く歴史像は深く鋳造されていった。先に見たように、そのような歴史像にもとづいて現実の政治、社会が認識され動かされた。そして20世紀の破局のあと、チェコの歴史を「ドイツ人とチェコ人」の対立の歴史と考える歴史像は定着してしまったかのようである。しかしチェコの「ドイツ人」にそのように明瞭な輪郭があったわけではないし、彼らを総称する「ズデーテン・ドイツ人」という呼称でさえ、それが現れたのはようやく20世紀初頭のことだった。その語を使ったのは特定のドイツ・ナショナリストたちにすぎない。

ドイツ・ボヘミア人をめぐる多様な文化の地層

19世紀前半、プラハ大学で活躍した哲学者ベルナルト・ボルツァノはチェコ語とドイツ語の二言語を話す1つの「ボヘミア国民」論を唱えた。プラハ生まれの歴史家ヨーゼフ・アレクサンダー・ヘルファートは19世紀後半にオーストリア帝国の文化財保護制度を確立した人物だが、彼によればオーストリアの「国民史」とは「起源、教育、習慣の点で異なる諸種族が相互に結びついている一体としての国民の歴史」であった。フランツ・アントン・シュマルフスは『ボヘミアのドイツ人』（1851年）でボヘミアのドイツ人とドイツとの関係を「特異」だと書いた。「ドイツ・ボヘミア人は、ドイツを『ライヒ』と呼ぶが、彼らは『ライヒ』ではすべてが秩序立っていて、誰もがのんびりとよい暮らしを送っている、というイメージを持っている。ライヒでは、こちらよりずっと生活はよくて楽で『進んでいる』というのだ」。これらはみな全ドイツ運動の認識と大きく隔たっている。

ボヘミア諸邦のドイツ語文化、社会、「ドイツ人のチェコ」は次の4つの層が複雑に重なりあいながら作り上げられている。中央ヨーロッパ全体に広がるドイツ語文化圏、多様な地域の歴史と文化が還流するハプスブルク君主国の経験、王国の長い伝統に支えられ、ドイツ語文化とチェコ語文化との接触・交流の上に育まれたボヘミア性、そしてそれぞれの地域、都市社会に積み上げられた地方性である。さらに特にプラハのドイツ語社会を色濃く特徴づけるユダヤ性を考えないわけにはいかない。

『ボヘミア史』で「チェコ人の歴史」を構想したパラツキーは「ボヘミア・モラヴィアの歴史全体の主要な内容、基本的動因」を「スラヴ文化、ラテン文化とドイツ文化とのあいだの不断の交わりと対抗」と考えた。彼によれば「チェコ人はラテン文化に直接接したのではなく、それはもっぱらドイツ文化を通じてのこと」であり、「チェコの歴史は主にドイツのさまざまな性質や秩序を受け入れたり、退けたりしてきたことに負っている」。そう考えると、ドイツ・ボヘミア人もスラヴ・ボヘミア人（パラツキーは自分のことをこう呼んだ）も上にあげた4つ、ないし5つの層を共通の基礎としてその文化と社会を発展させたといえるし、相互が混交するのも、その間を往来することも珍しいことではなかった。その豊かな共通の文化の基層を破壊したのは20世紀の破局である。その歴史を取り戻すことこそ、「中央ヨーロッパ」論の挑戦であった。

（篠原琢）

20

チェコのユダヤ人

★1000年の歴史、破壊、再生★

ピンカス・シナゴーグ

北にむかって流れるヴルタヴァ川がいったん東に彎曲するところ、川筋の内側、プラハの旧市街側に旧ユダヤ教徒居住区、ヨゼフォフ／ヨーゼフ・シュタットがある。かつては川の水量が増す季節にはしばしば水に浸される低湿な土地だった。1868年、川が曲がろうとする地点にハプスブルク帝室のルドルフ皇太子の名をいただく橋がかけられ（今日のマーネス橋の位置）、1885年には河岸が整備されてネオルネサンス様式の「芸術の家」ルドルフィヌムが、その向かい側にはプラハ工芸博物館が建設されて、対岸にプラハ城を望むこの一角は美しい景観を備えるようになった。世紀転換期までにはヨゼフォフ全体が「衛生化」の名の下に改造され瀟洒な街区が建設された。残ったのはユダヤ教墓地といくつかのシナゴーグ（ユダヤ教礼拝堂）だけである。

工芸博物館とカレル大学哲学部の間の古い通りシロカー（「広小路」）を進むと旧ユダヤ教墓地の木陰にピンカス・シナゴーグがある。シナゴーグは現在「ボヘミア諸邦 のショア犠牲者記念碑」になっており、シナゴーグ内陣の壁を埋め尽くして7万人近いチェコのショア犠牲者の名前と生年、そして殺害された年が刻みつけられている。1941年にチェコのユダヤ人の数は約9万人だったから、犠牲者は8割に近い。チェコはナチスのユダヤ人絶滅政策がもっとも徹底して実行された国のひとつである。マリア・テレジア時代に建設された要塞都市テレジーンはユダヤ人を収容するゲットーに改造され、ボヘミア=モラヴィア保護領はじめヨーロッパ各地から犠牲者が送り込まれた。テレジーン・ゲットーでは劣悪な条件下でも文化・教育活動が試みられたが、バウハウスで学んだフリードル・ディッカー=ブランダイスが主宰した子どもたちの絵画教室もその一つである。現在のピンカス・シナゴーグには、ゲットーの日常、移送前の暮らし、自分たちの夢などを描いた子どもたちの絵が保存・展示されている。テレジーンからは8万人以上の人々がポーランドのゲットーやベウジェッツ、トレブリンカ、アウシュヴィッツなどの絶滅収容所に送られて殺害された。絵を残した子どもたちのほとんどはフリードルとともにアウシュヴィッツで殺害された。

ピンカス・シナゴーグが絶滅政策の記念碑となったのは第二次世界大戦が終わって10年あまりのことだから、その種のものとしては非常に早い。それればかりでない。このように犠牲者個々人を想起するのが一般的になったのはその ずっとあとのことであった。ヨーロッパでは犠牲者は長らくナチズムの犠牲者として一括して匿名化され、犠牲者のユダヤ性にすら触れられなかったのである。

過去を訪ねて

ユダヤ教の教えにしたがいピンカス・シナゴーグは地面を掘り下げて建てられている。身廊に降りてシナゴーグが建設された16世紀を訪ねてみよう。プラハを訪れた最初のユダヤ商人の記録は10世紀にさかのぼるから、プラハの歴史はそもそもの最初からユダヤ人とともにあった。13世紀、プシェミスル・オタカル2世がユダヤ教徒に自治を認めて、プラハにユダヤ人居住区が成立した。アルトノイ・シュール（旧新シナゴーグ）が建設されたのもそのころのことで、ゴシック式の二重身廊を備え、現存するシナゴーグではヨーロッパで最古のものである。ピンカス・シナゴーグはプラハでは2番目に古く１５３５年に建てられた。当時プラハはアルプス以北のヨーロッパのユダヤ教教学、文化、ヘブライ語出版の中心地で、ポーランド王国に広がったユダヤ人の世界にも大きな影響力を与えていた。それに続く時代、神聖ローマ帝国の帝都をプラハに移したルドルフ2世はユダヤ教徒に数々の特権を与え、金融活動や交易を保護し、そして宮廷はその活動から莫大な富を得た。ラビで優れたタルムード学者、哲学者のイェフダ・レイブ・ベン・ベツァレル（ラビ・レフ、またはプラハのマハラルとして知られる）が活躍したのはまさにルドルフのころである。レフが同時代のプラハの人文主義者たちと交わり、その思想にコメニウスと共通するところが多いという研究者もいるが確証はない。またラビ・レフは人造人間ゴーレムの創造者として知られるが、こちらはドイツ・ロマン派の想像力の産物で根拠はない。それでもルドルフのプラハでユダヤ人社会、ユダヤ文化が「黄金時代」を迎えたのはたしかであった。17世紀初頭、プラハのユダヤ人人口は６０００人を数えたともいう。

モラヴィアのユダヤ人社会

ラビ・レフはプラハからモラヴィアのミクロフに赴いて20年にわたって活躍した。ミクロフは

1851年までモラヴィアの首席ラビの居所で、ラビ・レフをはじめ高名なユダヤ教学者を多く惹きつけていた。ミクロフのユダヤ人社会はとくに16世紀なかばからディートリヒシュタイン公の保護の下で繁栄し、ウィーンでユダヤ人追放令が発せられるたびにたくさんの人々がミクロフにやってきた。17世紀なかばにはウクライナからフメルニツキの乱を逃れるユダヤ人難民がやってきた。

ミクロフからブルノを越えて真北へ約100キロ、ボスコヴィツェにも有力なユダヤ人社会があった。1772年、この町の中心広場と背中合わせの地域が閉鎖されてユダヤ人街とされ、ユダヤ人たちはここに集められた。小さな門をくぐってユダヤ人街に入るとここからみる市庁舎の塔は、すぐ近くにあるはずなのにあたかも遠い異世界を望むようである。大・小シナゴーグ（いまは大シナゴーグだけが残る）には遠方からもユダヤ教の学徒たちが訪ねてきた。マリア・テレジアはボヘミア・モラヴィアのユダヤ人に対して「家族法」を制定し、長男以外の結婚を禁止してユダヤ人人口の抑制をはかったが、ミクロフでもボスコヴィツェでもユダヤ人社会は拡大し続けた。ポーランド分割でガリツィアがハプスブルク君主国に編入され、モラヴィアにも多くのユダヤ人が移住してきたからである。ジグムント・フロイトの一家もその波のなかにあった。19世紀なかばにはボスコヴィツェの人口の約3分の1、2000人以上がユダヤ人だった。

ふたたびプラハへ

ヨーゼフ2世の時代、ユダヤ人は名をドイツ語化すること、イェシヴァ（ユダヤ教学校）ではなくドイツ語で公教育を受けることが義務づけられ、チェコのユダヤ人とドイツ語文化とは深く結びつくことになった。検閲の厳しいオーストリアを出てライプツィヒで新聞『国境の使者』を発行したイグナツ・クランダ、「聖杯と剣」という詩を書いてフス派を称揚したドイツ語作家のモリッツ・ハルトマンなど、19世紀、ボヘミア・モラヴィアのドイツ自由主義の担い手にはユダヤ的背景を持った人々が多かった。1848年革命でユダヤ人の居住制限が撤廃され、1867年にはユダヤ人に対する法的差別は完全に解消された。こうして19世紀後半、産業化・都市化が進むなかで、ミクロフやボスコヴィツェのような小さな町々に住んでいたユダヤ人はウィーン、プラハなどの大都市に移住し、地方のユダヤ人社会は衰退していった。そのかわりプラハのユダヤ人は世紀転換期には3万人近くまで増加し、プラハのドイツ語社会・文化はユダヤ的な背景を深く内包することになった。実際、プラハ・ドイツ語大学の学生の約40％はユダヤ人家族の出身である。地方の消えゆく伝統的ユダヤ社会の遺物を保存し記録するために1906年、ユダヤ博物館が設置されたのもプラハであった。またプラハはシオニズム運動の重要な中心にもなった。のちにナショナリズム研究の先駆者となるハンス・コーンもプラハの若き日はシオニズム運動の積極的な活動家だった。

プラハは18世紀末からユダヤ啓蒙主義（ハスカラ）の中心でもあり、ユダヤ人の暮らし方は周りと変わらなくなった。19世紀末以降はチェコ語文化に同化する人々も増えた。戦間期のチェコスロヴァキアは「ユダヤ人」に少数民族としての権利を認めたが、ボヘミアではユダヤ教徒のうち、自分を「ユダヤ民族」の一員と考える人は15％以下にすぎなかった。ナチス・ドイツの占領を逃れて北米にわたり、のちにチェコ・ユダヤ文化の研究者となるウィルマ・イガースは1930年代を次のように回想している。

「豚も食べた。毎年、庭で肉屋が豚を屠殺した。豚を食べることが何か普通でないと思い当たったのは、ボヘミアの外から来たユダヤ人に会ったときのことである。カナダに亡命したあと、東欧出身者が多いカナダのユダヤ人は、私たちがコシャー（ユダヤ教の戒律にのっとった食事）を食べず、イディッシュを話さないことを奇異に思った。あるときユダヤ人が私たちに会いに来たが、それはちょうど鍋で豚の頭をゆでているところだった。どうやらあまり相互理解には役立たなかったようである」。

第二次世界大戦のあとで

１９３３年、ヒトラーがドイツで権力を掌握すると、ドイツから多くのユダヤ人がプラハに亡命してきた。プラハはその後しばらく中央ヨーロッパのユダヤ人の避難所のようだったが、１９３９年３月15日のナチス・ドイツのチェコ侵攻でそうした日々も終わった。チェコのユダヤ人ひとりひとりがどのような自己意識を持とうと、彼らはみなナチス・ドイツの「人種政策」の対象であった。プラハのドイツ語大学の教授たち、ドイツ劇場の俳優、楽員のほとんどはその職から追放された。多くはユダヤ系だったからである。ユダヤ人をゲットーに逐いやり、さらに東方に移送すると、占領当局はボヘミア、モラヴィア全域からユダヤ教の祭具、経典、美術品を集め、ユダヤ博物館を「ユダヤ中央博物館」につくりかえてこれを管理させた。閉鎖されたピンカス・シナゴーグには集められた数々の遺産が積み上げられていった。

ボヘミア、モラヴィアのほとんどのユダヤ共同体は占領期に破壊され、多彩で豊かな歴史は断絶してしまったようにみえる。ゲットー、収容所を生き延びて帰還したユダヤ人のうち１０００人以上の人々が、戦前の国勢調査でみずからを「ドイツ人」と申告していたため、戦後、今度はドイツ人として追放された。それでもチェコのユダヤ人社会の物語は終わらない。

第二次世界大戦後、スロヴァキアや、ソ連に併合されたかつてのポトカルパツカー・ルスから、ドイツ人のいなくなった国境地域やプラハに多くのユダヤ人が移住してきた。この人々の母語はイディッシュ、スロヴァキア語、あるいはハンガリー語で、さらにボヘミア、モラヴィアが知らなかった正統派ユダヤ教徒、ハシディズムの伝統をたずさえてきたのだった。こうしてチェコのユダヤ人社会の新しい章がはじまったのである。

体制転換後、戦後から培われた新しい土壌の上に、失われた歴史を再生、再創造しようとする運動が本格的に始まった。絶滅政策によって破壊されたものばかりではない。近代化のなかで打ち捨てられたユダヤ社会の文化遺産の修復・保全も進められている。ユネスコの世界遺産に登録されたトシェビーチの試みもそのひとつである。

ピンカス・シナゴーグは「プラハの春」のあと、20年あまりにわたって閉鎖され、壁の墓碑銘が修復されて再開されたのはようやく1996年のことだった。チェコのユダヤ文化の再創造は犠牲者ひとりひとりの想起を土台に位置づけなおすことから始まったのである。

（篠原琢）

21

ポトカルパツカー・ルスとチェコスロヴァキア

★チェコスロヴァキアの「文明化」の使命★

ウジュホロトへ

スロヴァキア東部のコシツェからバスで3時間ほど、カルパチア山脈の南麓を100キロばかり東へ進んでウクライナとの国境を越えるとウジュホロトという町に着く。国境で中央ヨーロッパ時間から東ヨーロッパ時間に変わるので1時間の「時差」があるが、街頭の時計が指す時間にもかかわらずウジュホロトの人たちは「ウクライナの時間」ではなく「中央ヨーロッパ時間」を使うこともあるので気をつけなければならない。

ウジュホロトはウクライナの南西端、ザカルパッチャ州の州都である。バスを降りてウシュ川にかかる橋を渡ると旧市街の入り口に黄と朱の横縞に彩られた大きな建物がある。いまはコンサートホールだが、1904年に東方風、当時流行のムーア様式で建てられたシナゴーグである。旧市街を北に上るとギリシャ・カトリックの聖十字大聖堂、さらにウジュホロト城塞があり、城塞の反対側には野外民俗博物館が広がる。大小、貧富さまざまの農家・小屋、木造教会、学校などが移築されてザカルパッチャのかつての農村の姿が再現されているが、町を出ればいまも同じような風景に出会うだろう。

小さな建物が雑然とひしめく寂れた旧市街から河岸に沿って緑のプロムナードを西へ進むと、道幅も広く整然と区画された街区が開ける。舗石の意匠はプラハと同じ、スカイラインを揃えて立ち並ぶアパート群はプラハの高級住宅街デイヴィッツェの町並みとそっくりだ。やがて角にそってファサードが流線型のように左右に流れる建物が現れる。一切の装飾を排したこの巨大な建物はキュビズム建築で知られたヨゼフ・ゴチャールの設計による郵便局である。河岸には白い外壁に大きな窓が規則正しく並ぶ3階建の建物があって、壁面にはチェコ語で「マサリク記念学校、1932年」とある。この街区の中心はウシュ川に向かって開かれた広場を前に建つ広壮な機能主義のビル、今日のザカルパッチャ州庁舎である。学校や官庁、銀行などが配されたこの住宅地区は戦間期に整備されたウジュホロトの新しい町、マレー・ガラゴである。地元の人はいまでも「チェコ人の町」と呼ぶ。

ウジュホロトのシナゴーグ（筆者撮影）

ポトカルパツカー・ルスの誕生

今日のザカルパッチャ州は1918年から39年までチェコスロヴァキアの統治下にあったポトカルパツカー・

ルスの領域を引き継いでいる。ハンガリー王国時代には4つの県にまたがり、南部の平原地帯に点在するわずかな都市はハンガリー語の世界で、山村部にはルシーン人が住んでいた。もっともルシーン人という名称が定まっていたわけではない。自分たちをウクライナ人と考える人、ロシア人と考える人、またカルパチア・ルシーン人は独自のものと考える人など多様な政治・文化運動があったし、山岳民族集団として西部ではレムコ、中部はボイコ、東部ではフツルと呼ばれ、一体としての名称はなかった。識字率は3割にも満たず、学校では主にハンガリー語が使われていた。18世紀末にガリツィアがハプスブルク君主国に編入されてからはユダヤ人の人口が増え、第一次世界大戦のころには主要都市ムカチェヴォの人口の半数近くがユダヤ教徒で、ハシッドの強力なコミュニティも形成された。

この地域がチェコスロヴァキアの統治下に入ったのは第一次大戦直後の軍事情勢による偶然で、チェコスロヴァキアの独立宣言が発せられた1918年10月28日にはその将来は定かでなかった。ようやくサンジェルマン条約（1919年9月）で「カルパチア山脈南側のルシーン人地域」を「自治地域」としてチェコスロヴァキアに編入することが定められ、翌1920年2月のチェコスロヴァキア憲法で「サンジェルマン条約にもとづき」「ポトカルパツカー・ルス」を「共和国の不可分の領土」としながら自治権を与えることがうたわれた。

チェコスロヴァキアはしかしポトカルパツカー・ルスに自治を実現しなかった。ルシーン人は自治を担うまで成熟していないというのである。ある新聞はこう評した。「当地の人々は善良で個性的だが、自覚が足らず文化的には後進的である。子供から腰の曲がった老人に至るまで、現代と遠い過去とが隣り合っている」。彼らを「残忍なハンガリー人の封建支配」「狡猾なユダヤ人の搾取」から守り、その現代化を進めるのがチェコスロヴァキアが自負した「文明的使命」だった。ベネシュ大統領はこう言っている。「ポトカルパツカー・ルスはハンガリー国家の中で暴力的に、民族的性格を奪われてきた。チェコスロヴァキアはポトカルパツカー・ルスの文化闘争を兄として助け、その民族再生を完遂させるのである」。ポトカルパツカー・ルスはさながらチェコスロヴァキアに託された「委任統治領」のようだった。

小さな帝国チェコスロヴァキア

自治を与えるかわりに、たしかにチェコスロヴァキアはプラハから遠く離れたポトカルパツカー・ルスに大々的に投資し、大規模な近代化事業に乗り出した。ハンガリー時代に繁栄したムカチェヴォを避けてウジュホロトを中心都市に選び、チェコの現代建築家たちを大動員して、ウシュ川に護岸工事を施し新しい官庁・ビジネス街、住宅地を建設した。これがマレー・ガラゴである。チェコ語、ルシーン語の初等学校が設立されて識字率も上昇し、ルシーン芸術の創造のために芸術アカデミーも設置された。しかし行政・経済・文化活動の担い手は西からやってきたチェコ人たちだった。戦間期のウジュホロトの人口2万6000人あまりのうち、チェコ人は4分の1近くを占めた。町はハンガリー語からチェコ語の世界になった。マレー・ガラゴの日常風景はそれを雄弁に物語っていた。

チェコの人たちにとってポトカルパツカー・ルスはそれまで知らなかったエキゾチズムに満ちた異郷だった。「果てしない山稜、人跡未踏の深い原生林、山影の映るエメラルドの湖、牧童たちが羊の群れとともに神のそばにある牧歌的生活、めずらかな民芸品、鮮やかな民族衣装、古来の要素が多く残されている人々の生活、あるいは正統派ユダヤ教徒のオリエンタリズム……。瓜の花咲く広大な平原、熟するぶどうの香りに満ちた山裾、そんなところをお探しではありませんか」。当時の旅行ガイドはこのように人々を誘っている。その「牧歌的生活」はしかしチェコ文化の想像力のなかでは、貧困と無知、暴力と迷妄に満ちた世界でもあった。カレル・チャペックの『ホルドゥバル』はここで実際に起こった殺人事件を題材にして、それがチェコスロヴァキアの法治秩序にはまつろわない世界であることを示唆している。

ポトカルパツカー・ルスの終焉

１９３９年３月14日、ポトカルパツカー・ルスは「カルパチア・ウクライナ」として独立を宣言したが、わずか４日後にハンガリーに占領された。１９４１年、ハンガリー政府はこの地方の多くのユダヤ人をカルパチア山稜の向こう、ドイツが占領するポーランドに放逐した。さらに、１９４４年春にハンガリーがドイツに占領されると残っていたユダヤ人はほぼすべてアウシュヴィッツに送られた。１９４４年秋、カルパチア山稜を越えたソヴィエト赤軍はポトカルパツカー・ルスに進軍し、その後ここはウクライナ・ソヴィエト社会主義共和国に編入されて、「ポトカルパツカー・ルス（カルパチアの麓）」から「ザカルパッチャ（カルパチアの向こう側）」になった。「牧歌的生活」が変わらないようにみえながら、この地域もまた20世紀の大変動を集約的に経験したのである。果たして人々はいま「カルパチアの此方」と「カルパチアの彼方」のどちらに親近感を持っているのだろうか。

（篠原琢）

22

第一共和国のジャーナリズム

★女性向け紙面の拡充と女性ジャーナリスト★

「チェコのジャーナリストといえば」と問われて真っ先に思い浮かぶのは、カレル・チャペック（1890〜1938年）の名ではないだろうか。チャペックはジャーナリストとしてだけでなく、作家、劇作家、エッセイストなどとしても著名である（第40章参照）。チャペックが有名であるのはさることながら、同時代のチェコのジャーナリズムにおいては、実は女性の活躍も決して無視することができない。いや、むしろ欠かせない存在であった。なぜなら、独立後の日刊紙において女性向け紙面の拡充が必要とされたからである。その理由としては、主に次の3つが挙げられる。

第一に、1918年の独立をもたらした民族運動と連携して動いた女性解放運動の働きとその影響である。当時の女性解放の目的は、主に高等教育を受ける権利と参政権の獲得であった。教育を受ける権利については、独立以前には女子ギムナジウム「ミネルヴァ」の設立や大学進学する女性が増えたことで一定の成果が見られ（第13章参照）、参政権については、独立とともに女性にも付与されたことで目的を果たしていた。こうした女性解放の動きが女性向けメディアの発展に貢献したといえるだろう。

第二に、商業的な理由が挙げられる。日刊紙の販売数を増やすためには、より多くの購読者を獲得する必要があり、そのために女性読者の獲得が求められた。女性解放とは異なる角度から、女性向け紙面の拡充が求められたのである。

そして第三の理由は、第一および第二の理由に起因するもので、ジャーナリストという職業が高等教育を受けた女性の受け皿となったのである。それまでの女性にとっての高等教育といえば教員養成が主たるもので、教員はエリート女性の典型的な職業であった。あるいは、数は少ないが、医師や弁護士といった資格を要する仕事もあったであろう。しかしながら、政治体制や社会構造の転換とともに、資格取得だけではない人文系の高等教育を受ける女性が増え、女性の職業にも変化が見られた。それらの女性のニーズとメディアの思惑が一致したというわけである。

そういうわけで、第一共和国時代には、新聞や雑誌の女性向け紙（誌）面において、数多くの女性ジャーナリストが活躍した。女性ジャーナリストの草分け的存在と言われているのは、日本ではほとんど無名のオルガ・ファストロヴァー（１８７６〜１９６５年）である。１９１０年から『ナーロドニー・ポリティカ』で専属記者として女性向け紙面を担当し、独立後の１９１９年には、イヴォンナの名でモード雑誌『モードと好み』も創刊した。

当時のチェコにおいても現代日本においてもチェコの女性ジャーナリストとして最も有名な名前は、ミレナ・イェセンスカー（１８９６〜１９４４年）であろう。チェコに興味を持っている本書の読者なら一度は「カフカの恋人」というフレーズを耳にしたことがあるのではないだろうか。いまや20世紀を代表する作家とも称されるフランツ・カフカ（1883〜1924年）の「恋人」というなんとも偉大な肩書を背負ってきた彼女だが、実際のイェセンスカーとカフカとの関係、それも両者の間で交わされた親密な書簡のやりとりは、ほんの1年程度の間のものだったと言われている。

当時、カフカの名前はチェコ人の間では有名ではなかったとされているが、それに比べると、イェセンスカーの名前「ミレナ」は大変有名なもので、当時の日刊紙『トリブナ』、『ナーロドニー・リスティ』、『リドヴェー・ノヴィニ』をめくってみれば、彼女がいかに活躍していたのかが分かる。特に

NÁRODNÍ LISTY

Moda.

Železná Ruda Hotel „Seidl“

Výtvarné umění

Jaké šaty bychom nosily, kdyby bylo slunečno.

Odkolkův chléb
od zítřka opět větší
a proto o mnoho levnější.

『ナーロドニー・リスティ』（1923年7月1日付）に掲載されたイェセンスカーの記事「晴れたら、どんな衣装を着ましょうか」（Milena. „Jaké šaty bychom nosily, kdyby bylo slunečno.“ *Národní listy*. 1.7.1923, s. 4.）。

もっとも長く携わった『ナーロドニー・リスティ』での彼女の記事の行間はなぜか他の記事よりも広くとられており、そこにだけ光が当たっているかのように読みやすい記事になっているのだ（前頁参照）。彼女の記事が大変人気であったことは、投書の数の多さや、姓のイェセンスカーではなく、心理的距離の近さを示す、名前の「ミレナ」という呼称が好んで使われたことからもうかがえる。

イェセンスカーは主にモード欄で健筆をふるった。記事の内容は、一般にモードと捉えられる枠を逸脱するものが多く、今でいうライフスタイルをテーマとするものが多い。モード欄を通して、女性の生き方や人間関係の築き方、物事の考え方を女性に提言したり、思考を促したりした。そのような特徴は彼女の考えによるものだけではなく、独立から間もない第一共和国という時代背景が影響したものといえる。イェセンスカーのモード記事は、１９２０年代半ばをピークに隆盛を見せ、１９３０年代には数が減り、その後は政治的な記事あるいは社会派ルポの執筆に移行した。

彼女の文章表現はときに回りくどく、また、極端な意見を断定的に論じることがあったため、彼女の意見に反論する者や批判的な見解を示す者もいた。ただ、彼女の偏った表現が本心であったのか、それとも、読者の思考力を試すため、あるいは鍛えるために意図したものだったのかについては、見解が分かれるところであろう。筆者としては、どちらかといえば後者なのではないかと考えている。そうでなければ、長きにわたって人気を維持することはできないだろう、と思うからである。加えて、彼女が編集者に宛てた手紙を読むと、実に気弱な面を見せることもあったからでもある。この辺りは、皆さんからのさまざまな意見を伺いたいところである。

さて、イェセンスカーの他にも女性ジャーナリストは数多く存在した。先述のファストロヴァー以外にも、イェセンスカーと同世代のマリエ・ファントヴァー（1893〜1963年）が挙げられる。彼女はイェセンスカーより3つ年上で、1920年代の『リドヴェー・ノヴィニ』を主なメディアとして活躍した。彼女もイェセンスカーと同様にミネルヴァ出身だ。そのほかにも、まだ数名挙げられるが、紙幅の都合上、ここでは割愛し、そのほとんどがミネルヴァ出身で、イェセンスカーの友人知人である点を指摘しておきたい。

チェコに限らず、第一次世界大戦後のヨーロッパでは、女性の社会進出が目覚ましく、女性の生き方や生活様式にも大きな変化がもたらされた。第一共和国のような新生国家においては、将来を担う子どもを、あるいは子どもを産み育てる女性をいかに育てていくのかということを国の将来と直結する課題として捉えていたとしても不思議ではない。ミネルヴァ出身の女性たちはそのことを自らの使命と感じ、発信していたのではないだろうか。

（半田幸子）

23

第二次世界大戦期のチェコスロヴァキア

★亡命政権と国内のレジスタンス★

1938年9月にミュンヘン協定を受け入れたエドヴァルト・ベネシュは、10月初めに大統領職を辞し、国外へと去った。39年9月のドイツによるポーランド侵攻によって第二次世界大戦が始まると、翌月にベネシュはパリでチェコスロヴァキア国民委員会を立ち上げ、国外での抵抗運動を開始した。1940年6月にフランスが降伏すると、その拠点はロンドンに移された。7月に国民委員会は暫定政府と改称され、さらに1年後の6月に独ソ戦が始まると、その翌月に英国とソ連は暫定政府を正式なチェコスロヴァキア亡命政府として承認した。こうして、亡命政権の連合国側での活動は本格的なものとなった。

チェコ人、スロヴァキア人亡命者の中には、大統領として亡命政府を率いるベネシュに批判的な勢力が含まれていた。元首相のミラン・ホッジャ（1878～1944年）などのスロヴァキア系の政治家たちはスロヴァキアの自治の保障を求めていたが、ベネシュはミュンヘン協定の無効と第一共和国の法的な連続性にこだわり、自治に関する問題は戦後の議会での決定に委ねるという立場をとった。その結果、両者間の対立は解消しなかった。ベネシュはその後も、亡命政権内での主導権を維持し、連合国との交渉を自ら進めた。ホッジャたちのグループは亡命政権の中から排除され、ホッジャは1944年に米国で病のため客死した。

チェコスロヴァキア共産党（以下共産党）は第一共和国解体後に活動を禁止され、クレメント・ゴットヴァルトらの指導部はモスクワに亡命した。大戦勃発直前の1939年8月にソ連はドイツと不可侵条約を締結し、同年9月からの英仏とドイツとの間の戦争は「帝国主義諸国間の戦争」であるとみなし、その局外に立った。共産党も同じ立場をとり、英国に拠点をおくベネシュたちの活動とは距離をとった。このようなモスクワの共産党指導部の態度は、国内で対独レジスタンスに参加しようとしていた共産主義者たちを混乱させることになった。しかし、41年6月に独ソ戦が始まると、ソ連はロンドンの亡命政府を承認し、また共産党も自らの独自性を保ちつつ亡命政権に代表を送り、連携するようになった。また、国内の共産主義者たちもレジスタンス運動で他の勢力と協働するようになった。

1939年3月にチェコスロヴァキアが解体されたのち、一群の将兵は国外へ脱出した。第二次世界大戦が始まるとその一部はフランス軍に参加し、フランスが降伏した後には英国に渡った。そのなかには空軍のパイロットが含まれていた。彼らは英国空軍に加わり、その下で独自の航空団を編成し、英国上空でのドイツとの航空戦に参加し、またその後のドイツへの長距離爆撃にも加わった。またそれとは別に、チェコ人、スロヴァキア人将兵は英国軍の中で、歩兵や防空部隊の一員として編成され、中東、北アフリカおよびフランスでの戦闘に参加した。さらに、国家解体後にポーランドに逃れ、そこで39年9月の対独戦にポーランド側で参加し、その後、ソ連に収容されていた将兵たちがいた。独ソ戦が始まると彼らは、ソ連国内にいた様々な兵士たちを加えて、第一チェコスロヴァキア軍団を編

英国空軍チェコスロヴァキア310飛行中隊のパイロットたち（1940年）

成した。この部隊は後に大統領となるルドヴィーク・スヴォボダ将軍の指揮下でドイツとの戦闘に参加し、祖国の解放戦にも加わった。

第二共和国が解体されたのち、ボヘミア・モラヴィア保護領内では、旧軍の将校らが中心となって「国内抵抗中央指導部」がつくられ、それが国内の抵抗運動と国外の亡命政府との連携を担った。その下で、鉄道の運行や工場での生産を妨げるなど、様々な手段による抵抗活動が組織された。

１９４２年６月に、亡命政府が国内に送り込んだ兵士たちによって、ナチ党の幹部でボヘミア・モラヴィア保護領副総督であったラインハルト・ハイドリヒが暗殺された。報復としてドイツ軍はリジツェ村（カバー写真参照）とレジャーキ村で住民を虐殺した。また、この段階で残っていた中央指導部のメンバーも逮捕され、その活動は停止状態となった。その後、保護領では山間部で武装抵抗が行われたが、それに対してドイツ軍は村の焼き討ちなどで報復した。また、ヨーロッパでの戦争終結を目前に控えた１９４５年５月５日からプラハを含むチェコ各地で市民蜂起が始まり、市街にバリケードが築かれ、ドイツ軍との戦闘が行われた。5月8日にプラハで、ドイツ軍の現地司令部と蜂起の指導部は休戦で合意し、ドイツ軍の主力部隊はプラハから西方に逃れた。その翌日に、ソ連軍はプラハに入城した。

英国政府は、両大戦間期の東欧諸国間の対立が大戦を招いたという認識から、この地域での国家連合の形成を望んでいた。それを受けて1939年秋からベネシュはポーランド亡命政府との間で、国家連合の形成を目指す交渉を始めた。41年6月に参戦したソ連はしだいにこの構想に難色を示すようになった。ポーランド亡命政府とソ連は国境をめぐって対立していたからである。さらに、ソ連軍によって射殺されたポーランド人将校の数多くの遺体が43年春にカティンの森で発見されると、ポーランド亡命政府とソ連は断交し、チェコスロヴァキアとポーランドの亡命政府間での国家連合を目指す構想は完全に頓挫した。

この時期に至ると、ソ連が東欧を解放するという可能性が高まり、ベネシュはソ連との合意形成を急ぐことになった。英国の反対を押し切るかたちで、1943年12月にベネシュはモスクワでソ連との友好相互援助戦後協力条約に調印した。また、戦後の体制について共産党と合意がなされた。45年4月に、ソ連軍によって解放されたスロヴァキア東部の中心都市コシツェで、ロンドン亡命政府を構成した諸党とモスクワの共産党からなる反ファシズム連合（国民戦線）政権がつくられ、その政府が5月に解放されたプラハに帰還した。

この政府の出したコシツェ綱領には、国内に居住するドイツ系住民の追放が掲げられていた。ベネシュは、比較的早い時期から一定数のドイツ系住民をドイツに追放し、その人口を減らすことを考えていた。その後、過酷なナチスによる人種主義的な支配への対応として、国内の抵抗運動の中から、すべてのドイツ系住民を追放するという強硬な主張が現れ、最終的にはベネシュもそれに同意した。亡命政府と連合国との交渉をへて、米英ソ3国は45年8月のポツダム協定において、ドイツ系およびハンガリー系住民の追放を認め、8月にはこれら住民の市民権剥奪、財産没収などをさだめた大統領令が布告された。実際には、5月の終戦直後の時期からドイツ系住民の追放は始まっており、最終的には300万人を超えるドイツ系住民が追放された。戦後から今日に至るまで、追放に関する大統領令の正当性をめぐって議論が続いている。

（林忠行）

体操は民族の魂？
――ソコル運動とナショナリズム

コラム7

福田宏

プラハの街並みを一望できる丘を越え、さらに歩いていくと巨大なストラホフ・スタジアムへと辿り着く。フィールドの大きさは横幅310メートル、縦幅202メートル。サッカーコートを詰めて入れれば9面も入ってしまうほどの大きさである。このスタジアムが建設されたのは1926年。当時の収容観客数は18万名弱であったという。この途方もなく大きなスタジアムは、ソコル（チェコ語でハヤブサを意味する言葉）と呼ばれる体操協会が大規模な集団体操（マスゲーム）を行うために造った施設である。

このスタジアムが最高の盛り上がりを見せたのは1938年7月、ソコルの第10回祭典が行われた時であろう。中でも圧巻だったのは、それぞれ3万名を超える男女によって披露された集団体操（次頁写真参照）である。これは、迫り来るナチ・ドイツの脅威への対抗を誇示するものであったが、そこから1年も経たないうちにチェコスロヴァキア（当時）はナチス・ドイツによって解体されてしまう。

そもそも、ソコルが設立されたのは、チェコがまだハプスブルク帝国の統治下にあった1862年である。組織の設立者たちは、自分たちのような小さな民族が厳しい競争のなかで生き残っていくためには、精神面だけでなく身体面の鍛錬も必要だと考えていた。その背景には、社会のなかで強い民族だけが生き残り、弱い民族は滅びるという社会ダーウィニズム的発想が存在した。

こうした民族主義的な体操運動は、ナポレ

第10回ソコル祭典における成人男子の集団体操（1938年）
出典：***Památník X. sletu všesokolského v Praze 1938***, Praha, 1939.

オンによる占領を受けた19世紀初頭のドイツ地域において始まっている。同世紀後半には、それがチェコのソコルにつながり、ロシアからバルカン半島に至るスラヴ系諸民族の間にも同名の運動として波及した。明治期の日本では全国各地の学校にて運動会が実施されるようになったが、強い民族を創るという発想自体は共通している。昭和の戦前期にソコル祭典を視察した日本の軍人は、この運動を大和民族の精神的統一を図るうえでのモデルにすべきと発言している。

第二次世界大戦後の社会主義時代には、ソコルが禁止され、その代わりにスパルタキアーダと呼ばれる共産党主導の体操祭典が行われるようになったものの、１９８９年の体制転換後は再びソコルが復活した。とはいえ、さすがに往年の勢いは見られない。関心が多様化した現在では、集団体操のために人びとを動員し続けることは難しい。21世紀の今でも祭典自体は6年に1度行われているが、かつての巨大なスタジアムではなく市内のサッカー・スタジアムなどを会場としている。

なお、２０１８年にソコル祭典が行われた際には、チェコだけでなくスロヴァキアから、そして北米など世界各地のチェコ系コミュニティから合計で約1万３０００人のメンバーが参加した。チェコとスロヴァキアは１９９３年に別々の国となっているが、この時の祭典は１９１８年に成立したチェコスロヴァキアの建国１００周年を記念する形で開催された。開会セレモニーでは、チェコスロヴァキア時代のスタイルで国歌が演奏され、マサリク初代大統領など建国の偉人に扮した人びとが馬に乗って登場した。この時の模様はテレビで中継され、後にはユーチューブでも映像が公開されている。ソコルは未だ健在である。だが、この時の祭典は、社会主義以前の戦間期における「古き良き」チェコスロヴァキア、そしてソコル自体の黄金期に対するノスタルジーを示すものでもあった。

24

新しい社会を目指して

★共和国復興からスターリン主義社会主義へ★

ナチス・ドイツの支配下にあったチェコと、ドイツの保護のもと独立国となっていたスロヴァキアは、第二次世界大戦後再び1つのチェコスロヴァキアとして再建された。

プラハに戻ったベネシュ大統領の公式の立場としては、占領そのものが不当であり、チェコスロヴァキアは一貫して継続していたのであって、「再建」されたわけではなかったが、現実には、1938年のミュンヘン協定と1939年の保護領化からの6年間を経て、チェコスロヴァキアは大きく変化した国家として再出発することになった。

戦間期にチェコスロヴァキアの一部であったポトカルパツカー・ルスはソ連のウクライナ共和国に割譲され、国土の形も少し変わることになる。何よりも大きかったのは、戦前には人口の4分の1近くを占めた310万人のドイツ系住民が、戦後のチェコスロヴァキア政府の追放政策やその後の自主的移住によって、ほとんどチェコスロヴァキアを去ったことである。ホロコーストを生き延びたユダヤ系住民もチェコ人、スロヴァキア人に歓迎されず、多くが故郷を離れた。こうして、戦後のチェコスロヴァキアは、ハンガリー系、ロマなどのマイノリティも居住するものの、チェコ人とスロヴァキア人のモノトーン的な国民国家に姿を変えていった。ズデーテン・ドイツ人の住んでいた国境地域には、チェコ人やスロヴァキア人が入植し、家屋や農地をそのまま手に入れた。

ドイツ人の追放は今から考えると暴力的な行為だが、当時は連合国にも、チェコ人、スロヴァキア人の国民にも支持された政策だった。戦後の社会は、戦前の社会の再生ではなく、その欠点を克服した新しい社会であるべきだという考え方が、指導的政治家にも、国民にも広く共有されていたのである。正すべき「欠点」は、「ファシズム」に協力したドイツ人との共生だけではなかった。大企業が企業家の私有物であることや、人々が社会階層ごとに分断され、受けられる教育や社会保障にも差があることも克服すべき点とみなされた。チェコ人とスロヴァキア人からなる「国民」が、政治的な権利においてのみ平等なのではなく、経済的な権利においても平等な社会こそが目指さなくてはならなかった。

このような国民主義的で、かつ、経済民主主義的な考え方は、ベネシュの亡命政権とモスクワで合流した共産党の亡命者たちの共通項であり、1945年にスロヴァキアのコシツェで発表した政府の方針（コシツェ綱領）にも表れている。両者はまとまって国民戦線政権を組織し、ベネシュが大統領となって矢継ぎ早に大規模な社会変革の政策を実施した。ほぼすべての重工業企業が、工業全体では60％の企業が国有化され、保険、教育制度の転換も着手された。国民も社会改革を支持していた。特に若い活力にあふれ、戦前の政治の失敗に関与していないと思われた共産党は大きな支持を集めた。1946年の自由選挙の結果（議席の38％を獲得）、特にチェコ部分での結果（40％の得票）にそれが表れている。

このように、チェコスロヴァキアはチェコスロヴァキアなりの社会主義に向けての独自の道を進んでいるように思われた。しかし、１９４７年ごろになると内外の情勢が変容し、そのような進路が困難になってくる。まず戦後2年がたち、国民戦線に集まっている諸政党、すなわち共産党と社民党、国民社会党、人民党、スロヴァキア民主党がすべて合意できる社会改革が一段落し、今後の進め方についての不協和音が表面化する。また、国際的には東西の冷戦が始まり、スターリンはコミンテルンを通じてヨーロッパ各国の共産党に他党との共同戦線の路線を見直すよう求めた。チェコスロヴァキアはアメリカによるヨーロッパ復興計画マーシャルプランの適用を受けようとしたが、モスクワに阻止され、東西対立のなかで東側に組み込まれる気配が濃厚となっていく。チェコスロヴァキアの共産党は最大政党として首相クレメント・ゴットヴァルト（１８９６〜１９５３年）を出し、治安にかかわるポストを握っており、１９４８年2月に国民社会党などの閣僚が共産党への抗議のために辞職すると、その機に乗じて一気に政府の実権を単独で握り、社民党を吸収合併した（二月事件）。この際ソ連との関係は確かに重要な要素であったが、共産党の動員に多くの労働者が呼応したことも見逃せない。

2月以降、農業や中小企業の国有化も進められ、中央統制の計画経済化が進行した。ゴットヴァルトは、共産党の一党支配を確立するとともに党内も粛清し、スターリン主義型の支配体制を築いた。政治犯は強制労働を課され、密告や検閲で言論の自由は失われた。１９５０年代、特に前半のスターリン批判までは、もっとも重苦しい時代だった。

しかし、他方でチェコスロヴァキア社会は社会主義になじんでもいた。まず、国有化の混乱はあっ

「チェコの女性の皆さん、我々はあなた方を求めています。国民のよりよい明日のための建設的労働に。チェコスロヴァキア共産党」（提供：モラヴィア・ギャラリー）

たものの、経済は成長し、特にスロヴァキアの工業化が進められた。１９３０年代の世界恐慌の記憶もまだ遠くない時期には、景気の乱高下のない中央集権的計画経済には利点も感じられた。

勤労者を中心とする社会という戦後の新しい社会の希望は、希望していた形とは異なっていたかもしれないが、それなりに実現していた。例えば、高等教育の機会は、これまでこれを受ける機会のなかった層にも拡大した。もっとも労働者もホワイトカラーや技術者、医師や教師と同等の社会保障を享受したので、無理に高等教育を受ける必要もなかった。鉱山労働者など一部の労働者はさらに特権的な地位を享受した。女性も労働者として働くことが求められた。家事や育児を女性の仕事と考えるジェンダー観は続いていたので、負担は重かったものの、女性が個人として自分の収入を持つことは、女性の自立を支えることにもなった。しかも、女性50歳、男性55歳など比較的早期に年金も受給できた。

１９５３年のスターリン批判は、ポーランドやハンガリーでは共産党政権に対するデモや反乱に発展したが、チェコスロヴァキアでは大きな動きがなかったのも、国民がこの体制から得ているものを一定程度評価していたことの反映であった。

しかし、１９６０年代になると計画経済のマイナス面が強く意識され、ソ連モデルとは異なる社会主義への模索が再び試みられるようになるのである。

（中田瑞穂）

25

プラハの春と「正常化体制」

★社会主義改革の試みから「反政治の政治」へ★

1960年代に入ると、計画経済の下での低い生産性や消費財の不足が意識されるようになった。市場経済体制をとる西欧諸国が目覚ましい経済成長を遂げ、あでやかな消費経済が花開いたのと比べ、チェコスロヴァキアでは消費財は不足し、投資が行われない街並みは煤け、工場の設備は粛々と時代遅れとなっていった。工業国を自認していたチェコスロヴァキアは、戦前は農業国であった北欧や南欧諸国に経済レヴェルで追い抜かれていった。

硬直化した計画経済への危機感から経済改革が提言され始め、1968年には共産党内部のより広範囲な変化の試みとなり、さらに共産党の外の社会の様々なアクターも声を上げ始め、改革の大きなうねりとなって広がっていった。この動きは、西側メディアによって、プラハで行われていた音楽祭の名称にちなみ「プラハの春」と名付けられた。

まず、共産党内部では、科学アカデミー経済研究所所長のオタ・シク（1919～2004年）ら改革派がスロヴァキアの自治拡充をめざすグループと組んで、1月に守旧派の第一書記アントニーン・ノヴォトニー（1904～1975年）を解任し、後任にスロヴァキア人のアレクサンデル・ドゥプチェク（1921～1992年）を選出した。4月には党の中央委員会で新たに『行動綱領』が採択され、中央集権的な計画経済の見直しと社会的市場経済の導入、共産党の指導的役割を維持しつつ、集会、結社、表現の自由を容認すること、チェコとスロヴァキアの連邦化が提起された。

3月には検閲が緩和され、1950年代の政治裁判の犠牲者の復権を求める結社K231が生まれたり、KAN（参加する無党派クラブ）という団体が形成されたりと、共産党の外の言論活動が活性化した。ヴァーツラフ・ハヴェル（1936～2011年）、ペトル・ピットハルト（1941年～）から、真に政治的選択肢のある選挙の可能性が提起されるなど、急進的市民の動きは、共産党改革派の思惑を超えて進んだ。ソ連や他の東欧諸国は、社会主義陣営の結束を脅かすチェコスロヴァキアの改革に疑念を向けるようになり、国際情勢は緊迫していった。作家のルドヴィーク・ヴァツリーク（1926～2015年）らが起草し、著名な芸術家やスポーツ選手を含む70名が署名した『二千語宣言』は、このような急進派の動きを抑制しつつ、党内改革派を支持し、保守派を非難する内容であった。

ドゥプチェクらチェコスロヴァキア共産党の改革派指導部は、チェコスロヴァキアの改革は「人間の顔をした社会主義」を目指すものであり、社会主義を否定するものではないと主張したが、ブレジネフらワルシャワ条約機構諸国の共産党指導者は危機感を深め、8月20日深夜から21日にかけて、軍隊をチェコスロヴァキア領内に侵攻させ、同国を占領下に置いた。市民はプラハ市内にバリケードを築いたり、兵士を説得しようとしたりと非暴力の抵抗を続けたが、改革の終焉は免れえなかった。ソ連の部隊はチェコスロヴァキアにとどまり、最終的には1989年の「ビロード革命」の後まで駐留

市民の抵抗にあい、燃えるワルシャワ条約機構軍の戦車とプラハの市民（The Central Intelligence Agency）

を続けた。

共産党指導部は保守派に入れ替えられ、スロヴァキアの連邦主義者で政治的には保守的なフサーク（1913～1991年）が第一書記となり、「正常化体制」とよばれる改革を巻き戻す政策を実施した。二千語宣言の署名者を含め改革に関わった者は社会的地位を奪われ、数万の主に知識人層が亡命者として流出した。改革構想の中で唯一実現したのは1969年からの連邦化であった。

1968年は、チェコスロヴァキアの社会主義の経験の中で、大きな画期となった。まず、社会主義の改革の試みが外部からの暴力によって潰されたことで、社会主義への期待や希望が失われていった。共産党指導部は50年代末に支配的だった政治的経済的価値を再建しようとしたがそれは不可能であった。

市民は社会主義的なイデオロギーやスローガンを形式的には甘受するものの、形骸化した公的生活から退き、私的な日常生活の充実に専念した。共産党政権は、検閲や秘密警察による監視による締め付けと同時に、市民の支持を得ようと、社会保障を充実させ、消費財の供給についても可能な範囲の努力を行った。消費財のレヴェルは西側に比べればはるかに見劣りするものの、生活必需品の価格は低く抑えられ、物資やサービスは第二経済と呼ばれる非公式の取引でも手に入れることができた。年金や子どもについての手当てなども厚く、労働規律は緩く、人々の関心は、私生活、例えば、金曜日の午後から月曜日の朝までの長い週末を別荘で過ごすことや休暇を充実させることに集中した。体制を批判しなければ、安定した生活が保障されたのである。

その状況下でも、現状の支配体制に対して異議を申し立てる人々もいた。一部の知識人を中心とするこれらの人々は異論派と呼ばれた。彼らの関心はもはや社会主義の改革にはなかった。例えばロックバンド、プラスチック・ピープル・オブ・ジ・ユニバースの弾圧への抗議から憲章77の運動が始まったように、焦点は言論や思想の自由、人権へと移っていた。現在の共産党の支配のもとにある「政治」を批判的な思考をもたずに形式的に支持する行為の政治性を指摘し、自律的に公的なものに参加することを呼びかけるハヴェルらの言説は、私生活のみに閉じこもるチェコスロヴァキアの人々に向けられたものであったが、西側社会においても、市民社会についての議論を改めて引き起こした。

検閲のため公式に意見を表明する機会が制限される中、一部の知識人は、原稿をカーボン紙を挟んだ紙を何枚も重ねてタイプ打ちして複数部つくって回し読みするなど、地下出版（サミズダート）で意見を表明したり、郊外や地方の個人宅に集まって意見を交わしたりした。１９８０年代までの反体制運動の技術的制約は今から考えると隔世の感がある。同じ時期でも、体制側の監視が弱かったポーランドの連帯運動には活版印刷機があったといわれているように、タイプ打ちの地下出版はチェコスロヴァキアの反体制運動がいかに狭いサークルに留まっていたかも示している。

（中田瑞穂）

26

冷戦期の社会政策

★家族・住宅政策を例に★

映画『ひなぎく』で知られる映画監督ヴェラ・ヒチロヴァー（1929〜2014年）の代表作の1つに、『パネル・ストーリー』（1979年）という作品がある。社会主義期に本格化した高層住宅団地の建設を主題としているが、タイトルからもうかがえるように、当時の団地はパネル工法で組み立てられており、その様子がコメディタッチで描かれている。チェコスロヴァキアでは、この当時に建設された高層団地はしばしば「パネラーク」と呼ばれており、社会主義期における社会政策の象徴のように見なされることもある。住宅政策の変遷は当時の社会政策、さらには40年に及ぶ共産党政権の体制変容をも反映していた。以下、社会主義体制の社会政策について、家族政策と住宅政策を中心に概観したい。

1948年に成立した共産党政権による社会政策の特質の1つに、労働者階級としての男女の平等があげられる。同年に制定された憲法の第1条には、「男性と女性は、家族及び社会において同じ地位にあり、あらゆる職種・公務・位階に対等に扱われる」とうたわれており、資本主義時代の克服が目指されていた。この背景には、第二次世界大戦後の国土の復興と、第一次五か年計画（１９４９〜１９５３年）に代表される重工業化の必要性から、女性労働力の動員が求められたことがあげられる。１９５０年代前半、まだ健在であったスターリンの強い影響のもと、チェコスロヴァキアではソ連型共産主義・計画経済が導入されていくが、優先すべきは個人よりも「階級」を軸とした新しい社会の実現であった。そのような社会を形成するために当時のスローガンとなったのが、社会主義建設を目指す「新しい人間」の育成であった。とりわけ、「家事からの解放」「家事の社会化」をスローガンに、ランドリーや食堂、託児所などの整備が進められ、その数は１９５０年代に2倍以上に増えた。１９６０年には、英独仏の女性の労働力比率は30％台であったのに対して、チェコスロヴァキアにおける女性の労働力比率は40％を超えていた。

その一方、男女平等の理念とは裏腹に、１９５０〜60年代における女性の賃金は男性の60％程度にとどまっており、女性とりわけ母親には、家事・育児・就労の「三重の負担」がのしかかっていた。１９５０年代末から60年代初頭にかけての時期には、出産数の減少が政府内で問題視されるようになり、託児所を中心とする家事・育児の外部委託に対して、党内の専門家の中からは、「育児は家庭内で母親が行う必要がある」という主張が現れ始めた。こうして、１９６０年代半ばより政府の家族政策の重点は、有給の育児休暇や出産手当といった、女性／母親を対象とした家庭内政策に置かれるようになった。育児休暇自体は、１９４８年にはすでに18週間設けられていたが、１９６５年には22週間、１９６８年には26週間に拡大した。こうした施策は、１９６８年の「プラハの春」の改革と軌を一にしていた。同改革の基盤となった１９６８年4月の「チェコスロヴァキア共産党行動綱領」においても、子育て家族への家庭内支援がうたわれていた。同年に改定された育児手当額についても、子どもが1人の場合は月額90コルナであったのに対し、2人の場合は330コルナ、3人の場合は680コルナと定められ、子どもの多い家族が優遇されていたことがわかる。

このような家族中心の社会政策は、1968年8月のワルシャワ条約機構軍によるチェコ占領の後、1970年代から80年代にかけてのフサーク政権期においても継続された。1973年には、家具調度品を揃えるためのローンとして、第1子出産時には2000コルナ、第2子以降は4000コルナの給付が導入された。出産手当もまた1970年代に増額され、他国と比しても手厚い支援政策であった。結果的に、1960年代後半から1970年代にかけて、婚姻数及び出産数も上昇を示し、1974年の出産数30万人は戦後最大を記録した。

こうした家族・社会政策の展開は、住宅政策とも連動していた。冒頭で紹介したようなパネル工法の高層住宅の建設も、1960年代後半から1970年代にかけて増加した。これらの高層住宅の多くは、70平方メートル以上の3部屋住宅として設計されており、子どものいる若年夫婦の入居が想定されていた。1970年代に建設されたプラハ南地区団地の住民数は10万人規模に及び、モスト、テプリツェ、ウースチー・ナト・ラベムなど国境沿いの地方都市においても大規模な団地開発が進められた。1980年代には、チェコスロヴァキア全人口のおよそ4分の1以上が社会主義期に建設された住宅に入居していた。こうした経緯から、時の為政者の名をとって「フサーク・チルドレン」「フサークの3部屋住宅」といった言葉も生まれた。

もっとも、1970年代の出産数増加は、フサーク政権の功績というよりもむしろ、1960年代以前の人口動態や社会政策の積み重ね、都市化の進展に伴う社会的価値観の変容など、複合的な要因が指摘されている。男女平等に基づく社会主義的な「新しい人間」の涵養が目指された1950年代から一転、家庭内での女性の役割分業を前提とした1960年代以降の共産党政権による家族・社会政策は、西側と大きく変わるものではなくなっていた。育児休暇は出産から1年後の母親の職場復帰を保障するものであったが、女性比率の高い職場においては、雇用側が難色を示す場合もあったという。また、ロマ（ジプシー）に代表される国内の民族的マイノリティに対しては、特定の地区への集住を余儀なくされるなど、社会政策から実質的に排除される側面もあった。

1980年代に建設されたプラハ市内の高層住宅団地（筆者撮影）

共産党体制の崩壊から30年以上が過ぎた現在、当時のパネル式高層住宅で生まれ育った世代の多くが団地を離れた。体制転換に伴って、社会政策の在り方や女性の「働き方」も変容した。現在（2020年代）のチェコの人口構成上、社会的・経済的にも大きな位置を占める彼ら・彼女らの世代にとって、高層住宅団地「パネラーク」は社会主義期の記憶であると同時に生まれ故郷の記憶でもある。現在では建物の外面など多くの部分でリフォームが進められており、「歴史の記憶」として高層住宅団地を位置づける動きもみられる。

（森下嘉之）

27

社会主義体制下におけるポピュラー音楽と政治

★抵抗の手段か、権力者の道具か★

1989年11月のビロード革命によって社会主義体制が崩壊した際、プラハ中心部のヴァーツラフ広場を埋め尽くした人びとを前にして、後に大統領となるヴァーツラフ・ハヴェルが演説し、そして、歌手のマルタ・クビショヴァー（1942年〜）が「マルタの祈り」として知られる歌を歌った。この曲は、68年8月にソ連をはじめとするワルシャワ条約機構の軍隊によってチェコスロヴァキアが占領された際、事実上の抵抗の歌となった作品である。20年近くにわたって音楽活動を封じられてきた彼女が、この曲を公の場で歌ったことは、89年の民主化を象徴する1シーンとなった。

自由を求める運動において、メッセージを共有し、人びとの団結を生み出すことができる音楽は非常に重要な意味を持っている。社会主義時代における異議申し立てとして最も有名なのは1977年初頭に出された声明「憲章77」だが、そのきっかけを作ったのも音楽だった。前年の76年3月、ロックバンドのプラスチック・ピープル・オブ・ジ・ユニヴァースなど、若きミュージシャン19名が無許可のコンサートを行ったという理由で逮捕されると、劇作家であったハヴェルなどが抗議活動を始めた。支援する人びとが裁判を傍聴するために集まり、それまでつながりのなかった人たちの輪ができはじめた。最終的に4名の若者に対して有罪判決が下されたことに対し、支援者たちは、西側にメッセージを送ることで国際的な連帯を生み出そうとした。彼らにとっての武器は人権という言葉だった。奇しくも国際人権規約が発効したのは同じ76年であり、チェコスロヴァキアも同規約を75年に批准していた。彼らは自国政府に人権規約の遵守を強く求めるメッセージを作成し、それを憲章77として内外に発信したのである。

憲章77に対する政府の対応は苛烈だった。77年1月末には、いわゆる反憲章キャンペーンが開始され、テレビ中継がなされるなか、各界の著名人が憲章77を非難する書類に署名した。この書類は各地の職場にも回され、一般の人びとも署名を迫られた。憲章77それ自体の署名者（当初の人数は242名）は言うまでもなく、反憲章文書への署名を拒んだ者も尋問や監視の対象となり、場合によっては職や地位を奪われることすらあった。また国営テレビ局は、体制の意に沿わないミュージシャンを攻撃する番組を繰り返し放送し、彼らがドラッグ・セックス・アルコールに溺れ、放蕩の限りを尽くしていると説明した。そこではハヴェルのような知識人も名指しされ、ミュージシャンと結託し、西側からの支援を受けつつ破壊工作を行っているとされた。

当時の政府が、政治的な異議申し立てだけでなく音楽に対して過剰とも言える反応を示した背景には、60年代に対する一種の「反動」という側面があった。この時期には世界的にロック音楽が流行し、その波は東側ブロックにも急速に及んだ。62年にビートルズがレコード・デビューすると、翌63年のプラハでは、それに刺激を受ける形でオリンピックという名のバンドが誕生している。65年の段階で、チェコスロヴァキアにおけるバンドの数は1000を超えたと考えられている。この時期は、第二次世界大戦直後のベビーブーム世代が一斉に大人になり始めた時でもある。西側だけでなく東側でも進学率が上昇し、大学生の数も急激に増えていた。60年代のチェコスロヴァキアにおける社会主義体制の改革は、こうした若者文化の台頭と同時進行する形となった。ロックなどのポピュラー音楽は、東西を越えた学生運動の連帯を促進し、変化を望む当時の社会を象徴する存在ともなったのである。

だが、そうであったがゆえに、68年の占領を受けた後のチェコスロヴァキアでは、若者文化の扱いが問題となった。「プラハの春」と呼ばれた改革が弾圧された後、フサークなどソ連に従順な政治家が共産党トップの地位を占めるようになり、社会主義「本来」の路線に戻すという意味での「正常化」が行われた。74年にはプロ資格を有するミュージシャンに対して大規模な審査が導入され、音楽理論や実技だけでなくマルクス＝レーニン主義の知識も要求された。この時の審査では、受験者6475名の内、資格を更新できたのは3450名に過ぎなかった。当局は、体制に忠実な――少なくとも反抗的ではない――ミュージシャンを囲い込み、ポピュラー音楽全体を管理しようとしたのである。

その後のミュージシャンは、正常化体制に順応して生きるか、アンダーグラウンドの世界で生きる、すなわちプロ資格を得ずに非合法の演奏活動を続けるか、あるいは亡命するか、といった選択を迫られた。70年代に入ってから音楽活動を事実上封じられたクビショヴァーは、憲章77に署名し、この憲章を代表する立場も担ったことでさらに厳しい監視の下に置かれた。

その一方で、体制派と反体制派の間で揺れ動いた（と思われる）ミュージシャンもいる。代表的な人物が歌手のカレル・ゴット（1939～2019年）である。彼は60年代に国民的スターとしての地位を確立したのみならず、西側でも人気を博した。68年の秋にはポリドールより初めてのLPレコードを西ドイツで発売し、同国でのヒットチャートで1位を獲得した。故国が軍事占領を受けた後も、彼は頻繁に東西を行き来していたため、西側の大衆向けメディアでも亡命の可能性について報じられるほどだった。71年には実際に亡命を試みたが、当局の説得によって断念したようである。その後も彼は、チェコスロヴァキアを拠点としつつ、西側でも芸能活動を継続するという特権的な地位を保持した。言うまでもなく77年の反憲章キャンペーンには署名したものの、同年に発表した「あの時、我が弟ヤンはどこに行った」という曲では、軍事占領への抗議として69年1月に焼身自殺したヤン・パラフを思わせる歌詞となっている。

キール（西ドイツ）においてファンにサインするゴット（1969年8月26日）（Stadtarchiv Kiel, CC BY-SA 3.0 DE）

1989年の体制転換後、ゴット本人は引退を考えたようだが、人気が衰えず、結局は活動を継続した。音楽は政府への抵抗を示すためだけでなく、政府が大衆をコントロールするための道具としても用いられる。だが、ゴットのように正常化を象徴する存在となりつつも、体制との関係が明確ではなかった事例も少なくない。21世紀の現在においても民主主義とは程遠い体制が世界には数多く存在する。そうした国の民主化を考えるうえでも、当時のチェコスロヴァキアにおける音楽と政治の関係を見ることには意味があるだろう。

（福田宏）

28

チェコスロヴァキア主義

★マルチ・ナショナルな国家における1つの概念の歴史★

「チェコスロヴァキア主義」という言葉を聞いて、何が想像されるだろうか。政治綱領だろうか、あるいは、文化的な概念だろうか。ここでは、「チェコスロヴァキア主義」をチェコスロヴァキア国家成立前後の歴史に絡めつつ、国民国家におけるネイション形成という文脈から論じてみたいと思う。

まず、「チェコスロヴァキア主義」という概念は、これまで次の2つの方法で理解されてきた。1つは、チェコ人とスロヴァキア人の間に区別はなく、スロヴァキア語も実質的にチェコ語の方言に過ぎず、単一のチェコスロヴァキア・ネイションのみ存在するという考え方である。もう1つは、チェコ人とスロヴァキア人という2つの「種族」が、チェコスロヴァキア・ネイションという「より高度な」政治的連合体を形成するというものである。

それでは、この概念はチェコ人とスロヴァキア人の歴史において、どのような文脈で発展し、先ほどのように定義されるに至ったのだろうか。1918年にチェコスロヴァキアが建国されるまで、チェコ人とスロヴァキア人が置かれていた状況は大きく異なっていた。現在のチェコ地域はハプスブルク帝国の

第28章
チェコスロヴァキア主義

ウィーンの皇帝政府の統治下にあり、スロヴァキア地域はハンガリー王国の支配下にあった。しかしチェコ人とスロヴァキア人は言語・文化的な類似性を有してもいた。例えばスロヴァキアの福音派知識人は、16世紀末に刊行されたクラリツェ聖書にもとづくチェコ語を用いており、チェコ語の文章語をスロヴァキアで普及させ、チェコ人とスロヴァキア人の一体性を強調していた。19世紀前半になると、特にスロヴァキア地域のスラヴ主義思想の文脈で、両者の言語・文化上の共通性が強調された。既存の研究では、これは文化的な「チェコスロヴァキア主義」とも呼ばれている。しかし、この概念が政治的な意味合いを持つようになったのは、後のチェコスロヴァキア初代大統領トマーシュ・ガリグ・マサリクが、第一次世界大戦中にチェコスロヴァキア国家の独立を訴え、チェコ人とスロヴァキア人からなる単一のチェコスロヴァキア・ネイションの存在を主張した時だと一般的には言われている。

1918年にチェコスロヴァキア国家が建国されると、「チェコスロヴァキア主義」は、同国家を構成する主要なネイションであるチェコ人とスロヴァキア人を統合する役割を果たすはずだった。なお当時国内には、ドイツ人やハンガリー人といったエスニック・マイノリティの諸集団も存在していたが、彼らがチェコスロヴァキア・ネイションを構成すると考えられていたかは、依然として議論がある。また、チェコ人とスロヴァキア人を統合するという点でも、「チェコスロヴァキア主義」はつねに論争の的となりつづけた概念となった。チェコ人とスロヴァキア人の間には差がなく、単一のネイションであるのか、あるいはチェコ人とスロヴァキア人が政治的な連合体を形成しているのかが、チェコ人とスロヴァキア人の間で、あるいはスロヴァキア人同士の間で問われたのである。

こういった状況のなか、スロヴァキア側では、単一のチェコスロヴァキア・ネイションという考え方に対して反対する派閥が影響力を増していった。そういった勢力は、スロヴァキア人という独自の存在が認められていないという理由から単一のチェコスロヴァキア・ネイションの存在を批判し、また政治的な連合体も受け入れようとしなかった。１９３８年、この議論のうえにスロヴァキアは自治を求め、チェコスロヴァキアはチェコ＝スロヴァキアに改編されて第二共和国が誕生した。翌年チェコはナチスの保護領となり、スロヴァキアは独立して、チェコスロヴァキアは一度解体された。第二次世界大戦後、チェコスロヴァキア国家は再興されたが、政治的な連合体という意味でも、単一のチェコスロヴァキア・ネイションという存在は否定された。

「チェコスロヴァキア主義」がより高度な政治的な連合体を形成するために肯定的な役割を果たしたのか、あるいは、スロヴァキアに対するチェコ人による植民地的な態度を覆い隠そうとするものだったのかについては、依然として多くの議論がある。しかしこの概念は、複数のネイションが存在するマルチ・ナショナルな国家で、統一されたアイデンティティを形成するためのイデオロギーだったと言えるだろう。その意味で「チェコスロヴァキア主義」は、１９３０年代に南スラヴ人によって形成される単一のユーゴ・ネイションの創造を訴えた「ユーゴスラヴィア主義」といった考え方とも共通点を持っている。これらの概念はそれぞれ非常に異なった歴史的、あるいは文化的な背景を持ちながらも、複数のネイションの統合や、諸ネイションによって共有される統一されたアイデンティティの形成を目的としているのである。

しかし「チェコスロヴァキア主義」の場合、その影響力は建国後20年のうちに失われた。その理由として、まずチェコ、スロヴァキア両地域において、この概念が受容される前提も状況も全く異なっていたことがあげられる。チェコの場合、「チェコスロヴァキア主義」は、チェコ人とスロヴァキア人の間に区別はないとする伝統的なチェコ人の認識を拡張させたものに過ぎなかった。しかしスロヴァキアの場合、同概念はスロヴァキア人の認識を、根本的に再構成することを迫ったのである。また、チェコ人とスロヴァキア人は実質的に同じネイションであることを主張する「チェコスロヴァキア主義」は、スロヴァキアの自治主義者の言説を活発にさせた。まだまだ検討の余地はあるが、これらが「チェコスロヴァキア主義」が失敗した諸要因の1つだったと言えるだろう。

第二次世界大戦後も、チェコスロヴァキア・ネイションというアイデンティティの形成はなんらかの形で見られ、「チェコスロヴァキア主義」を顧みる言説も提示されたが、「チェコスロヴァキア主義」が政治綱領として機能することは先述の通りなかった。しかし、この概念とそれに付随する社会的な実践を検証することは、複数のネイションが居住する国家での、諸ネイションや諸住民集団の統合、あるいはそういった集団によって共有されるアイデンティティの形成を試みた同様の運動を検証するための土壌を作ることとなる。そしてまた、この概念を問うことは、それを構成するとされたチェコやスロヴァキアといった諸ネイション集団、あるいはエスニック・マイノリティの諸集団そのものを問うことにもつながるだろう。今はもう存在しないこの概念が我々に示唆することは、決して少なくない。

（佐藤ひとみ）

IV

体制転換以降

29

体制転換と連邦解体

★社会主義の連邦共和国からチェコ共和国へ★

体制転換

チェコでは、1848年、1918年、1938年、1948年、1968年と、8の付く年に変革が起こってきた。ソ連のゴルバチョフのペレストロイカが始まり、それに暗黙の許諾を見出したポーランドやハンガリーで社会主義体制からの変革が始まった1988年が、次の8の付く変化の年になればとの思いも内外にあったかもしれないが、75歳のグスタフ・フサーク（1913～1991年）が支配を続けるチェコスロヴァキアではようやくプラハの春の記念日にデモが行われたのにとどまった。

マジックイヤーとなったのは、東欧諸国の社会主義体制が次々に倒れた1989年であった。ポーランドやハンガリーでは、共産党の内部に改革派が現れ、反体制勢力側との「円卓会議」で、自由選挙の日程や方法、大統領の選び方などを話し合って体制転換が進められたのに対し、東独やチェコスロヴァキアの共産党では保守派が主導的であり、体制変革のきっかけとなったのは、市民のデモだった。11月にベルリンの壁も崩れると、チェコスロヴァキアでも、11月17日に学生デモへの警察の弾圧に抗議して反体制の集会が始まり、急速に拡大した。熱のこもった、しかし整然としたデモに押され、共産党はその年のうちに政治の主導権を明け渡すことになる。正統性を失っていた共産党は、ソ連の後ろ盾なしでは、思いのほか脆かった。路上に出た市民に支えられつつ政治転換をリードしたのは、ハヴェルやピットハルトら異論派の知識人たちであり、チェコ側では「市民フォーラム」、スロヴァキア側では「暴力に対抗する公衆」と名乗る緩やかな組織を結成して政治権力の受け皿を作った。12月にはハヴェルが大統領に、ドゥプチェクが連邦議会議長に選ばれた。平和裏の体制変革は、そのスムーズさゆえにビロード革命と呼ばれた。

ヴァーツラフ広場のデモ（ŠJů (cs:ŠJů), CC BY-SA 3.0）

改革と連邦の解体

新政権には自由選挙の実施、憲法の制定、経済の自由化、国際関係の見直しなど多くの課題が待ち受けていた。1990年に実施された自由選挙で、チェコ側では市民フォーラムが勝利した。フォーラムには経済や法律の実務的な知識を持った人々も参加し、体制の移行に力を発揮することになるが、経済の自由化の方法や速度をめぐって、内部に意見の違いが生じ、いくつかの政党へと分化していった。その中で1992年の選挙で勝利して最大の政党となったのがヴァーツラフ・クラウス（1941年〜）の市民民主党である。クラウスは経済の専門家で、市場経済化に積極的に取り組もうとした。

その際、障害となったのが、1969年、プラハの春以降導入されたチェコスロヴァキアの連邦制である。連邦制のもとでチェコとスロヴァキアは別々の共和国となっており、体制転換後、その権限はさらに拡張されていた。連邦と2つの共和国のそれぞれに政府と議会がある複雑な構成で、迅速な決定には不向きであった。

そもそもチェコとスロヴァキアの間では、体制転換以降、国名や主権をめぐる意見のすれ違いが続いた。チェコ側には、チェコとチェコスロヴァキア全体を明確に区別する発想が乏しかったのに対し、スロヴァキア側は、国名についても、主権についてもスロヴァキアのアイデンティティを明確にすることにこだわった。チェコ側はそのスロヴァキア側の主張を真剣に受け止めず、不毛な争いのように見なしたことが、さらにスロヴァキア側を刺激した。

さらに経済改革に向けてチェコとスロヴァキアの足並みがそろわず、連邦レヴェルの決定も困難となっていた。チェコ側には、急速な民営化と開放で西側に追いつくことを支持する声が多かったのに対し、社会主義期に作られた老朽化した重工業部門を抱えるスロヴァキアでは、改革への不安が強かった。1992年の選挙では、チェコ側で急速な改革を望む市民民主党が勝利したのに対し、スロヴァキア側では、性急な経済改革に慎重な、ヴラジミール・メチアル（1942年〜）を党首とする民主スロヴァキア運動が勝利し、連邦レヴェルの政府の形成も先が見えない状況となった。状況を打開すべく、クラウスとメチアルは、ブルノで会談を行ったが、出された結論は連邦の解体であった。

世論は連邦の解体には否定的で、ハヴェル大統領も国民投票で決めるべきと主張したが受け入れられず、1992年末をもってチェコスロヴァキアは姿を消し、2つの継承国家が生まれた。両国の間にはほとんど国境線の争いはなく、同時期にユーゴスラヴィアの分裂を機に生じた内戦と比べ、平和裏な分裂であったことから「ビロード離婚」などともいわれた。プラハを中心にチェコに住んでいたスロヴァキア人も多かったが、彼らはチェコ国籍を選ぶことも可能とされた。

チェコ人は、チェコスロヴァキアとチェコを区別して考えない傾向があり、前者の消滅は衝撃であったが、次第にやむを得ないものとして受け入れていった。法的にはチェコもスロヴァキアも対等なチェコスロヴァキアの継承国家であるが、チェコ側の認識からすると、チェコスロヴァキアからスロヴァキアが出て行ったという感覚であろう。チェコの大統領は、初代マサリクから、社会主義期も含めて現在のペトル・パヴェル（1961年〜）まで通しで12人目と数えるが、スロヴァキアでは1993年選出のミハル・コヴァーチ（1930〜2016年）大統領が初代大統領である。チェコ側の戸惑いは、国名にも表れている。日本では「チェコ」が違和感なく受け入れられているが、英語表記は Czech Republic、チェコ語表記は Česká republika であり、「スロヴァキア」部分が無くなった後、形容詞ではなく名詞の一語でチェコを表現する言葉はなかなか定着しなかった。2016年になって英語表記は Czechia（チェキア）を使うことがチェコ外務省から正式に発表され、チェコ語では Česko（チェスコ）も定着しつつある。サッカーやアイスホッケーのナショナルチームの対決で、Česko, do toho!（いけいけ、チェコ）という応援がごく自然になるにつれ、チェコ人もチェコという枠組みになじんでいったのかもしれない。

（中田瑞穂）

30

チェコ共和国としての歩み

★連邦解体後の政治的展開★

1989年の体制変革につづいて1992年末をもって連邦が解体し、チェコ共和国としての新たな歩みが始まった。30年あまりの歩みは、戦間期の20年間を超え、40年間つづいた社会主義時代の名残りも薄れつつある。1989年以降可能となった、言論や集会の自由、それに基づく複数政党間の自由な競争、選挙による政権選択や経済の市場化は、当然のものとして根付いている。2021年の下院選挙時には、体制変革後に成人した有権者が、有権者870万人のうち485万人と半数を超えた。若年層にはチェコが社会主義体制の国であったことも、現政治体制になってからの歴史が西側と比べて短いことも、実感を伴わないものですらあるだろう。本章では、チェコ共和国の政治の仕組みを概観しつつ、現在までの歩みの中で興味深いポイントを振り返ってみたい。

チェコ共和国は、議会制民主主義体制をとっている。議会は二院制で、14の選挙区から比例代表制で選ばれる下院が優位にある。小党乱立を避けるために、各党は5％以上の得票を得られないと議席の配分を受けられない仕組みになっているが、下院には5～9の政党が議席を得ている。政権はこれらの政党のなかから議席の過半数を占めることができる組み合わせの連合で担われる。大統領は、当初は議会で選ばれていたが、議会での投票が党派化し、選出が困難になったこともあり、2013年からは国民の直接選挙で選ばれている。第1回投票で有効投票の過半数を得た候補者がいない場合、最大得票を得た候補者2名により、第2回目の決選投票を行う。基本的には元首として儀礼的な役割を果たすが、首相その他の公職の任命権や法案の差し戻し権を持つため、政治に介入することも憲法上は可能である。

2010年までは、政党の中では、市民民主党と社会民主党が中道右派と中道左派の大政党で、モラヴィアなどカトリック信仰の強い地域に基盤を持つ中道の人民党や、経済リベラル政党と交互に連合を組んで政権を握ってきた。政権交代はあるが安定した政治といえる。最左派の共産党は政権連合には加われないが、北部や西部のズデーテン・ドイツ人追放後に新規住民が入植した地域で根強い人気を占めてきた。市民民主党のヴァーツラフ・クラウスは、1993年から1997年まで首相を務め、民営化をはじめとする経済改革のかじ取りを行った。ミロシュ・ゼマン（1944年〜）、ヴラジミール・シュピドラ（1951年〜）ら社会民主党の首相は、1999年にNATO加盟を実現したほか、さらに民営化を進める傍らEU加盟のための準備に取り組み、2004年に加盟を果たした。

安定した政党政治をバックに、国の顔としての役割を果たしたのは2003年まで大統領を務めたヴァーツラフ・ハヴェルである。劇作家の異論派知識人のハヴェルは、本質的に自由人であり、これほど長い期間公職を務めるとは自分でも意外だったかもしれない。率直に意見を表明することで元首としては問題視されることもあったが、彼のモラル・オーソリティーは新しい共和国にとって総じてプラスの要素だったことは間違いない。追放されたドイツ人との和解問題にも取り組んだ。ハヴェルの後には、クラウスが大統領に選出された。クラウスは欧州統合の深化や地球温暖化対策への批判で知られ、皮肉屋で懐疑主義的なチェコのもう1つの顔となった。

2004年のEU加盟で、チェコの社会主義体制からの移行は一区切りがついたということができよう。加盟までは民営化の進み方から環境や衛生基準、マイノリティであるロマへの対応や地方制度まで、EUの基準に合わせるための改革に追われ、自国の制度を変えなくてはならないことへの懐疑も根強く存在した。実際国内の議論が未消化のまま改革が進んでしまった側面もあるが、西側に同化する形で差異が縮小されたことは確かである。チェコへの外国企業の投資も進み、移行期間も設けられたものの、チェコからEU諸国に働きに行くことも自由となった。2007年以降の経済危機による躓(つまず)きはあったものの、EUの加盟国であることは、チェコにとって経済的にも国際関係上も欠かせない要素となっている。

EU加盟のための署名をするクラウス大統領とシュピドラ首相

このようにチェコの国際的、経済的位置が安定する一方で、内政にはやや不安定な側面も見える。2000年代には、社会民主党と市民民主党のどちらの党にもスキャンダルや党利のための不毛な争いが目立った。2005年にシュピドラの後を継いで首相となった社民党のスタニスラフ・グロス(1969~2015年)は着任時34歳の若さと清新なイメージで人気を博したが、汚職スキャンダルで辞任した。2006年の選挙は、社会民主党陣営と市民民主党陣営が100議席ずつ獲得する激戦で、半年以上政権が確定せず、市民民主党のミレク・トポラーネク(1956年~)が首相となったものの、失策が続き、社民党主導の不信任決議で、チェコがEU議長国を務めているさなかに辞職に追い込まれた。2010年の選挙後首相となった市民民主党のペトル・ネチャス（1964年〜）も汚職スキャンダルで辞任した。

既存政党に失望しきった国民の前には、次々と様々なタイプの新しい政党や運動が現れている。チェコの化学肥料、食品関連のコングロマリットの創設者で、チェコ第二の富豪と呼ばれるアンドレイ・バビシュ（1954年〜）がつくった政党ANOは2013年、2017年の選挙で議席を伸ばし、バビシュは2013年からは蔵相を、2017年から2021年には首相を務めた。ANOとは「不満足な市民の行動」の頭文字だが、チェコ語ではYesの意味である。既存政党批判、政治腐敗批判で支持を伸ばしたANOだが、バビシュ自身、政治家としての立場を自分の企業に有利なように利用しているとの批判も浴びている。有権者に自らを売り込む手法にも長けている。日本人の父親を持つトミオ・オカムラの右翼ポピュリスト政党「自由と民主主義」も当初は既存政党批判で支持されたが、2015年の難民危機を機に文化的に異質な他者の受け入れ拒否にも主張を広げた。2021年選挙からは、市民民主党のペトル・フィアラ（1964年〜）が首相を務めているが、この連合パートナーにもリバタリアンの海賊党や地方政治を基盤に勢力を拡大した「市民と無所属」などの新党が含まれている。有権者に多様な政治的選択肢が提供される側面もあるが、イデオロギーや政策的方向性が明確ではない新しい政党が次々と現れることで、政治の行方の予測可能性は減退している。しかし、それが社会を揺るがす問題になっているわけではない。それだけチェコの政治は安泰ともいえよう。

（中田瑞穂）

31

地方自治

★その特徴と歴史的変遷★

チェコの地方自治の特徴は、何といっても住民に最も身近な基礎自治体であるオベツ（日本の市町村に相当）の小ささであろう。現在のチェコには、6254のオベツが存在する（2022年末時点。4つの軍区を除く）が、首都のプラハ（約136万人）やブルノ（約40万人）、オストラヴァ（約28万人）など人口が1万人以上のオベツは全体のおよそ2％にすぎない。オベツの平均人口は約1700人であり、人口が500人を下回るものが全体の半数ほどを占める。それゆえ、人口あたりの基礎自治体の数は、OECD諸国の中で最も多く、世界的にみても自治体の規模が極めて小さい。

人口の大小が多様であるオベツには、いくつかの種類がある。例えば、人口が3000人を超えるオベツや3000人未満でも、かつて市の地位にあったオベツは、申請手続きを経て、下院議長が決定した場合、市になることができる。また、2006年の法改正で、かつて市場を開催する権利を有していた市場町の地位が復活した。平均人口は、市が最も多く、市場町、それ以外のオベツと続くが、一部の市は、歴史的経緯から市の地位を有しており、中には人口が100人を下回る市も存在する。加えて、特に人口の多いオベツは、法定都市に指定されている。ブルノやカルロヴィ・ヴァリ（約5万人）など、おおむね人口が4万人を超えるオベツが該当する。法定都市は、その領域内に地区を設置することができ、地区には公選制の議会が置かれる。2022年末の時点で、26の法定都市、582の市、231の市場町が存在する。

市などの機能や組織は、ほかのオベツと同様に、「オベツに関する法律」によって定められているが、首都のプラハのみ、例外として特別法が適用される。プラハは、いくつかの法定都市と同様に、都市内部に議会を持つ地区が置かれるが、最も大きな特徴は、オベツであると同時に、広域自治体（クライ）としての性格を有する点である。日本の都道府県に相当するクライは、広域的な行政を担う自治体であり、その数はプラハを含めて14ある。

チェコ第3の都市オストラヴァの市庁舎（筆者撮影）

さて、現在のチェコの領域で近代的な地方自治が芽生えたのは、ハプスブルク帝国の統治下にあった19世紀半ばのことであった。1848年のウィーンにおける3月革命前後より、多民族国家であった帝国内部では自治の拡大や独立を目指す民族運動が活発化し、その過程で地方自治制度の骨格が検討された。その後は中央集権化が進み、地方自治の確立は一旦頓挫したが、1860年代になると、安定した地方自治制度の構築が進んだ。この時期には、帝国西側の地方自治制度の大枠を定める「自治体法」が発布され、それに基づいて、ボヘミアやモラヴィアなどの各地域を対象とする地方自治規定が定められた。自治体には、中央政府から委任された権限のほかに固有の権限が与えられ、現在のオベツに相当する基礎的な単位には、制限選挙ではあるものの、住民が議員を選出する議会が置かれた。

その後、第一次世界大戦を経て、1918年に独立国家としてのチェコスロヴァキアが誕生するが、両大戦間期のチェコでは、国家行政から切り離された民主的な地方自治の仕組みが整えられた。独立直後の1919年の「自治体選挙法」では、性別や所得に関係なく、住民は21歳以上であれば選挙権を有するとされ、早くも同年にオベツの選挙が実施されている。また、人口が700人以上のオベツでは、選挙制度として政党単位の投票を促す比例代表制が導入されたこと、また独立前から政党が発達していたことから、中央での議会制民主主義の実践と連動する形で、地方でも政党を中心とする政治が展開された。さらに、1928年には州制度が導入され、チェコ側にはチェコ州とモラヴィア・シレジア州が置かれた。州知事こそ、大統領による任命制であったが、州議会の3分の2の議席を公選制としたため、州でも部分的に地方自治が実現していた。

ところが、1930年代後半以降、ナチス・ドイツによるチェコスロヴァキア解体、そして第二次世界大戦へと突入していく中で、地方議会は停止に追い込まれ、地方自治は意味を持たなくなる。さらに、戦後の社会主義体制下では、中央の共産党組織をトップとするヒエラルキー構造の中に、地方の行政組織を組み込む地方制度が導入されたため、やはり地方の自律性は回復し得なかった。オベツなど地方の行政組織には、代議機関としての国民委員会が置かれ、その委員を選出する選挙が定期的に実施されたが、実情は共産党や中央政府が擁立した候補者に対する信任投票の性格が強く、到底民主的な選挙と呼べるものではなかった。1969年には、連邦制が導入され、新たに連邦を構成する2つの共和国（チェコとスロヴァキア）が設置されたが、実態としては連邦政府への集権化が進み、地方では、歴史や住民感情を無視したオベツの強制合併などが行われた。

チェコにおいて再び地方自治が復活したのは、体制転換後のことであった。共産党の一党支配が崩壊した1989年末以降、地方レヴェルでも民主化が進められたが、翌1990年6月の連邦議会と共和国議会の自由選挙以降、その動きが一気に加速した。まず連邦レヴェルで地方自治の導入を明記する憲法改正が行われ、その後に共和国レヴェルで地方自治や地方選挙の詳細を定める法律の制定が進められた。そして、同年11月に、体制転換後初のオベツ議会の選挙が実施され、今日に至るまで4年ごとにオベツの選挙が実施されている。また、社会主義時代の強制合併の反動として、既存のオベツの分裂が進み、その数は体制転換前後で約1.5倍増加した。

オベツの断片化は、人員や財源が乏しく、十分な行政能力を持たない小規模なオベツの増加をもたらしたが、1990年の時点では、境界を越えてオベツの活動を補完する広域自治体は設置されなかった。スロヴァキアとの連邦制の解消に伴い、1992年末に制定された新憲法では、広域自治体の設置が予定されていたが、その設置法の成立に通常の法律よりも高いハードルが課されたこと、オベツの自治を制約することへの懸念、さらには政党間の対立などによって、国会での議論はまとまらなかった。その後、90年代半ば以降に、EU加盟交渉の過程で、広域自治体の設置が喫緊の課題となり、最終的には2000年にクライ（広域自治体）の設置が決定した。同年11月には最初のクライ議会の選挙が実施された。現在では、単独で幅広い行政活動を担うことが難しい小規模なオベツに代わって、クライや規模の大きいオベツが一部の事務を執行するほか、複数のオベツが行政事務を共同で処理するオベツ間の連携が盛んに行われている。

（須川忠輝）

32

経済体制

★好調だが重要課題も★

読者はチェコの1人当たりのGDPがどのくらいかご存じだろうか？　２０２２年（ユーロスタット）で約３万ドルである。日本が約４万ドルあまりであるが、近い将来、チェコは日本にキャッチアップする（追いつく）可能性がある。体制転換前のチェコを知る筆者としては隔世の感があるが、このことはチェコが順調に経済成長（キャッチアップ）している証左であることは間違いない。

もともとチェコは第二次世界大戦前には世界十指に入る工業国であった。ハプスブルク帝国の工業生産を担う地域とみなされていた。第二次世界大戦後、社会主義化（集団化）し、ソ連型の計画経済が１９４０年代後半から50年代に導入された。１９６８年のプラハの春民主化運動前後には経済システムの改革の機運が生まれたが、すぐに頓挫し、第二次世界大戦後から１９８９年のビロード革命まで原則的にソ連型計画経済が堅持されたといえよう。１９８０年代は経済システムの破綻から、西欧産自動車の品質との差を目の当たりにしたり、空港の照明が半減され電力の節約をしたり、冬季には新鮮な野菜が不足したり西欧の経済水準との格差を感じる日々であった。それでも

中欧の基本的経済指標

指標	年	チェコ	ハンガリー	ポーランド	スロヴァキア	4ヵ国平均	EU28平均
人口(100万)	2019	10.6	9.8	38	5.5	63.9	513.5
1人当たりGDP (%, EU28=100)	2018	90	70	71	78	77	100
GDP成長率 (対前年比%)	2018	3.0	4.9	5.1	4.1	4.3	2.0
失業率 (年齢20 to 64)%	2018	2.2	3.6	3.8	6.4	4.0	6.7
労働生産性 (%, EU28=100)	2018	83.0	68.9	77.5	81.3	77.7	100
対工業生産／総付加価値 (GVA, %)	2017	31.7	26.4	27.2	26.6	28.0	19.6
粗投資対GDP (%)	2017	24.77	22.23	17.72	21.4	21.5	20.62
貿易総額 (10億ユーロ)	2018	n.a.	8.90	22.38	20.79	52.07	245.47

出典：Eurostat2019などから筆者作成

経済改革を実施していたハンガリーをのぞけば、ソ連やポーランドなどの他の社会主義諸国に比較すると物資が極端に不足することはないバランスの取れた経済であった。この体質は体制転換後も財政収支や貿易収支などマクロバランスが比較的に良好で、インフレや失業率が他の中欧諸国に比較して低い安定的な経済運営をしているとの評価につながっている。

体制転換初期

1989年の東欧革命によって中東欧諸国では社会主義体制が崩壊して議会制民主主義と市場メカニズムに基づく経済体制に転換した。単純に社会主義から資本主義へといわないのは資本主義の定義が多岐にわたり例えば中国を国家資本主義と名付ける評者がいるからである。チェコではマネタリストを自認するヴァーツラフ・クラウス蔵相（のちにチェコ共和国首相、大統領）が、新自由主義的思想に基づいて市場メカニズムを全面的に導入した。当時の世界では新自由主義が跋扈（ばっこ）し、ＩＭＦや世界銀行のエコノミストはおおむね市場主義者が多数を占めていた。ＩＭＦは財政赤字やインフレなどマクロバランスの均衡を好み、クラウスが重視する緊縮マクロ経済政策を中欧の優等生として高く評価していた。また国民経済の大半を占めていた国営企業を私有化（民営化）する必要があったが、英国や日本でも国営企業の私有化に多くの時間を要した先例があるため、クラウスは自国の私有化にこうした標準的な方法を採用した場合には数百年要するとして、株式と一定の価値で交換できるクーポンを全成人に一定の金額で購入させて、一挙に国営企業の私有化を強行した。事実上、低価格で国民に株式を配布し私有化を形式的に実現したとしても、国庫には経済発展に必要な財源が蓄積せず、何の知識もない国民は有効な株主になりえない。市場経済や株式取引に不慣れな大半の国民はクーポンを新たに設立された投資ファンドに預けたため、有力金融機関が設立した投資ファンドが膨大なクーポンを獲得して国営企業の有力株主になった。該当する法律の不備により様々な不法行為が横行し、短期間で強行されたクーポン制私有化は大混乱に至った。結果的には有力投資ファンドの親会社である金融機関が外国資本など得体のしれない投資家に売却されたので形式的には金融資本による国民経済の支配構造が出現した。企業レベルでみると形式的に株式会社に転換しても効率的な経営ができるわけがない。90年代半ばにはクラウスによる経済運営は、マクロバランスは良好であっても実体経済つまり企業経営は自生的に再生しなかったのである。１９９７年に外国資本が資金を引き揚げたことを契機に金融危機が発生しクラウスは更迭された。

体制転換後期

クラウスの市場主義的経済政策（小さな政府）から後任のミロスラフ・ゼマン首相（のちの大統領）は産業政策重視の大きな政府を構築した。クーポン制私有化の失敗から国営企業の主に外国資本への売却に転換した。体制転換に伴う様々な制度構築の調整期といえよう。外国資本導入に熱心でなかったクラウスの更迭と２００４年のＥＵ加盟を転機として多くの外国資本がチェコに進出した。ハンガリーやポーランドには１９９０年代から外国資本が進出していたが、チェコでは遅れて外資が流入したのはそのためである。

アジアＮＩＥＳでは、日本にキャッチアップするために外国資本に有利になる税制、工業用地の提供などのインセンティブを導入し順調に経済発展を実現している。チェコでも様々なインセンティブや工業用地提供など優遇策を導入し、自動車工業を中心に多くの外国資本が進出している。

自動車工業とキャッチアップ

チェコだけでなくハンガリー、スロヴァキア、ポーランドは共通して自動車産業が経済発展の牽引役となっている。ポーランドには完成車工場は撤退して現在はないものの、多くの部品工場が立地している。ハンガリーでは有力ドイツ自動車工場と韓国のバッテリー工場が立地しており、オルバン首相はハンガリーがＥＶ自動車生産の拠点となることを目指している。翻ってチェコでは、現在ではフォルクスワーゲン傘下となったシュコダ自動車、トヨタ自動車、韓国のヒュンダイ自動車の３大生産拠点として欧州の有力な自動車生産国となっている。シュコダ、ヒュンダイはＥＶ自動車だけでなくハイブリッドなど多種類生産を行っている。トヨタは出遅れてEV自動車は今のところ計画のレベルにとどまっている（2023年現在）。

チェコだけでなく中欧諸国はドイツの自動車企業とその関連企業の誘致によって、ドイツよりも自国の労働賃金の低さなどでどうにか発展を維持している。外国資本の誘致という安易な政策だけでは、自国の労働賃金の高騰や労働者不足などで早晩、これまでの経済発展の壁にぶつかるだろう。これを世界銀行は「新興国の罠」とよぶ。チェコではポーランドのようにこの「新興国の罠」に陥る可能性があることを政府が公的に認めていないが、この壁を打破するために、イノベーションを促進するため大学との産学協働や技術開発研究センターに関するインセンティブの重視など新たな課題に取り組んでいる。

（池本修一）

日本との経済的関係

コラム8

池本修一

本書の主要課題がチェコを知ることにあるので、日本にとってチェコのプレゼンスがどのようなものがあるのか経済に絞ってここでは解説したい。在日チェコ共和国大使館経済担当は、最もなじみが深い製品としてはビールおよびビールの原材料であるホップ、そしてチェコグラスがあると強調している。

体制転換前（1989年以前）、チェコはソ連型の社会主義経済体制の国であったので、同国の貿易は原則的に直接チェコの企業ではなく、政府直轄のモトコフ（自動車・機械）、ケマポール（化学製品）などの貿易公団を通じて業務を行っていた。1980年代には大手商社だけでなく社会主義国専門商社数社がチェコに駐在していた。代表的なのはキリンビールに使用するホップを取り扱う三菱商事が典型的であったし、その他の日本のビール会社に納入したのは三井物産、日越商事などがあげられよう。

プラハから北西数十キロにあるジャテッツ周辺は世界的に有名なホップの生産地である。つるの高さが数メートルに成長し、実を収穫する8月ごろには近所の学生までも動員するのが風物詩となっていた。今ではこの周辺は新興工業地帯として多くの外国資本工場が進出して光景が少々変化している。チェコのホップは世界的に有名で、ビールの原料となっている。後述するプラズドロイなど世界的に有名なビールに使用されるだけでなく、日本はチェコ・ホップの有力な輸出先となっているのである。

次に原材料からビールに転じてみると、

2017年にアサヒビールホールディングスがチェコを代表するプルゼン（ドイツ語ではピルゼン）のビール、プラズドロイを買収して傘下に加えた。チェコを少々知る者にとって世界的ビールであるプラズドロイを日本企業が買収したことはかなりの衝撃に近い。その割には日本での知名度が低いのは残念である。これは2017年にベルギーのアンハイザー・ブッシュ・インベブが傘下に有していた中欧5ヵ国の飲料メーカーを独占禁止法違反回避などの事情で売却オファーしたのが契機となっている。当初は投資額が4000億ドル程度であったがプラズドロイなど有名メーカーも買収対象になっていたため、当初の約2倍の価格でアサヒが買収した。アサヒとしてはプラズドロイ1社の狙い撃ちではないものの、結果的にこの超大物ブランドをゲットできたといわれている。

チェコグラスはヴェネツィアグラスとともに世界的に有名であり、伝統的にチェコを代表する輸出品であった。読者は大相撲の優勝式典で豪華なチェコのグラスが優勝杯として与えられることをテレビなどでご存知だと思う。チェコでは日常使いのワイングラスなどレストランや家庭で見かけることが多い。これは社会主義時代（1989年以前）に三菱商事傘下の明和産業が独占的に日本に輸入していた。どのような経緯で参入したかは不明であるが、一時は東京の帝国ホテルにショウルームがあったが、現在では明和産業はチェコグラスを扱っていないとのことである。社会主義時代は政府直轄の貿易公団がメーカーとバイヤーの中間組織として存在していたので取扱量や額に大きな変化がなかったが、体制転換後は自由貿易に移行したため、こうした独占形式は消滅した。カットの美しいチェコグラスはイタリアの製品に勝るとも劣らず高品質であるが、やや日本では知名度が低いのが残念である。

最近の両国の動き（経済）ではバビシュ前首相が2019年の即位礼正殿の儀に出席のため来日し、当時の安倍首相と会見した。さらにトヨタなどを訪問したほかはチェコ進出企業関係者や有力企業を招いてバビシュ自らチェコの有望投資案件や政府の投資政策などをプレゼンした。自動車産業関係者が上席にまねかれ、当時のチェコ政府が日本の自動車産業に重きを置いていたことが示された。

2021年には当時の茂木外務大臣がクルハーネク外相と会談を行い、「日本・チェコ協力のための行動計画（2021〜2025年）」に署名した。チェコ政府は特に航空エンジンを自国開発する国として従来の自動車産業だけでなく将来的に航空・宇宙産業に力を入れ、EU宇宙計画局の拠点としてこうした分野での協力関係の構築に力を入れ、日本航空宇宙工業会と今後の宇宙協力覚書に締結した。その他には両国間の関心事項としてエネルギー安全保障、サイバーセキュリティ対策などに加え、懸案となっている日本・チェコ間の直行便の開設があげられる。

クラスリツェ　楽器の街の盛衰記

コラム9

薩摩秀登

チェコ北西部とドイツのザクセン州との間には、クルシュネー・ホリと呼ばれる山脈（ドイツ語でエルツ山脈）が連なる。その山中の、ドイツとの国境線まであと3キロメートルの地点にクラスリツェという街がある。一見目立たないが、実は楽器生産という特異な分野で歴史の荒波を乗り越えてきた街である。

街の起源は中世にさかのぼる。ザクセンに通じる通商路を監視するためにボヘミア王が城を築き、その下に集落ができたのが始まりらしい。一帯は主にドイツ人によって開拓された地域であり、チェコスロヴァキア共和国成立直後の１９２１年の調査でも、クラスリツェ市の総人口１万２５２６人のうち１万２２４９人がドイツ系であった。

楽器とのつながりは古く、１６３１年の戸籍簿にヴァイオリン職人メルキオル・ローレンツの名が見える。１６６９年にはヴァイオリン職人の組合もあった。しかし17世紀末には、職人たちは国境のすぐ向こう側にあるドイツの街マルクノイキルヒェンやクリンゲンタールへ移っていった。この人たちはルドルフ2世の宮廷にいたネーデルラント出身の音楽関係者たちの末裔で、プロテスタントが禁止されたためにプラハを離れ、最終的にボヘミアからも退去せざるを得なかったのだとする説がある。ただしクラスリツェのヴァイオリン生産はその後も続けられ、１９１０年にも市内および周辺に10の工房があった。

しかし18世紀以降、クラスリツェは主に管楽器生産の街となった。この地方は銀、銅、錫、鉛など地下資源が豊富で、クラスリツェも真鍮（しんちゅう）の産地であったこと、そして弦楽器の生産と販売を通じて、各地の音楽関係者とのつながりがあったことが、背景として考えられる。当初は

廃業した楽器工場（2011年、クラスリツェ市内、筆者撮影）

マイスターが個人で構える工房が中心だったが、しだいに大規模な工場生産が主流になり、１９１０年には２０００人を超える労働者たちが楽器工場で働いていた。

　１９１８年のチェコスロヴァキア共和国成立は、ハプスブルク帝国という巨大な国内市場の消滅を意味したため、楽器産業にとっては痛手であった。しかし、もともと国境地帯の輸出産業として定着し、販路も確保していたクラスリツェの楽器生産は、この大変動を何とか乗り切ることができた。続いて大恐慌という打撃にも見舞われたが、１９３０年代後半には何とか持ちなおすことができた。

　しかし第二次世界大戦後に、共和国政府により、ドイツ系住民の大半が国外へと「移送」されたことで、国境地帯の姿は完全に変わってしまった。クラスリツェでも１９４６年から移送が実施され、長年楽器生産に従事して

きた人たちも含めて多くが国境を越えてドイツへと去っていった。経験を積んだ技術者や企業家の退去は、壊滅的な結果を招いたとしてもおかしくはなかった。

しかしクラスリツェはこの激変をも乗り越えた。伝統の技術や経営手腕が何らかの形で引き継がれ、新たにチェコやスロヴァキア各地から移り住んできた人たちも、急速に楽器生産の腕を身につけていったらしい。楽器工場や工房は政府の下で1つの生産者組合にまとめられ、イタリアの名門にちなんでアマティと名づけられた。１９４８年にこれは完全に国有化され、政府の指導による計画的生産を義務づけられた。それでもこの時期には、主に学校教育で用いる楽器の安定した需要が確保され、一定の品質も保たれた。19世紀に設立された楽器生産者を養成する学校も、この地の産業を支える重要な役割を果たした。

１９９０年代以降、今度は自由化の波が街を襲い、安価な外国製品に圧されて楽器産業は大きく低迷した。アマティは１９９３年に有限会社アマティ・デナクとして再出発したが、筆者が２０１１年に訪れた時、大規模な工場はごく一部で稼働しているだけで、街全体もひどくさびれた印象であった。２０２1年にアマティ・デナクは破産寸前まで落ち込み、今、再建が進められているという。

それでも国境の向こうのマルクノイキルヒェンなどでは、夏季の避暑客を相手にささやかなフェスティヴァルなどが催され、辛うじて活気を保っている。国境の両側に広がる伝統の音楽産業地域の一角として、クラスリツェが賑わいを取り戻す日も来るのだろうか。

33

チェコのロマ

★シンティ呼称の追加は共生への転機となるか？★

現代日本のマス・メディアで、「ジプシー」という呼称が自動的に「ロマ」に置き換えられるようになって久しい。その動きがいつ始まったかは定かではないが、国立国会図書館の蔵書目録によれば、最初に書籍の題名に「ロマ」が使用されたのは、1991年のことである。また、「　」付きではないジプシーが題名に用いられたのは、いまのところ、2012年が最新のようである。この「ロマ」という呼称は、1971年ロンドンで開かれた第1回世界ロマ会議で提唱されたロマの自称に基づく呼称で、それまでの「ジプシー」が他称であることと対照される。ただし、自称が「ロマ」であるのは、すべての「ジプシー」と呼ばれた人々ではなく、「ジプシー」から置き換えられる広義のロマと狭義のロマが存在する。狭義のロマは、中東欧のロマで、ドイツなどのシンティは、中世からドイツ語圏などに存在した広義のロマの下位集団である。シンティの中でもフランスにいるグループはマヌーシュと自称している。

「ロマ」という呼称が提唱された一方で、ドイツでは「シンティとロマ」と並記されることが一般的である。ドイツでロマというと、19世紀以降に東欧からやってきた狭義のロマで、中世からすでにドイツにいた「ジプシー」と呼ばれた人々の子孫はシンティと自認しているからである。現代のチェコにおいては、狭義のロマが多数派を占めるため、呼称に関しては、「ジプシー」にあたる「ツィカーン」から、「ロマ」への置き換えが、体制転換後の１９９０年代以降に進んだ。ロマという呼称は、１９６９〜73年に存在したジプシー＝ロマ同盟から使用されたが、単独でロマが用いられたわけではない。最近の興味深い事例として、２０２０年３月から計画が始まり、２０２３年10月現在開館準備工事中（２０２４年10月開館予定）のプラハ・ロマ・シンティ・センターが、その名称にシンティを取り入れていることである。いったん中欧から西欧に至ったシンティが東に逆行した例もあり、第二次世界大戦前にチェコにいたロマ（広義）には、シンティもいたということを再確認した名称だろう。

ロマの話す言語の特色やＤＮＡ鑑定から、ロマはインド発祥で、そこから西進して、中世にヨーロッパに到達したとされる。現在のチェコの地に到達したのは、14世紀か15世紀初めのことである。文献記録に「ジプシー」の語が最初に現れたのは、１３９９年の『ロジュンベルク家の裁判記録』で、南ボヘミアの盗賊団に1人の「ジプシー」がいたことが書かれている。これを、すでにロマ集団がこの地域に到達していたとみなすか、たまたま1人ロマがいたとみなすか、あるいは属性は不明だが「ジプシー」という名の者がいたと解釈するかで、ロマの到達世紀をめぐる見解に差が出てくる。ロマの到達を遅目にみなす見解では、次に古い記録である『古きチェコ年代記』の１４１６年の項目に、この年に「ジプシー」がチェコの地をうろついたと書かれていることをロマのチェコ到達の確実な文献証拠とみなす。

チェコの地に到達したロマは移動生活を続けたが、他のヨーロッパ諸地域同様、先住・定住の多数

開館準備改修工事中のプラハ・ロマ・シンティ・センター（筆者撮影）

派社会から区別され、疎外されてきた。１５３８年にモラヴィア領邦議会が、２週間以内に「ジプシー」の退去を求める追放令を決定した。１５４５年に、ハプスブルク家の皇帝フェルディナント1世がボヘミア王国における「ジプシー」の放浪を禁じる勅令を出したのを嚆矢として、その後何度も同様の勅令が出された。禁令があっても、放浪がなくなることはなかったのだろう。三十年戦争後は、さらに「ジプシー」の流入が増え、その後、１６９７年には皇帝レオポルト1世が、「ジプシー」を法の枠外のものとした。17世紀から18世紀にかけて、勅令とは逆に、「ジプシー」を保護し、定住させた領主が、ボヘミアやモラヴィアに散見されたが、あくまで例外的なものだった。

啓蒙時代に入ると、ハプスブルク家の君主たちの対「ジプシー」政策に変化が見られ始めた。マリア・テレジアは、１７４９年には一般的な「ジプシー」追放令を、１７５１年には国外出身の「ジプシー」に限った追放令を発布したが、１７６０年代には、ハンガリーで「ジプシー」の定住を図る新政策をとるように変わった。続くヨーゼフ2世は１７８４年にモラヴィアとシレジアの20村で、「ジプシー」の定住化を図り、そのうち5村で試みが成功した。この政策の後、19世紀初めには、自ら定住するロマがモラヴィアに現れた。その際、ロマと元からの村民との間でしばしば紛争が起こり、ロマの定住地は、村落外に形成されることが多かった。このようにモラヴィアでは、ロマの定住化が進んだが、ボヘミアのロマは移動生活を続ける者が多かった。

第一次世界大戦後にチェコスロヴァキアは独立したが、その時点でも多くのボヘミアのロマは移動生活を続けていた。チェコスロヴァキア政府は、

1927年に「放浪するジプシーに関する法」を発布し、国家の管理下での移動生活を認めた。この法の対象は、移動生活をする「ジプシー」で、定住している「ジプシー」はその規制を受けない。

1939年にチェコスロヴァキアがナチス・ドイツにより解体され、チェコがボヘミア・モラヴィア保護領となると「ジプシー」の移動生活が禁じられた。解体直前のチェコスロヴァキア政府によってすでに「ジプシー」の労働収容所は設立されていたが、1940年にはボヘミアのレティとモラヴィアのホドニーンに刑罰労働収容所が築かれ、そこから1942年にはアウシュヴィッツへの移送が行われた。ユダヤ人同様、ロマもホロコーストの犠牲になったのである。

第二次世界大戦中に多くのチェコのロマが命を落としたため、戦後のチェコスロヴァキアのロマの多くはスロヴァキア出身だった。形式的には「独立国」であったスロヴァキアでは、チェコほどは、ロマがホロコーストの犠牲にならなかったのである。共産党政権のもとで、ロマの定住法が1958年に発布され、移動生活は禁じられた。政府は、さらにロマの同化を図ったが、それは体制転換に至るまで実現できなかった。

1989年に共産党政権が倒れた後、ロマ自身による政治運動の興隆も見られたが、むしろ、注目を集めたのは、非ロマによるロマ差別や襲撃であった。その対立を克服しようとする、政府やロマ、非ロマ双方のNGOの活動が、両者の共存に一定の成果を示しているが、まだ目標への道は遠い。2023年6月にも、祭りのトラブルからロマの若者が殺される事件が起こり、ロマ社会で大きく問題視された。冒頭に述べたプラハ・ロマ・シンティ・センターの開館は予定より遅れているが、早期の開館とその活動により、ロマと多数派社会の相互理解が進むことが期待される。

（佐藤雪野）

34

チェコと難民・移民問題

──★「ウクライナ戦争」は難民・移民政策変更の契機となるのか？★──

２０１５年にシリア難民が大量にヨーロッパに流入したことにより、「ヨーロッパ難民危機」が生じた。欧州連合（以下、ＥＵ）のダブリン規則は、ＥＵに到達した難民は、最初にＥＵ圏内に入国した国で、庇護申請をすることを定めていたが、これに従うと難民が大量に流入する際ＥＵの外周となる国々の負担が過剰になることになった。中東方面からトルコ経由で陸路ＥＵを目指した難民が最初に入国するＥＵ加盟国は、ギリシャとブルガリア（「バルカンルート」）で、陸路難民が押し寄せたことが注目されたハンガリーには、ＥＵ域外から直接到達できないが、非加盟国のセルビアと国境を接しているために、ギリシャやブルガリアを通り抜け、ドイツなどに向かった難民が、再度ＥＵ圏に入る前線になったのだろう。

難民危機に際して、ドイツは、ダブリン規則に基づけば、ＥＵ域内で最初に入国した国に送り返されるべき難民の送還を行わず、人道的配慮からその受け入れを行った。

チェコは、周囲をすべてＥＵ加盟国に囲まれているために、この難民危機は対岸の火事に見えたかもしれない。その後のＥＵによる難民割り当てに対して、チェコは、ハンガリー、スロ

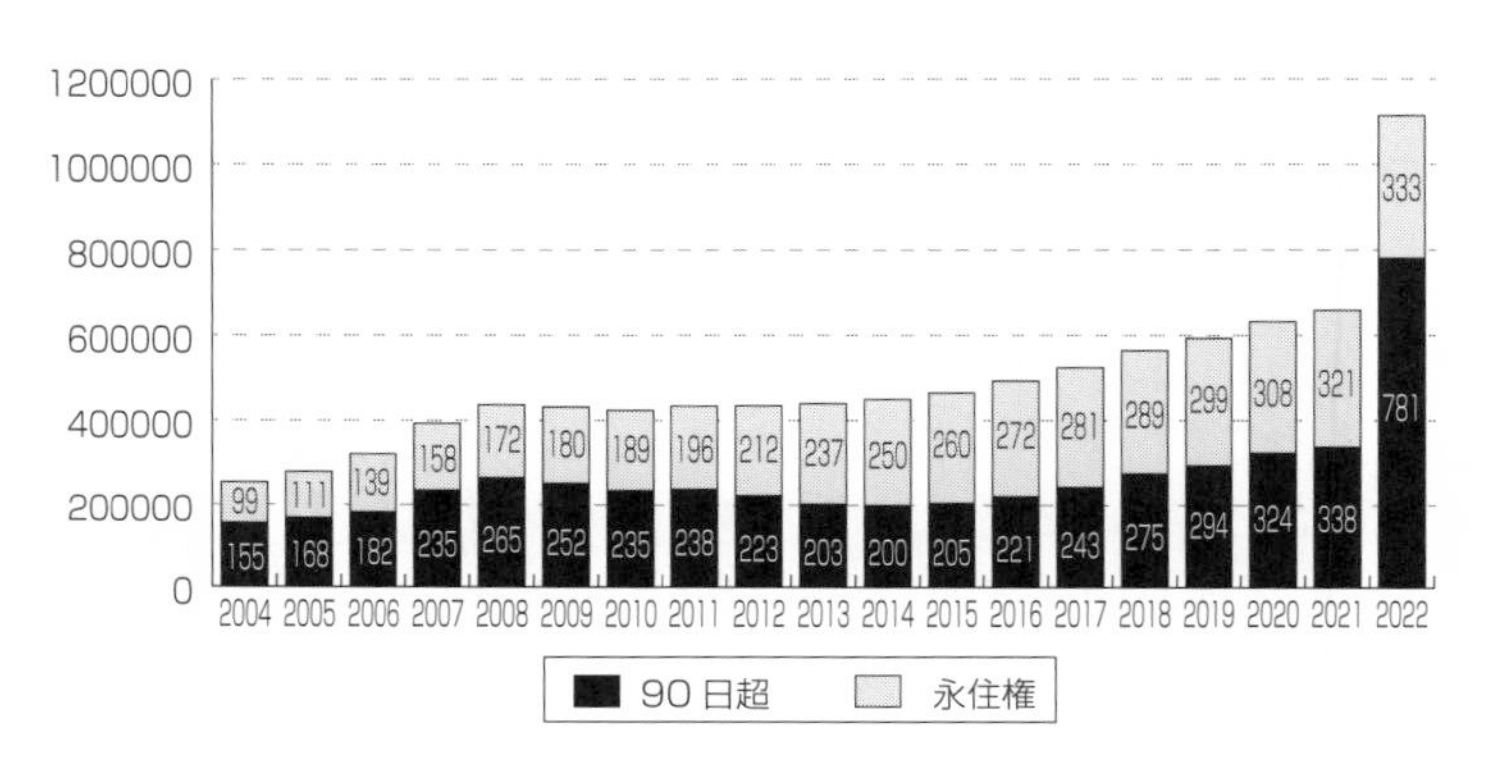

滞在種別外国人人口の変遷2004-2022（年末）
注：短期的保護による滞在を含む
出典：チェコ共和国内務省外国人警察任務本部資料によりチェコ統計局作成

ヴァキア、ポーランドと同調して反対の態度をとった。２０１７年12月14日付『人民新聞（リドヴェー・ノヴィニ）』インターネット版によれば、２０１７年10月のチェコの世論調査では、回答者の５分の４が移民割り当てに反対し（55％は絶対反対）、割り当てを充足すべきだと答えたのは、わずか11％だった。

ハンガリーやスロヴァキアは東部で非加盟国のウクライナと国境を接しており、ポーランドはウクライナ、ベラルーシ、ロシアの飛び地のカリーニングラードと国境を接している。こうして、中東難民危機とは無縁そうなスロヴァキアやポーランドもウクライナ戦争と、それによる避難民流入の影響を全面的に受けることになった。直接国境を接していないチェコも、最も数の多い外国人はウクライナ人であることや、歴史的経緯から、ウクライナ戦争とその避難民と大きく関わることになった。

チェコの外国人人口について、チェコ統計局の資料や分析によれば、独立後の１９９４年から１９９８年の間に外国人人口は約10万人から約20万人に倍増し、2000年にはより厳しくなった新外国人滞在法（1999年326号法）が1月1日から効力をもったことの影響で3万人ほど外国人人口が減少した。その後、2004年のEU加盟を経て、外国人人口は増加し続けたが、2009年の経済危機とその後の経済停滞により、外国人人口も減少したり、停滞したりした。2008年末の約44万人に戻ったのは2013年末であったが、その後は、コロナ禍の影響もなく増加を続け、2021年末には約66万人に達した。そして、2022年2月24日のロシアのウクライナ侵攻を経て、状況は急変し、2022年末の外国人人口は、約111万人に急増した。外国人人口が、6％強から一挙に10％以上に拡大したことになる。

毎年チェコ統計局が発行している『チェコ共和国における外国人』という年報の最新版は、2021年末の状況を示しているが、20万人近く在住しているウクライナ人が、チェコで最も多い外国人だった。1993年にチェコとスロヴァキアが分離する前には、スロヴァキア人は外国人でなかったため、それ以降チェコの外国人人口が急増することは容易に想像できる。しかし、チェコにおけるスロヴァキア人人口はウクライナ人の6割弱の第2位にとどまっている。

年報がまだ発行されていない2022年末では、ウクライナ人が64万人近くまで増えている。国連難民高等弁務官事務所（UNHCR）によれば、2023年11月19日までにチェコで一時的保護を登録したウクライナからの避難民が57万人強、チェコに避難民として登録した人が37万人弱で、一時的保護登録者には、チェコから出国した人もいるが、多くの避難民はチェコに留まっている。

難民という観点から外国人人口を見直すと、難民危機以前の2013年末日のチェコにおけるシリア人人口は６７７人、２０１４年６７８人とほとんど変わらなかったが、難民危機を経て２０１５年末日には７５８人、２０１６年８２７人、２０１７年８５４人、２０１８年９０６人と増え続け、２０１９年には９０７人と増加が止まったが、２０２０年９９４人、２０２１年１１１４人と再び増加している。チェコも難民危機の影響を全く受けていないわけではないのである。

しかし、チェコで庇護申請を提出する難民は決して多くない。シリア人に限ると、２０１４年１０８人、２０１５年１３５人、２０１６年78人、２０１７年76人、２０１８年37人、２０１９年40人、２０２０年６人、２０２１年２人と、難民危機をピークに、現在ではほとんどいなくなっている。最も多く庇護申請を提出してきたのはウクライナ人で、２０１４年５１５人、２０１５年６９４人、２０１６年５０７人、２０１７年４３５人、２０１８年４１８人、２０１９年３１１人、２０２０年１１９人、２０２１年１２０人と減少していたが、それでも申請数第１位を占めていた。２０２１年の庇護申請数の総数は５４３件である。２０２１年には１９１件が認められ、２００８年以降最大となった。２０２２年の大量のウクライナ避難民は一時的保護登録者で、庇護申請をしているわけではないので、申請数はそれほど増えないことが見込まれる。

このように必ずしも難民受け入れに積極的でないチェコが、ウクライナからの避難民を、ドイツ、ポーランドに次いで受け入れてきた理由としては、上述のように元から多くのウクライナ人が住んでいたために、所縁を頼って避難しやすかったこと、公的及び民間の支援システムが比較的早く構築されたことが指摘できるだろう。ウクライナとチェコの親密な関係は、チェコスロヴァキア時代の戦間期にカルパティア・ルテニア（現ザカルパッチャ）がチェコスロヴァキア領であったことにもよる。

2021年の国勢調査では、母語については選択肢制で2言語まで答えられる問い（義務回答）と、民族については自由記述制で2民族まで答えられる問い（任意回答）が設けられたが、1言語を答えた人の母語では、9万人が答えたウクライナ語が外国語としてはスロヴァキア語に次ぐ2位、1民族を記入した人の民族でも、8万人弱が答えたウクライナ民族が外国系民族としてはスロヴァキアに次ぐ2位となっている。スロヴァキア民族や母語話者は、チェコ国籍を持っていることが多いので、外国人人口としてはウクライナとスロヴァキアが逆転しているのだろう。

こうしてチェコ最大のエスニック・マイノリティとして、ウクライナ戦争以前からウクライナ人コミュニティが形成され、1994年結成の「チェコ共和国ウクライナ・イニシアティヴ」という在外ウクライナ団体が、チェコ共和国マイノリティ担当評議会やプラハ市、駐チェコ・ウクライナ大使館と協力していた。このような団体も、ウクライナ戦争による避難民支援の受け皿となった。

チェコの難民移民政策の根幹となるのは、2015年に作成された『チェコ共和国移民政策戦略』で、これは難民危機やウクライナ戦争の影響により、新たな戦略が発せられることなしに現在も効力を持っている。そこでは以下の7つのテーマについて規定されている。

(1)　外国人の統合
(2)　不法移民と送還政策
(3)　国際的庇護
(4)　移民の内的要因（開発・人道的局面を含む）

(5) EU及びシェンゲン圏内の人の自由な移動
(6) 合法的移民
(7) 移民領域のEU共通政策との関連性

また、難民移民問題に対応するチェコの具体的な基本方針は以下の7点である。

(1) 自国民に対して移民政策により外国人との共生を保障し、有効な統合により否定的な社会的事象を除去する義務を負う。

(2) 自国民の安全及び、非合法移民・送還政策・移動や人身取引に関する組織的犯罪領域に対して効果的な法の施行を保障する。

(3) 庇護申請分野における方針を確立し、そのシステムの弾力的運用能力を確保する。

(4) 外国の難民援助を目的とする活動を強化する。それによりさらなる移民の流入を阻止する。この活動には、移民危機を制御しようとする当事国の開発支援も含む。

(5) EU及びシェンゲン圏内の人の自由な移動の利点を維持する。

(6) 労働市場の必要や国家の長期的必要に応じた、国家や国民のための合法的移民を支持する。

(7) 移民分野の国際的・ヨーロッパ的基準に従い、全ヨーロッパ的議論と共通の解決策の探求に参加する。

この方針から明らかになるのは、チェコの移民政策はどちらかというと人道的側面より、自国の利害に目が向いていること、難民はもとより移民に対しても、あまり開放的なように見えないことである。ウクライナ戦争からの避難民に対する共感と援助は、文化的・言語的・歴史的共通性やすでに存在しているエスニック・グループにより生まれているもので、また、彼らは終戦後自国に戻る存在であるからこそのものだろう。

現在でも、チェコにとって移民・難民の問題が依然「他人事」に留まっているようだが、今後、ウクライナ戦争の長期化や中東情勢の変化及び周辺諸国のポピュリスト政権による移民・難民政策に直面して、チェコがヨーロッパの一員として、次の『移民政策戦略』発布までに戦略を変える必要が生じるのかどうかは注目に値する。

（佐藤雪野）

35

社会主義期の記憶と表象

★映画『ペリーシュキ』は人々にどのように受容されたのか？★

1989年の「ベルリンの壁崩壊」をリアルタイムで見守った世代の読者の中には、映画『グッバイ、レーニン！』をひとかたならぬ関心を持ってご覧になられた方もいるのではないだろうか。2003年2月にドイツで公開され、2004年2月に日本でも公開された同映画は600万人を動員し、ドイツ本国ではオスタルギー（ノスタルジーという用語にドイツ語で「東」を表すオストを掛け合わせた造語）という現象を巻き起こした。この現象は、資本主義を基盤とする政治・経済体制を是とする、旧西ドイツ側で形成されてきた言説に抗して旧東ドイツ側で生じた、社会主義期に対するノスタルジーと特徴づけることができる。

映画『グッバイ、レーニン！』の公開から遡（さかのぼ）ること4年、1999年4月にチェコにおいて社会主義期へのノスタルジーに彩られた1つの映画が公開されている。チェコ語でペリーシュキ（居心地の良い我が家）と名づけられたこの映画は、1968年の「プラハの春」および同年8月のワルシャワ条約機構軍による軍事侵攻を背景に、アパートの上下階に住む2家庭の日常が淡々と、コミカルに描かれている。興味深いのは、映画『ペリーシュキ』には、社会主義期への懐古の情のみならず、これを風刺する要素が多分に含まれていたという点であろう。そこには、社会主義期に生きる登場人物たちに自己を寄り添わせるのではなく、むしろ彼らを1989年以前の世界に囲い込まれた他者として自己から切り離す姿勢が認められる（懐古と風刺を共存させるこの姿勢を、社会学者のヴェロニカ・ペヘはノスタルジーと区別してレトロと呼んでいる）。その結果、同映画は1989年の「ビロード革命」以降の新たな政治・経済体制による恩恵を享受できず、社会主義期を懐かしむ人々のみならず、「ビロード革命」以降の政治・経済体制を是とし、社会主義期に否定的な人々をも巻き込む国民的映画となった。

1989年の体制転換以降、チェコの人々が社会主義期とどのように向かい合ってきたのかという点について示唆的なのは、映画『ペリーシュキ』の一部が切り抜かれて投稿されたYouTubeのコメント欄での論争（2017～2018年頃）である。同映画から切り抜かれて投稿されたシーンは、宴席で主人公の父によって参加者全員に配られた「東ドイツ製の（プラスチック）スプーン」が、ホット・コーヒーに入れた瞬間にドロドロに溶けてしまうというシーンであった。このシーンでは、反体制派の男性が溶け出したスプーンをしみじみと眺めながら、「われらが『東ドイツの同志』はどこで間違いを犯したのだろう」と皮肉交じりにつぶやいている。このシーンが投稿されたYouTubeのコメント欄に1人の投稿者が、「われらが『EUとUSAの同志』はどこで間違いを犯したのだろう」というコメントを投稿したことを皮切りに、以後、1年以上にわたって資本主義派と社会主義

表1　映画『グッバイ、レーニン！』と『ペリーシュキ』の比較表

映画作品	現在	過去
『グッバイ、レーニン！』	風刺	懐古
『ペリーシュキ』	——	風刺＝懐古

派の間で論争が繰り広げられることとなった。このことは、「ビロード革命」から四半世紀を経てもなお、社会主義が何かの拍子に甦(よみがえ)ってしまうのではないかという恐怖が人々を少なからず捉え続けていたということを示している。

このように書くと、いまだにすべてのチェコ国民が資本主義派と社会主義派のどちらか一方に分かれて、互いにいがみ合っているかのように感じられるかもしれない。たしかに、映画『ペリーシュキ』が公開された1990年代であれば、そのような描き方にもそれなりのリアリティがあった。しかし、先のYouTubeでの論争が繰り広げられた2010年代半ば以降についても、同じように言い切ることは難しいように思われる。その背景としては、この頃から、社会主義期や「ビロード革命」を我が事として経験していない新たな世代（1975年以降の生まれ）が社会の表舞台で活躍し出したことが挙げられる。例えば、2018年以降、複数回にわたって行われた、当時の首相アンドレイ・バビシュの辞任を求める大規模な市民デモは、新世代が組織する政治団体「民主主義のための100万の瞬間」によって企画・実行された。このデモは新世代のみならず、旧世代（1975年よりも前の生まれ）の人々をも巻き込みながら国民全体へと波及し、2021年10月の下院選挙および2023年1月の大統領選挙を経て、最終的にはバビシュを政界から追放することに成功している。このときに「民主主義のための100万の瞬間」が掲げた旗印が政界からの「社会主義者の追放」ではなく、「ポピュリストの追放」だったということは、この時点ですでに社会主義期に関する論点が他の論点へと取って代わられていたということを示している。

さらに、2021年10月の下院選挙で共産党が議席を失ったこと、2023年1月の大統領選挙で

ペンキと落書きで汚損されたコニェフ将軍の像（「1968」はワルシャワ条約機構軍による侵攻の年号、筆者撮影）

バビシュ元首相を破って新大統領に選出されたペトル・パヴェルの共産党員としての過去が同選挙の結果に大きな影響をもたらさなかったことからも、もはや社会主義期に関する論点がそれほどの重要性を持たなくなっているということがわかる。このことを裏づける事実としては、2010年代半ばまでは、共産党政権が成立した1948年2月25日を「記念」して、各年の同日に反社会主義を掲げる集会やデモが全国各地で企画されていたが、2010年代半ばを過ぎると、そのような集会やデモがほとんど開かれなくなったということが挙げられるだろう。

その一方で、2010年代半ば以降も、とりわけ2014年3月のロシアによるクリミア併合や2022年2月以降のロシアによるウクライナ侵攻などを背景に、ロシア（旧ソ連）に対する嫌悪の感情は刷新され続けている。例えば、ナチス・ドイツから国土を解放した英雄として社会主義期に讃えられていたソ連の将軍イワン・コーネフ（チェコでは「コニェフ将軍」

として知られる）の銅像をめぐって２０１５年以降、続いた混乱――現在のプラハ６区に設置されていたコニェフ将軍の銅像が、社会主義にまつわる記念日のたびに赤いペンキで汚損される出来事が続いたことや、コニェフ将軍の評価をめぐってプラハ市議会が紛糾し、最終的には銅像が２０２０年４月に撤去されたことなど――は、ロシア（旧ソ連）に関する論点が依然として国民の感情を喚起するテーマであり続けているということを示している。

社会主義期は過去のものとして完全に葬り去られたのか、それとも亡霊のように姿を変えながら現在を侵食し続けているのか。この問いは、１９８９年から30年以上が経過したいまなお、チェコの社会を捉える上でアクチュアルなテーマであり続けている。

（坂田敦志）

36

都市のモニュメント

★記念碑に秘められた数々の物語★

中世にさかのぼるヨーロッパ都市は、広場を囲むようにして宗教的な中心の教会、行政の中心の市庁舎、経済の中心の市場が隣接していることが多い。これに、もう1つの要素を付け加えることができる。記念碑だ。記念碑といっても、その姿やありようは千差万別である。観光客の目を引くものもあれば、地元の人ですら気づかず素通りするものもある。すでに撤去されたものもあれば、近年あらたに設置されたものもある。日々変化する都市の様相を伝えてくれる1つのメルクマールが記念碑なのだ。

まずは、プラハの旧市街広場を見てみることにしよう。広場の北側に鎮座するのが、宗教改革者で知られるヤン・フスの像である。ティーン教会と旧市庁舎に挟まれた空間にすっくと立っているその姿の前で行き交う人が休息したり、待ち合わせをしたりし、プラハの風景の1つとして欠かせないものとなっている。だが、この銅像が設置されたのは約百年前のことでしかない。象徴主義の彫刻家ラジスラフ・シャロウン（1870～1946年）作による彫像が披露されたのは、フスがコンスタンツの公会議で火刑に処せられた1415年から500年後の

1915年だった。では、フス像以前に同広場にモニュメントはなかったのだろうか。実は、フス像よりもはるか前から聖母マリア柱像が立っていたことはあまり知られていない（第16章参照）。

都市の記憶を伝えるのは、このような彫像だけではない。フス像の東側に立つキンスキー宮殿もその一例である。18世紀中葉にロココ様式で建てられた建造物を購入した貴族の名前を冠する建物はネオバロック様式で増築された。女性で初めてのノーベル平和賞を受賞したベルタ・フォン・ズットナー（旧姓はキンスキー、1843～1914年）の生家もこの建物である。19世紀末にはドイツ系ギムナジウムが同建物内に設置され、毎日ここに通ったのがドイツ語作家フランツ・カフカ（1883～1924年）だ。1948年の二月事件は実質的な共産党独裁体制を築き上げたが、のちの大統領ゴットヴァルトが国民に向けて演説を行ったのも同宮殿のベランダからだった。今では国民美術館の一部となり、美術作品を鑑賞しながら建物の過去に浸ることもできる。

続いて、ヴァーツラフ広場に向かうことにしよう。なだらかな傾斜のある坂をゆっくり登っていくと、目に入るのが、国民博物館を背景にした聖ヴァーツラフ像である。聖ヴァーツラフは、今日の聖ヴィート大聖堂の土台となる教会を建設したとされるチェコの守護聖人だ。チェコ民族および都市プラハの象徴となる像を手掛けたのは、チェコの近代彫刻をけん引したヨゼフ・ヴァーツラフ・ミスルベク（1848～1922年）である。じつは、この騎馬像の土台の設計者がフリードリッヒ・オーマン（1858～1927年）であったことはあまり知られていない。リヴィウ生まれのユダヤ系の建築家はプラハ工芸美術大学の教師でもあり、ヴァーツラフ広場にあるホテル・ツェントラルは彼の代表作の1つだ。ミスルベクの依頼を受け、聖ヴァーツラフの土台の設計を手掛けるが、ドイツ語風の名前の建築家がチェコの守護聖人像の設計に関与することを疑問視され、最終段階でこのプロジェクトから離れる。このように、記念碑が設置されるまでには様々な紆余曲折を経ていたのである。

ヴァーツラフ広場の上部に位置するのが、国立博物館である。建築家ヨゼフ・シュルツ（1840〜1917年）が手がけた建造物は1891年にオープンしたものであるが、その前身となる愛郷博物館の組織ができたのは1818年であり、民族再生運動の1つの拠点となった。それゆえ、国立博物館の2階にあるパンテオンには、マサリクなど、チェコ史に名を刻む偉人たちの銅像が並んでいる。

国立博物館の正面玄関を出て、右手に向かうと、交通の拠点であるプラハ本駅がある。チェコで最大の規模を誇るこの鉄道駅にはいくつか見どころがある。まずはヨゼフ・ファンタ（1856〜1954年）によるメインビルディングの建築だ。外壁にはアール・ヌーヴォーの装飾が施されているほか、丸屋根が特徴的な上の階のカフェからは、行き交う乗降客の姿を見ながら、コーヒーを味わうことができる。そしてホームに立ち寄る機会があれば、ぜひ一番線のプラットフォームにある彫像を探してほしい。右手

プラハ本駅にあるニコラス・ウィントンの像
（Luděk Kovář – ludek@kovar.biz, sculptor Flor Kent, CC BY-SA 3.0）

プラハのヴィシェフラット墓地にあるスラヴィーン。アルフォンス・ミュシャ（ムハ）の下には、ヴァイオリニストのヤン・クベリーク、指揮者ラフェル・クベリークが埋葬されている（筆者撮影）

で子供を抱きかかえている初老の男性がスーツケースとともに立っている。彼の名前は、ニコラス・ウィントン（1909～2015年）。ナチス・ドイツの時代、命の危険が迫っていた669名のユダヤ系の子供たちを国外へ脱出させた英国人である。だが彼は英雄的な行為を誰にも話さなかったため、50年近く、その事実は公になることはなかった。ウィントンの銅像は、駅という出会いと別れを象徴するモニュメントである。

故人を追悼する記念碑がある場所と言えば、もちろん、墓地だ。プラハには、旧新シナゴーグの近くにある旧ユダヤ人墓地、カフカの眠る新ユダヤ人墓地がよく知られているが、ヴィシェフラット、そしてオルシャヌィ墓地にもぜひ一度足を運んでほしい。前者には、アントニーン・ドヴォルザーク、カレル・チャペックら、近代のチェコ文化の礎を築いた人々が多く埋葬され、一角にはミュシャ（ムハ）なども葬られているスラヴィーンと呼ばれる一角もある。比較的小さなスペースに墓石が密集しているヴィシェフラットに対し、広大な面積を誇るのがオルシャヌィである。最も古い第一区画から歩いていくと、墓石に刻まれた言語がラテン語からドイツ語へ、さらにはチェコ語へと変わっていくのがはっきりと確認できる。ロシア革命後、多くの亡命者を受け入れた経緯もあり、ロシア正教の生神女就寝聖堂があるほか、英国やロシアの戦没者の記念碑などもある。墓地を歩くと、チェコの歴史を垣間見ることができる。

地方の街や村を訪れたら、ぜひ広場をゆっくり散策してほしい。キリストの磔刑像、カレル橋にもあるヤン・ネポムツキーの像もあるかもしれない。あるいは、疫病退散を祈願したペスト記念塔も立っているかもしれない。いつの時代のものか、何語で記されているか、記念碑に刻まれた言葉の断片を読むだけでも、モニュメントに込められた様々な物語に思いを馳せることができる。

（阿部賢一）

プラハのオルシャヌィ墓地にあるロシア正教の生神女就寝聖堂（1925）（VitVit, CC BY-SA 4.0 ）

ブルノ 地下に隠れた魅力

コラム10

阿部賢一

ブルノは、プラハに次ぐチェコ第二の都市とよく形容される。だが、人口の面（約38万人、2019年現在）でも、知名度の面でも、首都プラハとは大きな差があることは否めない。とはいえ、モラヴィア地方の中心でもあるこの街の来歴をたどると、その魅力に惹かれることだろう。

都市名ブルノ（ドイツ語名はブリュン）は「粘土」を意味するスラヴ語に由来するといわれているように、2つの川の交わる場所に中心部は位置する。街のシンボルでもあるシュピルベルク城は、モラヴィア辺境伯であったプシェミスル・オタカル2世の命により13世紀に築かれた。その後、空白の時代が続いたが、17世紀の三十年戦争時には要塞となり、18世紀のハプスブルクの時代には刑務所となった。第二次世界大戦時にはナチス・ドイツの兵舎としても利用された。その歴史は、今日なお見学できる。

19世紀には繊維工業が発達し、「オーストリアのマンチェスター」と呼ばれるほどウィーンとの関係は密接になり、鉄道はプラハよりも早くウィーンとの間で開通した。工業面での発達は建築の分野で顕著で、1882年に開館したブルノ市劇場（現在のマヘン劇場）は、3年前にエジソンが発明したばかりの電球を設置した当時としては最先端の建造物だった。また20世紀のモダニズム建築を代表する建築家の1人、ルートヴィヒ・ミース・ファン・デル・ローエの代表作「トゥーゲントハット邸」もブルノ北部に位置し、今日なお、多くの建築ファンの巡礼地となっている。

トゥーゲントハット邸。チェコとスロヴァキア分離をめぐる会談（1992年8月）もここで行われた（Harold［CC BY-SA 3.0］）

一方で、モラヴィア文化の系譜も見逃せない。その代表的な存在が音楽家レオシュ・ヤナーチェクだ。11歳の時に、市内の聖アウグスティノ修道院（グレゴール・メンデルがかの有名なメンデルの法則を見出した場所）の聖歌隊の一員となって以降、生涯の大半をブルノで過ごしている。彼の功績は何よりも自身の楽曲にモラヴィアの民謡を巧みに取り込み、豊かなモラヴィアの音楽を世界に広める役割を担ったことにある。さらに、オルガン学校（のちのヤナーチェク音楽院）を設立したり、音楽雑誌を創刊するなど、ブルノの音楽教育を牽引した。そして何よりも、オペラ作品の大半がプラハではなく、ブルノで初演されたことは、彼のブルノへの愛を如実に示している。今日では「ヤナーチェク・ブルノ」音楽祭が隔年で開催されている。

ブルノ生まれの作家ミラン・クンデラもま

た、ヤナーチェクを敬愛する人物のひとりである。じつは、父親がヤナーチェクの弟子であったということもあり、クンデラ自身、幼少のころからその音楽に触れ、幾度となくモラヴィアの音楽家について評論を記している。なお、クンデラの初期小説ではしばしばブルノが舞台となっている。

街の過去は今なお発掘され続けている。その1つが、新世紀になって発見された聖ヤクプ教会のカタコンベだ。自由広場（カバー写真参照）に隣接する同教会の区画整理が2001年に行われた際、地下から5万体に及ぶ人骨が発見された。18世紀末に閉鎖された地下納骨堂と思われ、パリのカタコンベに次ぐ、欧州2番目の規模にあたる。今日では整備され、同所を訪問することもできる。

このように、ブルノの魅力はまだ埋もれているものも多々あり、ぜひ皆さんも一度、現地でブルノを満喫していただきたい。

コラム11

チェスキー・チェシーン

森下嘉之

チェコ東部、チェスキー・チェシーン（Český Těšín）はポーランドに隣接する国境の街である。街の名称は、「チェコのチェシーン」を意味する。市内を流れるオルシェ川（ポーランド名オルザ川）の対岸にはポーランドの街「チェシン Cieszyn」が広がっている。チェコの鉄道駅から、国境の川を越えてポーランド側の街の中心まで徒歩でおよそ15～20分だろうか。名前からも想像できるように、川の両岸は、かつては1つの街であった。「分断された国境の街」といえば、東西冷戦時のベルリンなどが想起されるが、この街の「分断」は第一次世界大戦終結に伴うチェコスロヴァキアとポーランドの独立、１９１８年から１９２０年の時期に遡る。

歴史を辿れば、チェシーンという名称は都市というよりむしろ、「チェシーン公国」と呼ばれる領域を指す。上位の地域概念にシレジア（スレスコ／シュロンスク／シュレージエン）が位置付けられ、チェシーン公国はシレジアの歴史的構成地域でもあった。公国の歴史は中世に遡るが、シレジア地方をめぐる幾多の領土争いを経て、ハプスブルク帝国（オーストリア）の領土となった（ドイツ語名テシェン Teschen）。ポーランド系、チェコ系、ドイツ系、ユダヤ系あるいは地元「シレジア人（シュロンザーケン）」の諸集団が街を構成しており、カトリックのみならずプロテスタントが影響力を有したことも、この地域の特徴であった。

第一次世界大戦の終結とハプスブルク帝国の崩壊に伴うチェコスロヴァキア、ポーランドの独立によって、チェシーンの帰属は両国の領土争いを引き起こした。ポーランド系住民の居住を理由に、ポーランドは同地の編入を求め、両国は軍事衝突に至った（この時、地元「シレジア人」による自治要求も試みられた）。住民投票も模索される中、1920年7月の両国首脳による会談（スパ会議）の結果、オルシェ川を境界として街は分断されることになった。橋には検問所が設けられ、両国間の緊張は続いた。市中心部はポーランド側に位置したが、プラハと東部スロヴァキアを結ぶ幹線上にある鉄道駅と工業地域はチェコ側に組み込まれた。こうして誕生したチェスキー・チェシーンの街には、新たに市庁舎やギムナジウムが建設され、新国家の街として位置づけられた。この時、チェシーン国境問題解決を目指して設置された国際委員会に、日本から国際私法学者・山田三良（1869～1965年）が派遣され、半年にわたって両国間の交渉に関わっている。

オルシェ川に架かる国境の橋（ポーランド領チェシンの側からチェスキー・チェシーンを望む、筆者撮影）

1938年の「ミュンヘン協定」を経て、チェスキー・チェシーンはポーランド軍によって占領・併合され、さらに1939年の第二次世界大戦勃発後はナチス・ドイツの支配下に入った。戦後、同地の領域は戦前の境界に戻され、チェスキー・チェシーンは再びポーランドとの国境の街となった。冷戦体制の成立によって社会主義陣営となったことで、両国間の領土対立は抑制され、厳格な国境管理体制が敷かれた。１９８９年の体制転換以降、両国はともにＥＵ加盟（２００４年）、シェンゲン協定加盟（２００８年）を実現した。国境審査も廃止されたことにより、都市間の移動の障壁はほぼ消滅した。現在は、国境を越えた「ユーロリージョン」に組み込まれ、活発な地域間交流が推進されている。ポーランド系マイノリティは現在も多く居住しているため、チェスキー・チェシーンでは二言語表記が見られる（ポーランド側では二言語表記は少ない）。

V

文化・芸術

37

チェコ語はどのような言語か

★系統・屈折・情報構造★

チェコ語はチェコ共和国の公用語で、この国の人口約1050万人の大多数が話すほか、近隣諸国や北米、オーストラリアなどにも話者がいる。言語の概要を説明する文章には、大抵まずこのように分布に関する情報が書かれている。そして、文字と発音に関する記述が続く。例えば「チェコ語はラテン文字に補助記号を付すことで原則的に音と文字が一対一に対応する仕組みになっている」とか、「母音はa, i, u, e, oで日本語と似ており、子音では巻き舌のrを出すと同時に「ジュ」に近い音を出すřが珍しい」とか、「Strč prst skrz krk（指を喉に突っ込め）のように子音だけの文も可能」といった記述である。

もう少し専門家向けの文章になると、「チェコ語は印欧語族スラヴ語派西スラヴ語群の言語で、屈折語の性格が強く、情報構造に応じて柔軟に語順が変わる」のような記述が見られる。本章では、この記述の説明を通してチェコ語がどのような言語なのかを示したい。

まず、「チェコ語は印欧語族スラヴ語派西スラヴ語群の言語」という部分は、チェコ語の系統、つまり他の言語との歴史的な関係を述べている。チェコ語と最も近い関係にある言語はスロヴァキア語である。この2つの言語は、書いても話しても問題なく理解し合える程に似ている。これは、両者が共通の祖先から分かれ出た言語であるためである。チェコ語とスロヴァキア語はこの意味で非常に近い関係にあり、しばしば双子の兄弟にたとえられる。そしてこれらの言語は、ポーランド語や、ドイツ東部で話される上ソルブ語、下ソルブ語とも祖先を同じくすると考えられている。かつては1つであったこれらの言語を「西スラヴ語群」と呼ぶ。同様に、スロヴェニア語、セルビア語、クロアチア語、マケドニア語、ブルガリア語は「南スラヴ語群」というグループに、ロシア語、ウクライナ語、ベラルーシ語は「東スラヴ語群」というグループに分類できる。さらに時代を遡（さかのぼ）ると、西スラヴ語群、南スラヴ語群、東スラヴ語群に属する諸言語の共通の祖先に行き着く。この祖先から分れ出た諸言語を「スラヴ語派」と呼ぶ。そして、スラヴ語派の共通の祖先の時代を越えてさらに遡ると、英語、フランス語、アイルランド語、リトアニア語などのヨーロッパの多くの言語だけでなく、ペルシア語、ヒンディー語など中東やインドの言語との共通の祖先

印欧語族
…
…
スラヴ語派
東スラヴ語群
ロシア語
ウクライナ語
ベラルーシ語
南スラヴ語群
スロヴェニア語
セルビア語
クロアチア語
マケドニア語
ブルガリア語
西スラヴ語群
チェコ語
スロヴァキア語
ポーランド語
上ソルブ語
下ソルブ語

チェコ語の歴史的な出自を示す系統図
出典：筆者作成

にまで至る。これらの言語が属するのが、「印欧語族」と呼ばれる巨大なグループである。このように、「チェコ語は印欧語族スラヴ語派西スラヴ語群の言語」という記述はチェコ語の歴史的な出自を示している。

次に、「屈折語の性格が強く」とはどういう意味か。ここで、日本語の「ヤンがハナを呼んだ」という文を見よう。この文は主語が「ヤンが」、目的語が「ハナを」であるため、呼んだのがヤンで、呼ばれたのがハナだと分かる。逆に、呼んだのがハナで呼ばれたのがヤンなら、「ヤンをハナが呼んだ」のように「が」と「を」を付け替えれば良い。つまり、日本語では主語や目的語を示すために名詞に「が」「を」といった要素を加える。この時、名詞「ヤン」「ハナ」の形は変化しない。対してチェコ語では、主語や目的語を示すために名詞に要素を加えるのではなく、名詞の形を変化させる。例えば「ヤン」は、主語の時にJan、目的語の時にJanaとなる。目的語に加わっている〝a〟が日本語の「を」に相当するように見えるが、そうではない。他の名詞、例えば「ハナ」では、主語の時にHana、目的語の時にHanuという別の変化をするのである。つまり、名詞が異なれば変化の仕方も異なりうるため、名詞ごとの変化の仕方を把握していなければ文を作ることができない。このように語の形を変化させることを屈折といい、屈折の特徴を持つ言語を屈折語という。チェコ語は、名詞、形容詞、代名詞、数詞、動詞などの形を非常に複雑に変化させる仕組みを持っている点で、屈折語の性格が強い。

チェコ語の屈折の複雑さを、名詞を例に説明する。まず、名詞は文中での役割に応じて7通りの形(格)に変化する。それぞれの格に単数形と複数形の区別があるため、1つの名詞が7×2で14通りの形に変化することになる。さらに、上述のように変化の仕方は名詞ごとに異なりうる。名詞の変化の仕方には様々な種類があり、規則的な変化の仕方だけでも、少なくとも14種類ある。つまり、名詞を使う際には、それがどのような仕方で変化する名詞なのかを把握した上で、その時々で適切な形に変化させなければならないのである。

最後に、「情報構造に応じて柔軟に語順が変わる」という記述を見よう。まず「柔軟に語順が変わる」とはどういうことか。ここで英語とチェコ語の語順の役割を比べる。英語の文John loves Maryは、Johnが主語でMaryが目的語だが、語順を入れ替えてMary loves Johnとすると、Maryが主語でJohnが目的語となる。つまり、英語は語順で主語や目的語を示す。一方チェコ語では、主語や目的語を示すのは名詞の形である。ゆえに主語であること、目的語であることによって名詞の位置が決まるわけではない。この意味で、チェコ語は英語よりも語順が自由になる。しかし、だからといって語順が何の役割も持たないわけではない。チェコ語の語順は、情報構造を示すという重要な役割を担う。

情報構造とは何か。日本語で「ヤンは来たの？」という質問に答える状況を考えよう。ヤンが話題になっている状況である。この時「ヤンは来た」と答えるのは自然だが、「ヤンが来た」は不自然になる。これは、「ヤンは来た」という文が、ヤンが話題になっていることを前提にした上で、そのヤンが来たのだということを新しい情報として伝えるものであるのに対して、「ヤンが来た」はそうではないからだ。一方、「何があったの？」という質問に答える状況ではどうか。特定の誰かが話題になってはいない状況である。この時は「ヤンが来た」と答えるのが自然で、「ヤンは来た」は不自然になる。「ヤンが来た」という文が、特定の誰かが話題になっていることを前提とせず、ヤンが来たという事実全体を新しい情報として伝えるものであるのに対し、「ヤンは来た」はそうではないからだ。このよう

に、その状況で何が前提となっていて、何が新たに言われることなのかということを、情報構造という。上の例から分かるように、日本語は「は」と「が」の区別が情報構造に関わっている。対してチェコ語はどうか。上の状況で「ヤンは来た」はJan přišel（ヤン・来た）となり、「ヤンが来た」はPřišel Jan（来た・ヤン）となる。つまり、語順が情報構造を表現している。語の形で主語や目的語を示し、それによって自由になった語順で情報構造を表す。これが、チェコ語という言語の重要な特徴と言える。

（浅岡健志朗）

コラム12

チェコ語とスロヴァキア語の微妙な関係——紛らわしい話

長與進

チェコ語では「チェコ語」のことをčeštinaと呼び、スロヴァキア語でも同じである。「英語」を意味する語も両語ともにangličtinaだ。ところがチェコ語（以下［チ］とも省略）では「スロヴァキア語」をslovenštinaと呼ぶが、スロヴァキア語（以下［ス］）ではslovenčinaとなる。「日本語」についても［チ］japonština、［ス］japončinaである。「ほとんど同じではないか」と思うか、「やはり違っている」と感じるか、これがチェコ語とスロヴァキア語の微妙な関係である。

チェコ語とスロヴァキア語の語彙を比較する場合、しばしば「差異」の方が強調される。同じ事柄や事象を、違った言葉で表現する場合のことだ。典型的なのは（季節の）月の名称だろう。チェコ語では「一月」leden、「二月」únor、「三月」březen、「四月」dubenなど、固有の名称を用いるのに対して、スロヴァキア語ではjanuár, február, marec, aprílと、馴染みのあるラテン語起源の名前を使う。国名でも「フランス」［チ］Francie、［ス］Francúzsko、「イタリア」［チ］Itálie、［ス］Taliansko、「ギリシャ」［チ］Řecko、［ス］Grécko など、微妙なずれが見られるものがある。一部のスポーツ名も、チェコ語では固有の形を使うことがあるのに対して（「サッカー」kopaná、「バスケットボール」košíková など）、スロヴァキア語ではそれぞれfutbal, basketbalである（ただし近年はチェコ語でも、futbal, basketbalを使うことが多くなっている）。

季節の名前にも注意が必要だ。「春」は［チ］jaroで中性名詞、［ス］jarは女性名詞、「夏」は［チ］léto、［ス］leto、「秋」は［チ］podzim、［ス］jeseň、「冬」は［チ］、［ス］ともにzima。

「違う」ケースは枚挙にいとまがない。「コウノトリ」は［チ］čáp、［ス］bocian、「七面鳥」は［チ］krocan、［ス］moriak、「ネコ」は［チ］kočka、［ス］mačka、「部屋」は［チ］pokoj、［ス］izba、「インク」は［チ］inkoust、［ス］atrament、「墓地」は［チ］hřbitov、［ス］cintorín、「戦争」は［チ］válka、［ス］vojna……。「ジャガイモ」は［チ］brambor、［ス］zemiakだが、ちなみにこの語は方言レベルで見ると、両語ともにさらに多様なヴァリアントが見られる。

ちょっと紛らわしいケースでは、［チ］で「山」を意味するhoraは、［ス］では「山」とともに、「森」も意味することがある。したがって［ス］でčierna horaは、「黒い山」と「黒い森」の両義があり、どちらをさしているのか、前後の文脈で判断する必要がある。［チ］の場合、「黒い山」はčerná hora、「黒い森」はčerný lesとなり、誤解の余地はない。

さらに紛らわしいケースを紹介しよう。「キャベツ」は［チ］zelí、［ス］kapustaだが、別種の「サボア・キャベツ」は［チ］kapusta、［ス］kelとなる。よく似た野菜なので、区別しようと思うと、頭のなかが混乱しそうだ。形容詞の「苦い」は［チ］hořký、［ス］horký、「熱い」は［チ］horký、［ス］horúciなので、horký čajというと、［チ］では「熱いお茶」を、（ス）では「苦いお茶」を意味することになってしまう。

スペルが同じでも、油断は禁物だ。「今日」dnesは［チ］で「ドゥネス」と発音するが、［ス］ではこの場合、nを軟子音として発音するので

「ドゥニェス」となる。「父親」otecは、［チ］では「オテツ」、［ス］ではこの場合、tを軟子音で発音するので、「オチェツ」と聞こえる。ところが人名のMartinの場合はぎゃくになり、［チ］では「マルチン」と聞こえるが、［ス］では「マルティン」となる。

さて、このコラムでは、両語の語彙のあいだの「差異」をことさら強調したが、実際には同一の、あるいは近似のかたちの語の方がずっと多いので、チェコ語とスロヴァキア語のあいだでは、（標準語で話し合えば）問題なくコミュニケーションが成立する。

38

チェコ語文学の始まり

★スラヴ語、ラテン語、ドイツ語に囲まれて★

チェコで用いられている言語は今日でこそチェコ語が主たるものだが、この地は様々な言語文化を輩出し、その痕跡は街中にも残っている。プラハ旧市庁舎の正面玄関には「プラハ、王国の頭」を意味する「Praga Caput regni」というラテン語の銘文が記されており、旧市街にはチェコ語とドイツ語の二言語による街路表記が残っている箇所もある。では、チェコの文学は、どのような変遷を辿ってきたのだろうか。

チェコ語はスラヴ語派に属する言語だが、そのように枝分かれする以前はスラヴ語の共通の祖先にあたる古代スラヴ語が話されていた。当時はまだキリスト教の典礼はラテン語が行われていた。大モラヴィア国のラスチスラフがこの地の言語で典礼を行いたいとして、ビザンツにその言語に精通する人物を送ってほしいと依頼し、863年に派遣されたのが聖職者のキュリロスとメトディオスの兄弟であった。優れた才能を有していたキュリロスはグラゴール文字をつくり、これをもとにして後に作られたキリル文字が東方教会の文化圏で使用されることとなる。だがチェコではカトリック化が進行し、ラテン語の典礼が一般的になったため、グラゴール文字の伝統は根付かず、古代スラヴ語の典礼はより東方の文化圏で継続することになった。10世紀末から11世紀初頭に広がったとされる宗教歌「主よ、我らに慈悲を与えよ（Hospodine, pomiluj ny）」はチェコにおける最古の歌とされるが、言語的には古代スラヴ語を母体として古チェコ語の要素が見られるものとなっている。

10世紀以降、この地の主要な書き言葉となったのはラテン語であった。この地のラテン語は言語的には古代スラヴ語の影響を強く受け、主題的にも守護聖人ルドミラ、ヴァーツラフといった聖人伝が多く執筆された。聖人伝の他には年代記も執筆され、その代表例が『コスマス年代記』である。プラハの聖堂参事会長コスマス（1045頃〜1125年）が12世紀初頭にラテン語で執筆した作品はチェコ最古の年代記となっている。

『ダリミル年代記』のラテン語訳（パリ断片）。14世紀の作とされる（Michal Maňas［CC BY 3.0］）

チェコ語による文献が多く出現するのは13世紀後半のことである。14世紀初頭のチェコ語による『ダリミル年代記』は『コスマス年代記』に依拠しながらも別の資料を参照したことがうかがえ、叙事詩としての側面も有している。このような世俗の作品も増加し、ロジュンベルクの法律集といった行政文書、さらには喜劇「軟膏塗り」もチェコ語で執筆され、チェコ語の使用範囲が拡大されたのが確認できる。その傾向が顕著になっていくのが、カレル4世の時代である。プラハが神聖ローマ帝国の帝都となったことで、中欧で最も古いプラハ大学も１３４８年に設立され、ラテン語に加え、チェコ語の環境も整備される。『聖カテジナの伝説』といった聖人伝のほか、教会、司法などにおいてもチェコ語が使用される。

その流れを加速させたのが15世紀初頭のヤン・フス（コラム1参照）の時代である。フスは教会改革を訴える文書「教会について」など神学的な著述はラテン語で執筆する一方、チェコの民衆の啓蒙を図る文章はチェコ語で執筆も行った。「説教集」はその後も広く読まれるチェコ語の文章となった。チェコ語を広く浸透させる上で問題となったのが、チェコ語固有の音声をどのように文字で表記するかという点である。複数のラテン文字を組み合わせたりしていたが、その決まりは明確ではなかった。そこで考案されたのがčやšといった補助記号を用いることだった。ラテン語の著作「チェコ語の正書法」はフスの時代に刊行され、チェコ語の表記の1つの指針となる。

フスはカトリック教会から破門され、１４１５年に火刑に処せられるが、その後、彼の精神を継承したのがボヘミア兄弟団であった。布教活動と並行して、尽力したのが聖書のチェコ語への翻訳である。ヤン・ブラホスラフ（１５２３～１５７１年）は新約聖書をチェコ語に訳したほか、『チェコ語文法』（１５５１～１５７１年）を著す。ブラホスラフがモラヴィアのイヴァンチツェに設立した印刷所は、その後、南モラヴィアのクラリツェに拠点を移し、そこで、旧約聖書を含めた聖書全編が翻訳される。その地の名前を取って『クラリツェ聖書』と呼ばれるこの翻訳は、当時一般的に流通していたラテン語からではなく、ギリシア語などの原典からチェコ語に初めて翻訳された画期的なものだった。

このようにチェコ語の文学と印刷技術は密接な関係にあり、ヴェレスラヴィーンのダニエル・アダム（１５４６～１５９９年）は出版者としても、著作者としても名を残している。彼は、チェコ語の書物を積極的に刊行したほか、歴史的な出来事を記載した『歴史暦』（1578年）を出版するなど、チェコ語の出版活動、文化活動を後押しし、人文主義の時代を代表するチェコ語の書き手となった。

兄弟団の流れを汲む、当時のチェコ、いやヨーロッパを代表する文筆家であったのが、ヤン・アーモス・コメンスキー（コメニウス）（1592〜1670年）である。各地を転々としながら、数多くの著作を残した知の巨人であり、世界初の絵入り事典『世界図絵』などをラテン語で発表した他、チェコ語でも数多く作品を残している。なかでも、『世界の迷宮と心の楽園』（1631年）は中世チェコ文学の傑作として不滅の光を放っている。

もっぱら国外で活躍したコメンスキーとは対照的に、チェコでチェコ語の普及を図ったのがボフスラフ・バルビーン（1621〜1688年）である。イエズス会士の司祭として布教したり、教育にあたったりする中で、各地に眠っていた古文書などを収集し、『スラヴ語、とりわけチェコ語の擁護をめぐる報せ』をラテン語で執筆し、チェコ語を擁護する論陣を張った。だが、その文章はラテン語で書かれており、学術的なチェコ語でチェコ文学を論じるようになるのは19世紀以降のこととなる。

このように、この地の文学は、20世紀に至るまで多言語的な文学であったといえる。とはいえ、ドイツ語やチェコ語の著作はつねに対立関係にあったというわけではない。例えば、15世紀初頭に、ヨハネス・フォン・テープルによるドイツ語の『ボヘミアの農夫』が発表されると、ほぼ同時期に『織匠』というほぼ同内容のチェコ語の著作も刊行されている。これらは、相互的な影響関係のもと、創作がなされており、多言語的な空間としてこの地の文学も多面的な光を当てることが今後より一層求められていくだろう。

（阿部賢一）

39

19世紀の文学

★翻訳、辞書、民話、そして純文学へ★

中世のチェコにおいて、チェコ語と競合していたのはラテン語であったのが、17世紀以降、この地の行政面での主たる言語はラテン語からドイツ語に移行する。社会の上層の人々は主としてドイツ語を話し、チェコ語を話すのは農村部などに限定されるようになり、言語と社会階層の関係が明確になっていく。

ヨーロッパで啓蒙主義の流れが広がる中、チェコで中心的な役割を担ったのが文献学者ヨゼフ・ドブロフスキー（1753～1829年）である。スラヴ語の言語系統をたどるスラヴ学の基礎を築いたほか、チェコ語の文法書やチェコ文学史などを著し、チェコ語の文化を学術的に位置づける役割を担った意義はきわめて大きい。一方で、チェコ語が社会で一般的に使用されることについては懐疑的であったため、著作の多くはチェコ語ではなく、ラテン語やドイツ語で執筆していた。

ドブロフスキーはチェコ語では高尚な文学を表現できないと考えていたが、それに対して、チェコ語の可能性を多面的に探求したのが、彼より20歳若いヨゼフ・ユングマン（1773～1847年）だ。民族再生運動の中で主要な役割を担うユングマンは、「言語にこそ、民族の精神がやどる」と考え、言語中心主義の立場を明確にする。彼の傑出した業績は、語彙面などで未成熟であったチェコ語の環境を理念面だけではなく、実践的に整備した点にある。シャトーブリアンなど当時の代表的なヨーロッパ文学を新しい表現を駆使してチェコ語に翻訳したり、様々な用例集を収録した『言語芸術』（初版1820年）を編纂するなどして、チェコ語が可能性を秘めた言語であることを実践してみせたのだ。何よりも、彼の文学営為の頂点をなすのが『チェコ語＝ドイツ語辞典』（全5巻、1835〜1839年）だ。同書を通して、学術的、文学的な多様な表現に対応するチェコ語の語彙が十分に備わっていることを提示したのである。

ユングマン以降、チェコ語の文学は一気に開花する。いくつかの傾向があるが、その1つは民衆の言葉への関心だ。カレル＝ヤロミール・エルベン（1811〜1870年）はグリム同様、各地の民話を収集したほか、バラッドという詩を数多く発表し、チェコの民俗文化の奥深さを示す。その作品に刺激を受けたのが音楽家ドヴォルザークであり、エルベンの作品を基にした交響詩を作曲している。

ボジェナ・ニェムツォヴァー（1820〜1862年）も同じく民話の収集を積極的に行ったことで知られる。だが彼女の名前を不滅のものとしたのは民話ではなく、長篇小説『おばあさん』である。自然豊かな世界に暮らすおばあさんの牧歌的な世界が主題となっているが、ニェムツォヴァーは民

アントニーン・マヘク作『ヨゼフ・ユングマンの肖像』（1833）（Ablakok,［CC BY-SA 4.0］）

ボジェナ・ニェムツォヴァーの肖像（制作者、制作年不詳）

話の世界から小説の現実世界への移行を同作で実現し、チェコ文学への大きな転換点となった（なお、フランツ・カフカも同作を愛読していた）。

これに対し、都市化の進むプラハの人々を緻密に描いたのはヤン・ネルダ（1834〜1891年）である。代表作『小地区物語』はプラハの城下町を舞台にした短篇集であるが、生々しい人々の生活風景を題材にしながら、生と死、現実と夢といったモティーフを巧みに取り込んだ作品となっている。新聞記者としても活躍し、市井の人々を躍動感あふれる表現で描き、エッセイ風の新聞記事を多数発表した。その活動に感銘を受け、筆名を借りたのが、チリのノーベル賞詩人パブロ・ネルーダである。

チェコにおけるロマン主義を体現したのは詩人カレル・ヒネク・マーハ（1810〜1836年）だ。詩篇『皐月』は生前唯一刊行された著作だが、春の自然、父殺し、愛、そして疎外のモティーフが複雑に絡み合う、チェコ詩を代表する作品となった。プラハのペトシーンにはマーハの銅像があり、今なお5月1日には多くの人が銅像の前に集う。

戯曲家ヨゼフ・カイェターン・ティル（1808〜1856年）は、ドイツ語での演目が多かったエステート劇場でチェコ語の作品、とりわけ歴史物を積極的に上演し、民族再生運動の流れで重要な役回りを担った。チェコの国歌「我が祖国は何処に」は彼の戯曲「フィドロヴァチカ」の一節にもとづいている。

このように新しい文学が次々と生まれる一方で、古い文学をめぐる論争も生じた。1817年に13～14世紀のチェコ語の特徴を有する詩編が、翌年にはそれよりもさらに古い詩編が相次いで発見される。中世のチェコ詩は数が少なかったため、これらの詩編の手稿はチェコ文学の古い伝統を示すものとして大きな話題を呼び、国民的な関心事となった。だが発見当初から、贋作ではないかという疑問が出され、19世紀のあいだ、真偽をめぐって激しい議論が交わされた。1886年、言語学者ゲバウエル、哲学者マサリクらが実証的な結果をもとに同作は贋作であると結論付け、一応の終止符は打たれた。19世紀、チェコ文学は様々な形で創造されていったが、贋作の創造という側面も有していたのだった。

チェコ語による文学が次々と開花していく一方で忘れてはならないのは、チェコにおけるドイツ語文学の系譜である。南ボヘミア出身のアーダルベルト・シュティフター（1805～1868年）は自然豊かな風景を描いたほか、12世紀のボヘミアを舞台にした歴史小説『ヴィティコー』を描いた。モラヴィアの貴族の家庭に生まれたマリー・フォン・エーブナー＝エッシェンバッハ（1830～1916年）は、その文学的関心からニェムツォヴァーとしばしば比較され、小説『ボジェナ』ではチェコ人の乳母が題材になっている。一般的には、この2人はオーストリアのドイツ語作家として分類されるが、その主題はチェコの文化と密接に結びついている。

（阿部賢一）

40

20世紀前半の文学

★ロボット、ポエティスム、そしてユダヤ文学★

１９１８年のチェコスロヴァキア独立は、文学をめぐる状況をも一変させた。19世紀に鳴り響いた「民族再生」のスローガンはもはや過去のものとなり、チェコ語が同国の言論・文化空間の中心に位置するようになったからだ。文学は民族をめぐる主題から解放され、思想的にも芸術的にも異なる多様な書き手による多種多様な作品が輩出されるようになった。

１９１８年からミュンヘン協定の１９３８年までの第一共和国の文学は「チャペック世代の文学」と呼ばれるように、同時代の文学の中心に位置していたのがカレル・チャペック（１８９０～１９３８年）である。戯曲『ロボット　ＲＵＲ』によって「ロボット」という単語が世界的に広まったように、その活躍は国際的なものであった。理由の１つが、ＳＦ長篇小説『山椒魚戦争』、疫病と戦争を題材にした戯曲『白い病』といった古典に加え、大統領の生涯と思想をたどる『マサリクとの対話』、日本でもベストセラーになっている童話『長い長いお医者さんの話』など、多様な読者層に応える幅広い作品を生み出したことだろう。またチャペックが新聞記者であったことも見過ごせない。現在進行形の出来事を多面的に捉えるべく、創作活動と並行して、文明論から日常生活に関するエッセイを発表していたからである。

1920年代は新国家の樹立を喜ぶ声が上がった一方で、戦争体験がまだ色濃く影を落とす時代でもあり、戦争を題材にした作品も数多く発表されている。戦争文学の中で異色であるのが、ヤロスラフ・ハシェク（1883〜1923年）の長編小説『兵士シュヴェイクの冒険』だ。第一次世界大戦にオーストリアの兵士として従軍するチェコ人兵士の立場から、大国に翻弄される小国民の運命を戯画的に描いた大作である。なかでも愚直なまでに上官の命令に従い、その言葉の矛盾を突くシュヴェイクの姿勢はチェコ的な精神の一例としてしばしば参照されている。

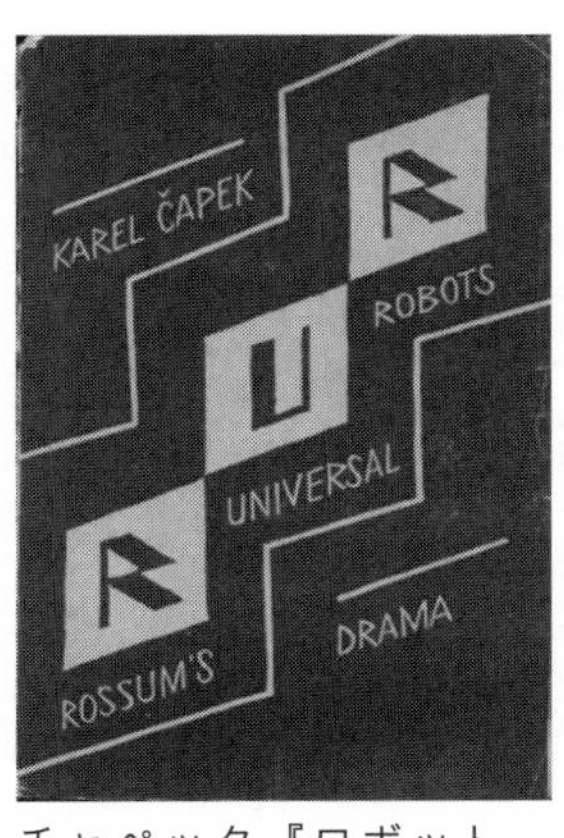

チャペック『ロボット RUR』（1920）初版の表紙

当時はロシア革命の影響もあり、プロレタリア文学の流れも強くあった。その流れを受け、「この世のありとあらゆる美しさ」を謳うポエティスムというチェコ独自の芸術潮流が誕生した。中心を担ったのが理論家カレル・タイゲ（1900〜1951年）と詩人ヴィーチェスラフ・ネズヴァル（1900〜1958年）だ。日々の仕事で疲弊した労働者を癒すべく、文学、絵画、演劇など多様なメディアを用いた芸術表現を探求した。アルファベットの文字にそれぞれ詩を付したネズヴァルの詩集『アルファベット』は劇場で上演されたほか、女性ダンサーによるパフォーマンス写真を挿入した書籍としても話題を呼んだ。同詩集と双璧をなすのが、詩人ヤロスラフ・サイフェルト（1901〜1986年）による詩集『TSFの波に乗っ

サイフェルト『TSFの波に乗って』（1925）の表紙

て』である。言葉遊びや異国のモティーフを巧みに取り込み、「この世のありとあらゆる美しさ」、つまり日常に潜むポエジーを多彩なレイアウトと字体で具現化した。また詩人コンスタンチン・ビーブル（1898〜1951年）は東南アジア滞在の記録をもとにした詩集『紅茶とコーヒーを輸入する船に乗って』を発表し、内陸国のチェコの人々の異国情緒を刺激した。作家ヴラジスラフ・ヴァンチュラ（1891〜1942年）は労働者を題材にした作品を発表したほか、歴史小説『マルケータ・ラザロヴァー』で革新的な言語表現を用いて、新たな文学世界を構築した。

ポエティスムの作家たちが遊戯的な精神のもと未来を肯定的に描いていくのに対し、鋭い眼差しを過去へ投げかける作家たちもいた。その1人が、カトリックの作家ヤロスラフ・ドゥリフ（1886〜1962年）である。チェコ文化が没落したと見なされるバロック時代を再評価すべく、17世紀の傭兵ヴァレンシュタインを題材にした長篇『彷徨』を発表する。歴史の陰に追いやられたカトリックの人々への関心は生涯変わることはなく、その1つの結実が、日本を題材にした長篇小説『取るに足らぬ僕たち』（第一部は1940年刊、完全版は1969年刊）だ。1622年、長崎で殉教したイエズス会士カルロ・スピノラの生涯を通して、信仰のあり方を問う姿勢は、遠藤周作の『沈黙』の問いかけに呼応するものである。

20世紀前半のチェコではドイツ語文学も興隆し、なかでも中心的な役割を担っていたのがフランツ・カフカらユダヤ系のドイツ語作家であった。一方で忘れてはならないのが、チェコ語で執筆したユダヤ系の作家たちである。「チェコのカフカ」と称されるリハルト・ヴァイネル（1884〜1937年）は従軍経験ののち、パリに長年記者として暮らし、異国の地の同性愛者としての幾重もの疎外感を投影した詩や小説を発表した。チャペックの親友として知られる戯曲家・作家フランチシェク・ランゲル（1888〜1965年）は場末の人々を題材にした作品を多数発表し、戦後には国民作家の称号を受けるなど同化ユダヤ人のチェコ作家として生涯を終えた。それに対して、チェコの地を去って、自身のユダヤ性を探求したのが弟イジー（ゲオルク）・ランゲル（1894〜1943年）である。ガリツィアに渡り、ハシディズムに傾倒した体験はチェコ語で執筆された小説『九つの門』に反映されている。ドイツ語やヘブライ語でも執筆し、ナチス・ドイツの侵攻後は中東に渡り、最後はテルアヴィヴで生涯を終えている。

ナチによる保護領の時代が始まると、文学者たちの身にも危機が迫る。ヴァンチュラはゲシュタポに処刑され、カレルの兄の詩人で画家のヨゼフ・チャペック（1887〜1945年）は逮捕され、収容所に送られる。戦争終盤の混乱により、ヨゼフが死亡した日時や場所は未だに分かっていない。だが、彼が収容所で綴った詩は奇跡的に残り、戦後書籍として刊行された。戦争を経て変わったのは収容所で命を落とした作家だけではない。ユダヤ系のドイツ語作家と共存する環境も終わり、戦後に残ったのは、チェコ語の文学という単線的な流れであった。

（阿部賢一）

41

戦後の文学

★チェコ文学から見たミラン・クンデラ★

「戦後の文学」と銘打たれた本章だが、ここではひとりの作家の来歴に沿って、随所で歴史的文脈や同時代の文学的・思想的状況に触れながら書いてみたい。その作家とはミラン・クンデラ。２０２３年7月11日にその生涯を閉じた、戦後チェコ文学を代表する小説家である。

クンデラは１９２９年4月1日にブルノで生まれた。レオシュ・ヤナーチェクについての研究で知られる音楽学者でピアニストのルドヴィークを父に持ち、作曲を学びつつ、10代半ばで詩を書きはじめた。ロシアやフランスなどヨーロッパ諸国の詩の翻訳も手掛け、徐々に作家としての頭角を現していく若きクンデラを語るさいには、（父親と同姓同名なのでややこしいが）従兄のルドヴィーク・クンデラ（１９２０〜２０１０年）の存在も欠かせない。シュールレアリスト集団「グループRa」を共同で立ち上げ、ドイツの劇作家ベルトルト・ブレヒトなどの著作を精力的に紹介した人物である。

第二次世界大戦はクンデラが10歳のときに始まり、15歳のときに終結した。それゆえクンデラは、もっとも多感な時期に戦争を経験した世代に属している。ナチスに占領されていたチェコを「解放」したのはソヴィエト連邦軍であり、以前から大衆の人気を集めていた共産党は1946年の総選挙で国内第一党となる。当時の多くの知識人たちと同じようにクンデラが共産党に入党したのはその翌年、18歳の誕生日だった。そして48年の二月事件以後、急速に党による独裁体制が形成され、チェコスロヴァキアは事実上、社会主義共和国となる。

文学の話にもどれば、共産党の先導により、当然ながらマルクス主義の影響が勢いを増した。社会主義革命の担い手となる労働者階級を賛美することはもちろん、楽観的・進歩主義的な内容が求められ、形式的にも素朴なものが良しとされた。たとえばヴィーチェスラフ・ネズヴァル（1900〜1958年）の場合、戦後は体制寄りの詩も書いたが、戦前の前衛的な作風は退廃していると貶められた。またみずからプロレタリア芸術を標榜し、労働者たちにも親しみやすい表現を模索した詩人イジー・ヴォルケル（1900〜1924年）は評価され、ナチスの強制収容所で『絞首台からのレポート』を残して死んだ共産主義者ユリウス・フチーク（1903〜1943年）は英雄となった。のちにクンデラもフチークに捧げる詩集を書くこととなる。

そんななか、1953年のスターリンの死と、56年のフルシチョフによる告発が世界中に大きな衝撃をもたらす。他の東欧諸国に比べチェコでのスターリニズム批判は遅れたのだが、それでもカレル・コシーク（1923〜2003年）やイヴァン・スヴィターク（1925〜1994年）などの修正マルクス主義者たちが活躍し、初期マルクスに依拠しつつも独自に批判的な思索を展開させ、のちの「プラハの春」運動の土台をつくった。発禁となっていたフランツ・カフカの再評価も彼らの仕事によるところが大きい。

続く60年代はチェコ文学にとってもっとも幸福な時代だと言われる。映画や演劇など多くの領域で多彩な才能が花開いたが、なにより小説が中心的なジャンルとなった。そしてこの文化的爆発を語るうえでも、やはり「西側」からの影響は見逃せない。実存主義や不条理、ブラック・ユーモアや性領域における自由――ヨゼフ・シュクヴォレツキー（1924～2012年）、ボフミル・フラバル（1914～1997年）、ラジスラフ・フクス（1923～1994年）など同時代の作家たちにも見られるこれらの要素はすべて、ミラン・クンデラ作品のなかにも重要なものとしてある。

さてここまで「戦後チェコ文学を代表する作家」としてのクンデラを語ってきたわけだが、このクンデラ像、じつはそれほど正確ではない。というより、考えれば考えるほど不充分な気すらしてくる。ちゃぶ台返しのようで申し訳ないが、ともかく後ろの方から検討してみよう。

まずは「小説家」という肩書きについて。クンデラを有名にしたのはもちろん彼の小説だが、詩人として出発し評価されていながら、34歳で小説というジャンルを選びとるまで20年近くの道のりが必要だったということは、この作家について考えるうえで重要である。

続いて「チェコ文学を代表する」という部分。クンデラがチェコで生まれ育った作家であることは、まぎれもない事実だ。チェコで書かれた作品は、基本的にこの国を舞台としている。しかしすでに書いたように、彼の文学的リソースは若いころからチェコ国内に留まってはいなかった。「チェコ文学」のなかにどう位置づけられるかはともかく、クンデラ自身がみずからを「チェコ文学を代表する小説家」だと認識していた、あるいはそうありたいと望んでいたとは考えにくい。

より具体的に、国籍ないし市民権、そして執筆言語の問題もある。1967年に出版された『冗談』

がベストセラーとなったことで、クンデラはたしかに国内で作家として、知識人として確固たる地位を築いた。だが後のいわゆる「正常化」のなかで、自由化運動の一翼を担っていたクンデラの作品はすべて禁書に伏される。ここで彼は一転、チェコ文学における公的な「国籍」を奪われたと言ってよく、とうぜん新たな作品の出版も許されなかった。

1975年には運良くフランスから招待され、客員教授としてレンヌ大学に着任したクンデラだったが、79年、亡命後第一作の『笑いと忘却の書』出版が引き金となり、チェコスロヴァキア市民権を剥奪されてしまう。81年には無事フランスの市民権を取得するのだが、2年の無国籍状態のなかで、クンデラは次第にエッセーや評論をフランス語で書きはじめる。そして84年刊行の『存在の耐えられない軽さ』を経て90年刊行の『不滅』を最後に、チェコ語での作品執筆は行われなくなる。95年に出版された『緩やかさ』以降の小説は、すべてゼロからフランス語で書かれているのだ。彼が少なくとも一時期「フランスの作家」を自認していたのも、このような事情を考えると無理からぬことだ。

ミラン・クンデラ。1980年撮影（Elisa Cabot,［CC BY-SA 3.0］）

最後に、「戦後」という時代の限定について。第二次世界大戦の戦勝国であるチェコにおいて、この区分はもちろん日本におけるほど長い射程を持っていない。

クンデラが世界的な名声を得た80年代以降が戦後と呼ばれることはほとんどないだろう。つまり「戦後」は、60年以上に及ぶ彼の長いキャリアをカバーするにはまったく充分ではない。

２０００年代に入っても、クンデラは継続的に作品を発表し続けた。２０１３年にまずイタリア語で翻訳出版された『無意味の祝祭』は、短いながらもスケールの大きな中篇であり、クンデラ文学の総決算として世界的な注目を浴びた。そこでクンデラは、彼のフィクション全体を貫く「軽さ」の問題を筆頭に、歴史の問題や反出生主義など、現代的であり、未来的だとすら呼べるようなテーマにまっこうから取り組んでいる。

そう、優れた作家というのは、時間的にも空間的にも主題的にも、ひとつの国家、ひとつの時代にとらわれないものだ。それと同時に、20世紀チェコの総じてあまり愉快とはいえない歴史経験が作家の生きた課題となり、同時代の文化的思想的影響を受けながら、そのフィクション世界に深みと広がりを与えたということも、また確かである。

だからこそ日本語読者にとってクンデラは、これまでと同様これからも、チェコへ、そして世界へと読者を誘い込む格好の書き手であり続けることだろう。

（須藤輝彦）

42

現代文学

★越境する作家たち★

1989年12月、チェコスロヴァキアの新しい大統領として戯曲家ヴァーツラフ・ハヴェル（1936〜2011年）が選出される。68年以降の正常化体制下で数度に渡って投獄されるなど、公の舞台で作品を発表できなかった反体制派の戯曲家が一夜にして国家元首となったというニュースは世界で大きな反響を呼んだ。価値観の転換を示す端的な事例だったからだ。

文学の世界においても、89年以前と以降では価値や制度が一変した。社会主義体制下では、労働者のための芸術を目指す「公式文学」と、地下出版や亡命出版を含む「非公式文学」の2つの潮流が存在し、作品の流通や受容の大きな障壁となっていたが、89年以降は、自由な出版活動が可能となり、障壁は消えたように思われた。ミラン・クンデラ、ボフミル・フラバル、ハヴェルなど、公刊が制約されていた作家たちの作品が相次いで発表されるなど、箪笥（たんす）の奥隅で眠っていた文学を評価する契機となった。

文学をめぐる環境が一変したことで、その題材もまた多様化していった。まず顕著であったのが、歴史という主題の増加だ。ヤーヒム・トポル（1962年〜）の長篇小説『シスター』

ミハル・アイヴァス『もうひとつの街』日本語訳の表紙

は、ホロコースト、社会主義下の地下活動、そしてビロード革命など、教科書的な論理では説明できない現実世界の混沌を新しい口語表現を用いて描き、衝撃を与える。中東欧の歴史を題材にした作品を発表し続けているトポルの文学は、歴史修正主義が跋扈する今日において強い訴求力を有している。

　体制転換後の文学の位置を冷静に分析したのがイジー・クラトフヴィル（1940年〜）だ。かつて文学は高く評価されていたからこそ、禁書などの処分が下されたが、映画、テレビ、インターネットなど多様な娯楽と競合するようになった結果、文学の地位は相対的に後退したという。だが国民のための文学という旧来の責務はなくなったため、逆に表現は自由さを増し、小説独自の表現を探求できるようになったとする。ミラン・クンデラの影響を自認する彼は実験的な語りを毎作試みるため、ポストモダン作家として称されることがある。ブルノの建築士を主人公にする小説『約束』ではナチスと社会主義体制の黒い記憶がブラックユーモアを交えて描かれているように、この地の歴史そのものが独創的な表現を求めているようにも思われる。

　89年以前は社会主義リアリズムという理念が支配的であったため、必然的に小説の大半はリアリズム的なものであった。だがミハル・アイヴァス（1949年〜）は小説『もうひとつの街』でプラハの並行世界を描き、カフカやボルヘスといった幻想文学の系譜に連なる新たな流れを築き上げた。近年では、その舞台は国境を越え、小説『黄金時代』では大西洋の島が、『幾つもの街』では東京を含む複数の都市が舞台となっている。

1990年代は、過去の文学の再評価、歴史の再検討といったやや回顧的な傾向が見られたが、新しい世紀を迎えると、他の文化圏と同様、チェコの文学も越境性が増している。以前は他国で執筆する作家は亡命作家と称されることが多かったが、今日、自身の意志で居住地を選び、異国の文化を題材にする作家が増えている。

フランス在住のチェコ語作家パトリク・オウジェドニーク（1957年～）は世紀転換の節目となる2000年に『エウロペアナ　二〇世紀史概説』を発表する。歴史書のような題名だが、ここで披露されるのは、20世紀の様々な出来事をめぐる様々な数字、引用、噂などであり、事実と虚構をない混ぜにしたコラージュのような稀有な作品であり、89年以降のチェコ文学として最も翻訳された作品となった。

ブルガリア移民2世にあたるビアンカ・ベロヴァー（1970年～）は、旧ソ連圏と思しき不特定の場所を舞台にした小説『湖』を通して、現代における暴力と家族の問題を描いている。また『島』では、中世のイタリアを舞台にして、アイヴァスに通じる幻想世界が繰り広げられている。

ヤロスラフ・ルディシュ（1972年～）はチェコとドイツの双方を拠点として両方の言語で執筆をしている現代の中欧文学を体現する作家だ。ビロード革命のもう1つの側面を描いた『国民大通り』、サウナでの会話を綴った『チェコの楽園』といった小説をチェコ語で執筆した一方、ドイツ語の小説『ヴィンテルベルクの最後の旅』を発表した。同作は鉄道旅行をしながら、ハプスブルク時代の記憶をたどる長篇小説だが、都市と都市が鉄道網によって結びついていることを再認識させる中欧文学の

アンナ・ツィマ『シブヤで目覚めて』日本語訳の表紙

傑作である。

ヨーロッパを離れ、南米を長年拠点にしていたのが、マルケータ・ピラートヴァー（1973年〜）だ。チェコの靴メーカーのオーナーであるバチャが第二次世界大戦中に国を追われて、ブラジルで新たな企業都市をつくりあげた事実を基にして、バチャ家の三世代の物語を描いたのが『バチャと共にジャングルへ』だ。ブラジル在住の孫に聞き取りをして書きあげた本作はオーラル・ヒストリーの可能性を感じさせる小説ともなっている。ピラートヴァーは日系ブラジル人から折り紙を教わったことを基にして、日本人の女の子「キコ」を題材にした作品も発表している。

チェコと日本の読者の関係をかつてないほど近づけたのが、東京在住の作家アンナ・ツィマ（1991年〜）だ。プラハの大学で日本文学を専攻するヤナと、渋谷の街を放浪するヤナの物語が共振しながら展開するデビュー小説『シブヤで目覚めて』は、日本の読者をチェコの世界へ、そしてチェコの読者を日本の世界へと誘う。異なる時代や地域の世界へと導いてくれる小説の醍醐味を感じさせる一作となっている。

このようにチェコの現代作家たちは物理的な国境を越え、様々な時代や空間へとその関心を広げており、その活躍からは目が離せない。

（阿部賢一）

43

社会主義時代から続く豊かな児童文学の世界

★昔話の上に成り立つ自由な発想の子どもの本★

チェコの絵本の歴史をひもとくと、17世紀の教育学者のヤン・アーモス・コメンスキー（ヨハネス・アモス・コメニウス）の『世界図絵』から始まる。しかし、私は1970年代のチェコスロヴァキアでプラハの小学校に入り、当時絵本を見た経験があるため、私が体験したチェコ児童文学を紹介しようと思う。

70年代、誰の家の本棚にも並んでいたチェコの子どもの本を開くと、100ページを超える本に長い文章、そこにカラーの挿絵が多く入り、子どもの本の作りが豪華なことに驚いた。当時、印象的だった子どもの本を何冊か取り上げよう。

『金色の髪のお姫さま』（1911年）――表紙は美しい王子とお姫さまなのに、本を開くと骸骨や鎌、オテサーネクというなんでも食べる木の根っ子の化け物が出てくる怖い挿絵の本。カレル・ヤロミール・エルベン作、アルトゥシ・シャイネル絵の昔話集。『ほたるっこ』（1876年）――繊細な青と墨絵のようなぼかしの入った植物画の中に、ほたるの家族が描かれている。ヤン・カラフィアート作、イジー・トゥルンカ絵の本。『こいぬとこねこのおかしな話』（1929年）――こいぬとこねこが、人間と同じように暮らそうとするが失敗したり、作家を話の中

アール・ヌーヴォー時代のシャイネルの絵は妖艶で醜いものもさらけだす『金色の髪のお姫さま〜チェコの昔話集〜』カレル・ヤロミール・エルベン作、アルトゥシ・シャイネル絵、木村有子訳、岩波書店（2012年）

に登場させたり、ナンセンスが光る。ヨゼフ・チャペック作、絵。恒常的に物資不足だった社会主義時代にも、チェコでは、このような絵本はどの家庭にも見受けられた。当時は本の値段も安価で、印刷部数も多く、手に入れやすかったのが理由のひとつであろう。

　筆者が編訳を担当した『火の鳥ときつねのリシカ チェコの昔話』（2021年）の大半は、チェコの2大昔話収集家であるカレル・ヤロミール・エルベン（1811〜1870年）と、女性作家ボジェナ・ニェムツォヴァー（1820〜1862年）の昔話から選んだ。

　19世紀、ハプスブルク帝国の支配下にあったチェコでは、民族再生運動と結びついて、昔話、民謡、わらべうたなどが盛んに収集されたが、ふたりの作家の功績は、はかりしれない。エルベンの民話をモチーフとした『花束』（1853年）という詩集と、ニェムツォヴァーの長編小説『おばあさん』（1855年）は、チェコの学校での必読書だ。『エルベンの昔話集』、『ニェムツォヴァーの昔話集』と、題名に作家の名前を冠した本が毎年のように刊行されている。

　また、一家に一冊あると言われる『ほたるっこ』（1876年）。チェコのアンデルセンと称される作者ヤン・カラフィアート（1846〜1929年）は、福音派の牧師で、美しいチェコ語を用い、ほたるの家族の視点から、色々な生き物たちや自然の摂理を描いた。ほたるが毎晩灯りを照らして飛び続ける意味を、ほたるっこが親に尋ねると親は優しく語りかける。昔話と並んで、チェコ人の心の故郷と呼べる児童文学の古典である。

チェコスロヴァキアがハプスブルク帝国から独立した1918年から1938年までの第一共和国時代に活躍したカレル・チャペック（1890〜1938年）とヨゼフ・チャペック（1887〜1945年）。すでに世に名が知られていたカレルは、児童文学作品の世界でも優れた作品を残した。『9つのお話』（1932年、邦訳『長い長いお医者さんの話』）は、日本で最も長く読まれてきたチェコの児童文学といえる。昔話に登場する魔法使いや妖精や水の精などを現代に登場させ、自由な発想で予想がつかないストーリー展開をする。カレル・チャペックのこの本は、戦後新しい児童文学を模索していた日本の児童文学作家にも大きく影響した。

ユーモアに包まれたこいぬとこねこの話はチェコで最も読まれている児童文学のひとつ『こいぬとこねこのおかしな話』ヨゼフ・チャペック作、絵、木村有子訳、岩波書店（2017年）

子どもの本の世界で、独自の絵のスタイルを確立したチェコの画家といえば、ヨゼフ・ラダ（1887〜1957年）だ。故郷フルシツェの牧歌的な風景や、子どもたちの遊び、歳時記、ゆかいな動物たちなどの素朴な絵を、わらべうたの絵本などに描いた。

チェコでは面白いことに、定評ある画家がストーリーを書き、児童文学として成功した例がいくつかある。ラダは、幼い娘たちにせがまれてお話を作って語っていたが、それが物語として完結する。ラダ作『黒ねこミケシュのぼうけん』（1934年）や『きつねものがたり』（1937年）は、日本でも半世紀以上読みつがれている。同様にヨゼフ・チャペック作、絵の『こいぬとこねこのおかしな話』も、娘に語っているうちにできた話である。また、人形アニメーションの巨匠で、絵本の挿絵を多く描いたイジー・トゥルンカは、幻想的な話と美しい挿絵の『ふしぎな庭』（1962年）という本を著した。

チェコで3世代にわたって人気がある子どもの本といえば、心やさしいもぐらくん（クルテク）と森の仲間たちの絵本だ。ズデネック（ズデニェク）・ミレル（1921～2011年）が、もぐらくんの生みの親である。もぐらのキャラクターが生まれた逸話をミレルから聞いたことがある。アニメーションを作っていたミレルは社会主義時代、布地ができる過程をフィルムにしなくてはならなかった。子どもたちが面白くてためになるストーリーを作るには、キャラクターが必要だと考えた。締め切り直前に「もぐら」を思いついたという。アニメーション『もぐらとずぼん』は国際映画祭で賞を取り、後に絵本も出版されてロングセラーになった。日本では60年代に『もぐらとずぼん』（1960年）と『もぐらとじどうしゃ』（1962年）が邦訳出版され、2002年から「もぐらくんの絵本シリーズ」が刊行された。

また、最近のチェコの子どもの本の世界でいうと、詩的な絵と繊細な文章を書く個性的な絵本作家、デイジー・ムラースコヴァー（1923～2016年）が他界したのを機に、BAOBAB社がムラースコヴァーの全ての絵本を自社から出版するなど、再評価をしている。

チェコのイラストは国際的な評価も高い。子どもの本のノーベル賞といわれる、国際アンデルセン賞画家賞の受賞者が3名いる。イジー・トゥルンカ（1912～1969年）、目の覚めるような色彩と造形的な絵を描くクヴェタ・パツォウスカー（1928～2023年）、アメリカに亡命し、アメリカで活躍する絵本作家のピーター・シス（1949年～）。

なお、私が現在注目するチェコのイラストレーターたちは、歴史や伝記の挿絵、執筆に定評があるレナータ・フチーコヴァー（1964年～）。人形アニメーション作家、監督フィリップ・ポシヴァチ（1986年～）。リノリウムの手法で、粗削りの線と強烈な色彩の絵を描くフルドシ・ヴァロウシェク（1960年～）、『どうぶつたちがねむるとき』（2014年）のマリエ・シュトゥンプフォヴァー（1984年～）など。チェコの子どもの本の出版社は、絵本を総合芸術として捉え、特にBAOBAB社、Meander社が判型や紙質、絵の手法、デザインなど、個性的で挑戦的な本を出版し、翻訳されることも多い。

（木村有子）

44

プラハのドイツ語文学

★「紙のドイツ語」で書いた（？）作家たち★

近年のプラハは、加速度的に「カフカの街」の様相を呈しつつある。土産物店ではカフカTシャツが売られ、新たなモニュメントが相次いで建てられ、生涯や作品をマルチメディアで紹介する博物館もできた。カフカは当地の重要な観光資源になったわけだが、それはあくまで近年の現象でしかない。そもそもカフカはドイツ語で書いた作家であり、「チェコの作家」ではない。しばしば忘れられがちだが、プラハには、数多くの優れたドイツ語作家を輩出した歴史があるのだ。

最も有名なドイツ語のプラハ小説は、おそらく、プラハ出身の元銀行員グスタフ・マイリンク（1868～1932年）が書いた『ゴーレム』（1915年）だろう。プラハのゴーレム伝説とは、この街のラビ（ユダヤ律法学者）が土人形に命を吹き込んで使役したというものだが、マイリンクの小説は、迷宮めいたゲットー（ユダヤ人街）を舞台にしつつ、しかしゴーレム伝説にどう関係があるのかよく分からなくなるほど雑多な神秘主義や錬金術の知識を詰め込んだオカルト小説で、おどろおどろしい「魔都」プラハのイメージを作り出した。現実には、1848年のユダヤ人解放とともにゲットーは廃止され、世紀末に始まった再開発事業で近代的な街並みが整備されていたのだった。

詩人ライナー・マリア・リルケ（1875～1926年）は、パリを舞台にした小説『マルテの手記』（1910年）で知られるコスモポリタン的な作家だが、実はこの時期のプラハに生まれ育っている。そして『二つのプラハ物語』（1897年）では、民族主義が高まってチェコ系とドイツの対立が激化していく世相を捉えた。もともとは富裕で有力な市民層に多かったドイツ系住民は、19世紀中にチェコ系の市民層が経済的な力をつけるとその地位を脅かされ、さらには世紀の終わりごろに工業化が進み、プラハ郊外にできた工業地帯にチェコ系の労働者が流入してくると、数のうえでも圧倒的にマイノリティの立場に転落していた。詩集『家神への捧げもの』（1895年）でチェコの伝統文化に敬意を表したリルケは、『二つのプラハ物語』に共通して登場するチェコ民族主義の闘士である学生レゼクが周囲の人々を破滅させていく描写を通し、過激な民族主義をやんわりと批判しているが、基本的にはチェコ・ナショナリズムの要求を正当なものと見なしていた。そのうえで、彼はチェコ系の女性ルイーザとドイツ系の男性ラントの恋愛のモチーフに民族融和の希望を託した。

これとは対照的に、やはりプラハ出身の作家・哲学者フリッツ・マウトナー（1849～1923年）は、地方都市の民族対立を描く『ブラトナ最後のドイツ人』（1887年）と、チェコ語の古文書の捏造事件を扱った『ボヘミアの手稿』（1897年）の2編で、チェコ・ナショナリズムを徹底して糾弾した。前者の主人公であるドイツ系の工場主アントンは、狂信的なチェコ民族主義者たちを向こうに回して多勢に無勢ながら闘いつづける英雄的な人物として描かれている。だが、他ならぬこの小説に、主人公アントンとチェコ系の女性カチェンカの恋愛が組み込まれているのは興味深い。リルケとマウトナーに共通するのは、ドイツ系の市民たちが近代的な都会生活でいわば根なし草になり、疎外に苦しんでいるという感覚だった。彼らの目には、チェコ系の貧しい素朴な民衆は、いまだ母なる「大地」との絆を保持している、エネルギーに満ちた集団と映っていた。だからこそ、憧れの対象にも恐怖や敵意の対象にもなりえたのだ。彼らが描いたチェコ系の美しく清純な女性の像と、憎悪に満ちたチェコ民族主義者の像は、一枚のコインの裏表の関係にある。

ちなみにマウトナーはユダヤ人で、ユダヤ人解放にともなう移動の自由の恩恵を受けて地方からプラハに移住してきた一家の子どもだった。彼の父親は、中東欧のユダヤ人が話すイディッシュ語の痕跡を拭い去って完璧なドイツ語を身に付けることが、ドイツ系住民に同化して社会的に上昇する道だと考えており、過度なまでに正確なドイツ語を話すよう息子に求めた。そのせいかマウトナーは、自分たちのドイツ語は「大地」に根ざした方言の豊かさとは無縁の、人工的な「紙のドイツ語」だと考えるようになった。

実際には、いわゆる「プラハ・ドイツ語」が生命力を欠いた貧しい言語だという証拠はないが、一世代下の同化ユダヤ人たちも、この考え方を刷り込まれて育った。ただし、ドイツに帰化して熱狂的なドイツ・ナショナリストになったマウトナーとは違い、新しい世代の彼らにはシオニズム（ユダヤ民族主義）という選択肢があった。チェコ民族に代わって、イディッシュ語を話す東欧のユダヤ人たちが、素朴な民衆として理想化された。この世代を代表する作家マックス・ブロート（1884〜1968年）は、小説『チェコ人の女中』（1909年）で、ウィーン出身のドイツ系の男性ウィリアムと、彼の下宿で働くチェコ系の労働者階級の女性ペーピの恋愛を描いた。この小説にユダヤ人としての問題意識が欠けていると批判されたブロートは、次の長編『ユダヤ人の女たち』（1911年）で同化ユダヤ人社会の閉塞的な状況を描いたあと、加速度的にシオニズムにのめり込んでいった。

ブロートの親友フランツ・カフカ（1883〜1924年）は、はるかにシオニズムに懐疑的だった。彼の作品には、「ユダヤ人」という言葉が出てこない。ついでに「プラハ」という言葉も。彼が1914年から翌年にかけて書いた未完の長編『訴訟（審判）』は、「何も悪いことはしていない」のに突然逮捕された銀行員ヨーゼフ・Kが、謎の裁判所と闘いながら、自宅やオフィスのある都心部と、貧しい労働者たちが住む団地のある郊外とを往復する物語だ。実在の地名こそ名指されないものの、この小説は当時のプラハの都市空間をかなり忠実に写し取っている。複数の女性たちと同時進行で関

カフカ記念碑のうち1つ（筆者撮影）

プラハ城の「黄金小路」には、かつて錬金術師たちも住んだと言われる小屋がひしめいている。22番がカフカの仕事場（著者撮影）

係を結び、彼女たちの助けで不条理な裁判を有利に進めようとして失敗するKの姿は、男女の恋愛に民族融和を夢みた数多くのプラハ小説のパロディのようにも読める。

カフカやブロートの後輩のユダヤ人作家には、先駆的なルポルタージュ作家としてジャーナリズム史に名を残すエゴン・エルヴィン・キッシュ（1885～1948年）や、若くして頭角を現した詩人フランツ・ヴェルフェル（1890～1945年）がいる。1918年に成立したチェコスロヴァキアではユダヤ人の少数民族としての権利が認められるが、やがてナチスが台頭すると、ドイツ語圏のユダヤ人たちは強制収容所に送られるか、亡命するかを選ばなければならず、1939年のナチスによるチェコ併合で、ユダヤ系作家を中心とするプラハのドイツ語文学は実質的に終わりを告げた。戦後のチェコスロヴァキアからはドイツ系の住民が追放された。なお、戦後すぐの時期、ナチスに加担したドイツ人の「集団の罪」をいち早く厳しく問うたのは、アメリカに亡命したヴェルフェルだった。

（川島隆）

コラム13　ミロシュ・デブナール

日本在住のチェコ人たち

　チェコ人が日本で在住するようになったのは明治時代だったが、図が示しているように、その数は特に１９９０年から増え続けてきた。明治時代には、お雇い外国人として、またはジャポニズムの影響（第45章参照）を受け、チェコから日本に長期滞在または定住する人が現れてきた。その中では、20世紀初めの日本に比較的に長く在住していた技術者・商人のカレル・ヤン・ホラや建築家のヤン・レッツェル（レッツル、第55章参照）がこの時代を代表するチェコ人であり、日本語でも彼らの生涯や日本への影響が紹介されてきた。

　20世紀半ば以降、第二次世界大戦と社会主義の影響により、人の移動が双方向で困難だった

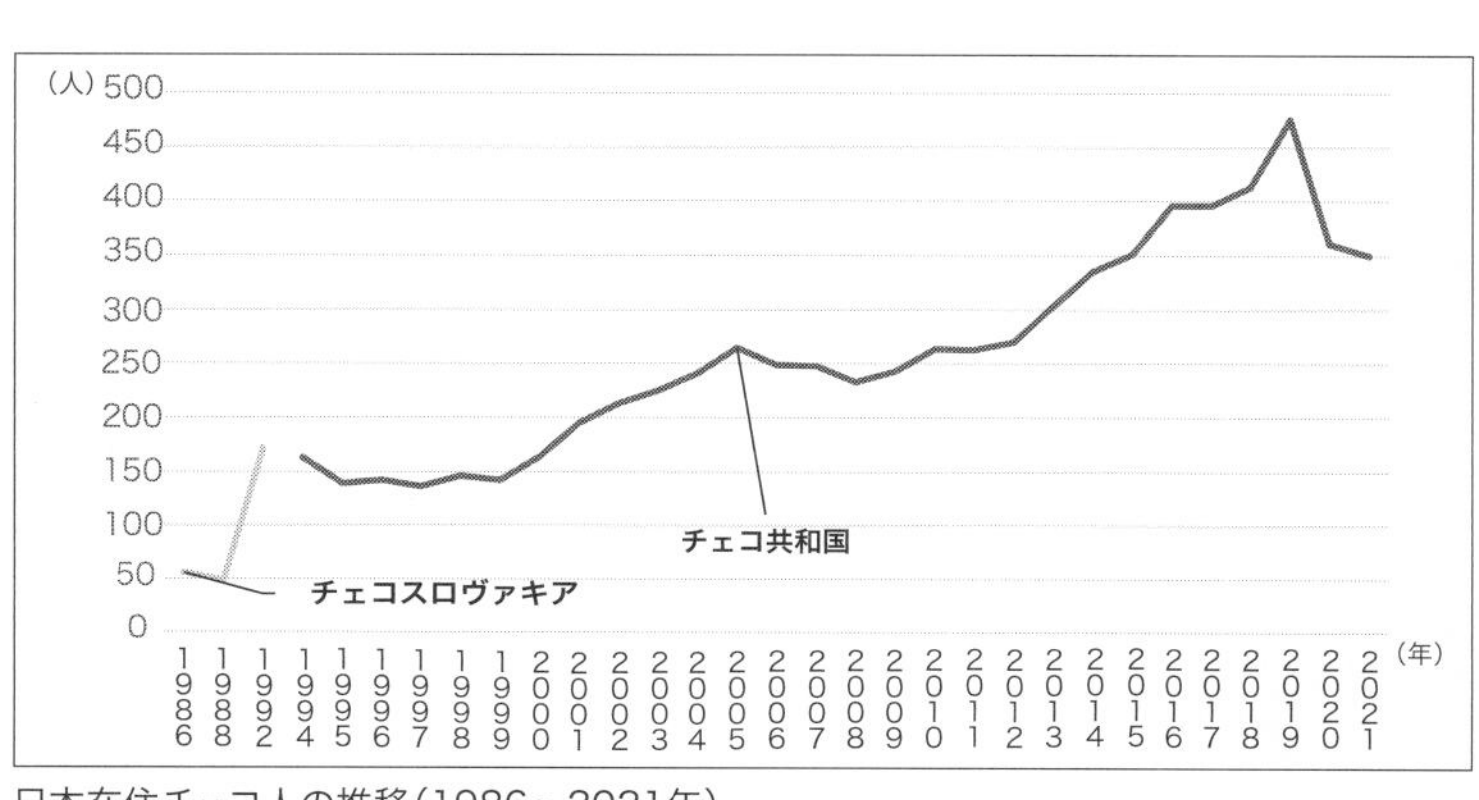

日本在住チェコ人の推移（1986〜2021年）
出典:在留外国人統計（旧登録外国人統計）のデータより著者作成

時代が数十年続き、1930年代から1980年代の間に日本で滞在していたチェコ人の数はゆるやかにしか増えてこなかった。例えば、1930年には31人のチェコスロヴァキア国籍者（チェコ人とスロヴァキア人両方）が日本に在住していたが、1964年に15人まで減り、1986年には56人まで再び増えた。その中では、国際結婚（特にチェコスロヴァキア出身の女性と日本人男性）が比較的に多く、留学などのパターンも現れ始めた。

1990年代に入ると、社会主義政権の崩壊により、チェコスロヴァキア（1993年以降はチェコ）からの出国が容易になり、日本の入国管理に関する法律の改定により、日本での滞在手段も1990年以降多様になってきた。それに伴って、日本在住のチェコ人の数が伸び続け、2000年には164人、2010年に264人、2019年に476人まで増えた。

それでは、1990年代以降、とりわけ2010年代以降、日本において在住するチェコ人が増えた理由またはその背景要因として何があったのだろうか。特に、地理的そして文化的な距離を考えれば、手続き上、そして経済面でも日本に比較的に「簡単に行けるようになった」ことだけでは、説明がしにくいだろう。その背景には、双方向の留学の増加、ワーキングホリデーの2ヵ国間協定の制定、国際結婚、文化交流の活発化、チェコにおける日本の文化のさらなる普及、または日本における定住化のように、複数の要因とそれらの複雑な絡み合いがある。

例えば、留学の制度化と普及が日本に在住するチェコ人の増加にどのように影響してきたかを例として説明してみよう。まず、チェコでは社会主義期にもプラハのカレル大学が日本語学科を設置していたが、現在はパラツキー大学（オロモウツ市）とマサリク大学（ブルノ市）にも設置されており、日本語日本文化をチェコの大学で専攻している大学生が数百人に上る。また、日本語学科を設置していない大学も含めて、交換留学を可能にするチェコの大学と日本の大学の協定も急増し、その結果2019年には日本に77人のチェコ人留学生がいた。少子高齢化による労働不足の解決策として、留学生を積極的に受け入れようとする企業が増え続け、日本の大学・大学院を卒業したチェコ人留学生が日本で就職をするケースも増えている。さらに、留学中あるいはワーキングホリデー中に日本、チェコあるいは第三国で出会ったチェコ人と日本人の夫婦・カップルも増え続け、その中では日本で生活基盤を築くケースも少なくなく、留学が日本在住のチェコ人の増加につながる。

新型コロナの影響により、留学等が2年ほどできなかったため、2021年まで日本在住のチェコ人の数は減ってきたが、2022年から徐々に日本との行き来が可能になり、これからも日本在住のチェコ人が増えるだろう。このように多種多様なパターンから成り立つ人の移動が日本とチェコのつながりの特徴の1つでもあるといえ、複雑なつながりを生んだグローバル化の結果でもある。

45

ジャポニズム

★想い描かれるドリームランド、ニッポン★

19世紀の半ばごろ、開国を余儀なくされた日本は、近代国家建設の基礎を築くべく急速に西洋の知識や技術を取り込もうとした。しかし、この時に日本が経験した国際交流は、情報の獲得に限られた一方通行のものではなかった。数世紀ぶりに開かれた日本の扉から、新鮮な空気が溢れるように流れ出し、それに触れた西洋人の多くは感嘆の声を上げた。近代の西洋芸術を活気づけ、その特色のひとつとなったジャポニズムは、日本と西洋のこうした関わりによって生み出されたものである。

西洋における日本文化の一大拠点となったのは、ほかでもない芸術の都パリであった。1862年のロンドン万博につづき、1867年のパリ万博で紹介された日本の工芸品や美術品が、サミュエル・ビングら美術コレクターにより輸入・販売され、浮世絵をはじめとする日本美術が盛んに新聞雑誌で取り上げられるようになった。日本文化が積極的に受容されるなか、日本趣味を新奇な芸術表現へと磨き上げる作品が次々に登場したのは決して不思議なことではない。このような日本趣味とその芸術表現としてのジャポニズムは西ヨーロッパから多方面に速やかに波及し、間もなく中欧のチェコにも到達した。

オーストリア＝ハンガリー帝国の統治下にあったチェコにおいて、それ以前に日本が知られていなかったわけではない。例えば、歴史家で作家のカレル・V・ザップ（1812～1871年）の『一般地理』（1850年）では、情報不足による誤認や誤謬、差別表現なども散見されるとはいえ、地理や気候から、宗教や文化に至るまで、日本の事情が事細かに解説されており、日本は未見の国であっても、未知の国ではなかったことがわかる。1870年代からは、日本趣味の高揚にともなって、より多く、より正確な情報が届き、漠然とした日本のイメージも徐々に豊かな肉づきを得ることになった。世界各国の資料収集を目的に、啓蒙主義者のヴォイチェフ・ナープルステク（1826～1894年）が1874年にプラハで設立した博物館（現・ナープルステク博物館）は、同時代の文化人や知識人が集い、外国文化を幅広く発信する施設として重大な役割を果たした。明治政府が初めて公式に参加した1873年のウィーン万博もまたチェコのメディアで盛んに取り上げられ、芽生えつつあった日本趣味に拍車をかけた。こうしてチェコでも漆器や団扇など日本の美術品や工芸品が人気を集め、市民の生活を彩るものとなった。

フランスとの繋がりが強いチェコの美術において、ジャポニズムが目に見えるかたちで現れるのは19世紀末以降のことであり、絵画やポスター、ガラス製品、書籍の装丁やイラストなど、日本文化や美術にヒントを得たモチーフや技巧が広く活用されるようになった。このような新しい趣向は、はじめ単なる模倣の域を越えなかったが、徐々に独自な発展をとげ、世界的な名声を博したアルフォンス・ムハ（ミュシャ）（1860～1939年）や20世紀初頭に来日し版画の技術を習得したエミル・オルリク（1870～1932年）らによって、独創性に富んだ芸術表現へと昇華した。

注目すべきことに、日本趣味は、視覚芸術の世界にとどまらなかった。文学者たちもまた日本文化に強く魅了されたのだ。19世紀末から20世紀前半にかけて、旅行記から日本を舞台にした〈日本物〉小説まで日本関連の著書が多数発表されており、その数はおそらく他国に類例を見ない。

チェコでもっとも早く日本文化に題材を求め、〈日本物〉という新しい文学ジャンルの先駆者となったのは、詩人で小説家のユリウス・ゼイエル（1841〜1901年）である。ナープルステクの図書室に足繁く通い、日本関連の著書を渉猟したゼイエルは、元イギリス外交官ミットフォードの『日本の昔の物語』（1871年）に収録された「ゴンパチとコムラサキの恋」と「佐倉惣五郎の亡霊」という二つの題材を独自に織りあげ、『ゴンパチとコムラサキ』（1884年）という叙情あふれる悲恋物語を紡ぎだした。この小説がゼイエルの代表作となり、数世代にわたり読者を虜にしてやまなかった。

『ゴンパチとコムラサキ』に感化され、数多くの〈日本物〉を発表したジョエ・ホロウハ（1881〜1957年）は、来日経験のなかったゼイエルと異なり2度日本を訪れたが、出世作となる『風前の桜』（1906年）は初来日以前に、つまり『ゴンパチとコムラサキ』と同様に先行文献のみに依拠して構想・執筆されたものである。明治時代の日本を舞台に、チェコの美術コレクターの「私」――裕福な家庭に生まれたホロウハは若いころから浮世絵などの日本美術品を買い集め、その貴重なコレクションは現在ナープルステク博物館に所蔵されている――と、サクラという若い日本人女性との恋愛を中心に、東京の名所や日本文化のさまざまな側面を鮮やかに描き出したこの作品は、幾度も版を重ね、戦後に至るまで半世紀にわたって愛読された。

1912年から1913年にかけて1年ほど日本で過ごし、戦間期に〈日本物〉の作家として注目を集めたヤン・ハヴラサ（1883〜1964年）もまた、ゼイエルに感化されている。彼の最初の〈日本物〉となる長編小説『窓の外の霧』（1918年）は、『ゴンパチとコムラサキ』へのオマージュとして書かれたと言ってもよい。日本文化に造詣が深く、チェコで初めてアイヌ文化やその生活を紹介したハヴラサは、1920年に開設された駐日チェコスロヴァキア公使館の初代公使の有力候補と目されていたが、結局は、ブラジルに赴任した。コレクターではなかったが、日本の浮世絵にも関心が強く、『北斎漫画』を題材にした『奇跡と妖怪』（1934年）というユニークな怪奇小説集なども著している。4度来日し、1920年代にチェコスロヴァキア公使館に事務職員として勤めたバルボラ・M・エリアーショヴァー（1874〜1957年）も、母国で旅行記や〈日本物〉小説を複数発表した。日本の新聞雑誌にチェコの文化や歴史の紹介記事を書くなど、日本におけるチェコの知名度向上にも寄与した。友人に女性作家の網野菊がおり、その作品にエリアーショヴァーをモデルにした人物が繰り返し登場していることも注目に値する。

日本関連の文学がフィクションか否かを問わず戦間期に流行した理由としては、第一次世界大戦中にロシアで結成されたチェコスロヴァキア軍団に属し、終戦後に日本を経由して帰国した作家たちの活躍を挙げなければならない。日本を主な舞台にした創作にはヨゼフ・コプタ（1894〜1962年）

ジョエ・ホロウハ『死神の接吻』（1933年の第4版）の表紙

第一次世界大戦中に反国家活動のため投獄されたヤン・ハブラサが獄中に書いたジャポニズム小説『窓の外の霧』（1923年の第３版）の表紙

の作品集『墓前の微笑み』(1922年)やフランチシェク・V・クレイチー(1867~1941年)の長編小説『最後のもの』(1925年)などがあるが、軍団出身で〈日本物〉の作家としてもっとも注目を浴びたのはオルジフ・ゼメク(1893~1967年)だろう。語学の天才と呼ばれ、精神疾患を抱えながらも語学の研究に従事した山ノ井愛太郎との交流もあったゼメクは、チェコの兵士と日本の看護師との恋愛を描く小説『おユキさん』(1923年)や『看護師ヤエコ』(1928年)などを発表している。

読者の人気を集めつづけた〈日本物〉は、民主制を解体し、共産主義国家を誕生させた1948年の二月事件以後、ほとんど出版されることがなかった。ロシアのボルシェヴィキ政権と戦ったチェコスロヴァキア軍団の作家たちや、戦後に帰国せずアメリカに暮らしたハヴラサの名が抹消されたのは当然といえば当然だったが、チェコスロヴァキア在住のホロウハやエリアーショヴァーなども執筆活動をつづけることはできなかった。共産主義イデオロギーを採り入れ、労働者社会の真の生活を描く社会主義リアリズムを理想とした共産党政権からみれば、エキゾチックな日本への憧れを表した娯楽的な読み物は堕落を極めたブルジョア文学であり、それゆえに排斥されたのだろう。

共産主義時代に跡形もなく消えた〈日本物〉はしかし、21世紀初頭にチェコ文学に再び姿を現した。1990年代以降、日本文学が盛んに翻訳され、日本のサブカルチャーもまた積極的に受容され、新たに日本への興味を持った若い読者が増えたことはその一因だろう。近年の代表作としては、アンナ・ツィマ(1991年~)の『シブヤで目覚めて』(2018年、第42章参照)やマルチナ・レイエロヴァー(1967年~)の『借景の家』(2017年)、ヨゼフ・チヒー(1992年~)の『黄昏』(2021年)を挙げることができる。

(ルカーシュ・ブルナ)

46

中世美術

★ボヘミアの地霊が愛せしゴシック★

ＮＨＫ「名曲アルバム」でモーツァルトの「フィガロの結婚」やスメタナの「モルダウ」が流れる時、画面にはプラハの美しい町並みが映しだされる。エステート劇場に国民劇場、ルドルフィヌムといった名曲ゆかりの音楽堂に加え、「百塔のプラハ」を形づくるゴシック尖塔にバロック教会塔、旧市街を迷宮とする中世の路地――なかでも印象的な光景は、王の道を通りぬけ、旧市街橋塔とカレル橋の向こう岸に現れるプラハ城だろう。大聖堂を冠した王城の壮麗さたるや、ヴルタヴァ川に浮かぶ蜃気楼のごとく幻想的で、「黄金の都」の異名も曙光をうけて輝くプラハ城に由来したという。このボヘミアの王都を中欧随一のゴシック都市たらしめ、神聖ローマ皇帝の都にふさわしい威容をあたえたのが、カレル４世（在位１３４６～１３７８年）である。彼が設立した建築記念碑（旧市街橋塔、カレル橋、聖ヴィート大聖堂など）は、帝都プラハの顔を象るとともに、彼の聖政治権力を象徴していた。建築作品としての都市プラハ――その真の創設者も〝国父〟カレル４世なのだ。

中世には近代的意味での額縁画も独立彫像も存在せず、諸芸術は教会建築のもとで発展した。ロマネスクもゴシックも建築が生んだ時代様式であり、聖堂のモニュメンタルな芸術表象は、庇護者たる教会と国家の権威に聖性と美をあたえた。11世紀以降、神聖ローマ帝国に属したボヘミア国家では、帝国諸邦の影響下にロマネスク芸術が形成され、プラハ城には聖ヴィートのバシリカ聖堂（1060～1096年頃）が建ち、写本画では『ヴィシェフラットの戴冠福音書』（1085年）が成立する。ズノイモ城の聖カテジナのロトゥンダ［円形堂］に現存する貴重な壁画装飾――荘厳のキリスト、マリア伝、プシェミスル家の肖像連作（1134年）――は、救済史と結合された王侯図像として名高く、見事な線描様式を示す。1140年頃のフランスで誕生し、13世紀前半までに西欧全域に拡散したゴシック建築は、チェコではプシェミスル王家の寄進による修道院――プラハ旧市街のアネシュカ修道院聖堂（1234年献堂、現プラハ国立美術館）やチシュノフ近郊のポルタ・コエリ［天国の門］修道院聖堂（1233～1240年頃）など――から始まり、トゥシェビーチの聖プロコプ修道院聖堂（1240～1280年頃）は、ロマネスクとゴシック双方の要素をもつ移行期の重要作例である。かくて13世紀中にチェコ各地で導入されたゴシック芸術は、ルクセンブルク朝下にその最盛期を迎える。

西洋美術の13世紀は大聖堂の時代、14世紀はプロト・ルネサンスの時代である。ルクセンブルク朝（1310～1437年）の成立期、芸術創造の中心はゴシックの母国フランスと真の絵画芸術を蘇生させたトスカナにあり、南北両極間での芸術交流が、新教皇座アヴィニョンを関門として活発化していた。ゴシックの汎ヨーロッパ的国際化は、西欧各国に芸術流派の形成を促進し、イタリアの新芸術もまた北方ゴシックに刺激をあたえた結果、世紀後半から各宮廷美術（パリ、プラハ、ディジョン、ミラノ他）が前例なき共質的様式――1400年を頂点とする国際ゴシック――の形成へと向かう。この潮流を中欧地域で加速させた最大の極がプラハの皇帝宮廷であり、カレル４世の芸術であった。ルクセンブルク皇帝家とプシェミスル王家の血統に生まれ、カペー王家のパリ宮廷で薫陶を受け（１３２３〜１３３０年）、帝国と王国の再生を使命としたカレル４世は、自身の二重の統治権を表象する芸術を構想、実現する。フランスの国王芸術――ノートル＝ダム大聖堂、サント＝シャペルを擁する壮麗なシテ王宮――に倣ってプラハ城王宮をゴシック様式で再建、ロマネスクの聖ヴィート聖堂を純フランス式大聖堂へと拡張新造（１３４４〜１３５２年、初代棟梁アラスのマティアス）させる一方、皇帝として教会大分裂の解消とイタリア再統合を夢みたカレルは、ローマ皇帝戴冠（１３５５年）以後、トスカナの新芸術や初期中世の荘厳芸術（聖遺物容器、聖画像、モザイク）を表現手段として独創的な帝権表象を考案する。その理念を受肉する作品が、カルルシュテイン城礼拝堂装飾（１３５７〜１３６５年頃）、聖ヴィート大聖堂南正面モザイク画《最後の審判》（１３７０〜１３７１年）、同大聖堂の聖ヴァーツラフ礼拝堂装飾（１３７２〜１３７３年）であった。

プラハに生じた巨大な芸術機会――ゴシックとイタリア新芸術の融合、起源の異なる着想の芸術的混合――その実現のため、カレル４世は聖ヴィート大聖堂の第２代棟梁に建築家・彫刻家ペーター・パルラー（１３３３〜１３９９年）を、カルルシュテイン城の画家にニコラウス・ヴルムザー、マギステル・テオドリクスを抜擢し、彼ら当代ドイツ最高の芸術家たちが、ボヘミアの新様式を創造してゆく。世紀中葉までの絵画に特徴的だったゴシック線描とイタリア的量感の折衷的表現は、カルルシュテイン城の壁画と板絵（図１）が示すように、輪郭線ではなく精妙な色調と明暗法による柔らかいモデリング（肉付け）へと融合され、人物像は写実的で表現ゆたかな頭部と弾力的身体をもつ彫塑的形体へと

図3《ロウドニツェの聖母》 トゥシェボン祭壇画の画家 1380-85年頃 板絵 プラハ国立美術館（アネシュカ修道院）

図1《福音書記者聖ルカ》　マギステル・テオドリクス 1360-65年頃 板絵 カルルシュテイン城聖十字架礼拝堂 プラハ国立美術館（アネシュカ修道院）

図4 聖ヴィート大聖堂高内陣 ペーター・パルラー 1373-85年

図2「キリスト復活」《トゥシェボン祭壇画》　1380年頃 板絵 プラハ国立美術館（アネシュカ修道院）

＊図1-4：筆者撮影

変貌をとげた。異種混淆の様式的アマルガム、錬金術的結合がプラハ宮廷絵画の真髄であり、魔術的光が照らす絵画形象には言明しがたい神秘性が漂っている（図2）。

模倣を超えた独創性を獲得したプラハ宮廷様式は、帝国の美術に影響をあたえ、1370年代に洗練化に向かう。60年代の彫塑的絵画の表現的リアリズムを理想美のリアリズムへと転換した《トゥシェボン祭壇画》の画家は、奇跡や恩寵の超越的ヴィジョン（図2、3）に理想的現実形体をあたえ、彼の真に美しい絵画形体と聖ヴィート大聖堂工房が生んだ「美しき聖母」の彫刻形体が、優美様式――国際ゴシックのボヘミアン・ヴァージョン――を創始する。その感覚美は、来るルネサンス美術の予示にしてゴシック的エートス最後の真珠だった。絵画彫刻における優美様式は、ルクセンブルク朝の終焉とともに廃れるが、偉大なるペーター・パルラーの聖ヴィート大聖堂新内陣（図4）は、帝国の後期ゴシック建築に着想をあたえ続け、ベネディクト・レイトによるプラハ城旧王宮ヴラディスラフ・ホール（1493～1502年）、さらにはヤン・ブラジェイ・サンティーニのバロック・ゴシック建築（クラドルビ修道院聖堂、1726年献堂）の霊感源として生きる。古典古代文化なきボヘミアの大地に根をはり、その地霊が愛せし中世の美術、それがゴシックであった。

（大野松彦）

47

チェコ近代芸術の発展

★地域性の内外を往還しながら★

近代芸術を近代芸術たらしめる要素については議論がつきないが、ここでは差し当たり美の多様性や主観性の尊重を重要な要素と捉え、ロマン主義以降の芸術を近代芸術として扱い、その第一次世界大戦までの展開を見ていく。

チェコのロマン主義は画家ヨゼフ・マーネス（1820～1871年）によって代表される。肖像画や風景画の他、モラヴィア、シレジア、スロヴァキア、ポーランドといったスラヴ語圏の諸地域を渡り歩いて、民俗衣装のスケッチを数多く描いたことで知られる。一般的には国民芸術の代表的人物として語られるが、彼の名を協会名に冠したマーネス造形芸術家協会（第14章参照）は、マーネス没後30周年を記念して機関誌に掲載した記事において、彼を国民的芸術家としては論じていないので興味深い。協会の考えでは、マーネスはそれ以前の様式化された古典主義を脱し、生き生きとした人間性を描いて見せた点で偉大な画家であった。当時のマーネス協会のモダニスト芸術家たちがマーネスを尊敬したのはこの点においてであった。

とはいえ、彼の作品を国民的な芸術として語り継いだ人びとが多くいたのは確かである。彼の遺産は、ナショナルなモチーフを積極的に題材として選んだ1870年代以降の国民劇場世代（第14章参照）に引き継がれていく。かれらはチェコの歴史や神話に着想を得た歴史主義的作品を数多く手がけていった。代表的な作品として、1879年に国民劇場のコンクールで1等を受賞した画家ミコラーシュ・アレシュ（1852〜1913年）の連作《祖国》や、1894年のコンクール受賞を経て第一次世界大戦後まで制作が続いた彫刻家ヨゼフ・V・ミスルベク（1848〜1922年）の《ヴァーツラフ像》がある。

同時期には建築分野でも歴史主義的志向が盛んに見られたが、ここでまず参照された「歴史」とは、イタリア・ルネサンスの様式であった。第14章で国民劇場とルドルフィヌムの政治的な性格の違いを指摘したが、両者はともに建築家ヨゼフ・ズィーテク（1832〜1909年）とヨゼフ・シュルツ（1840〜1917年）によって設計され、ネオ・ルネサンス様式に数えられる建築物であるという共通性も有した。汎ヨーロッパ的な美への回帰を志向するネオ・ルネサンス様式は、当時の君主国の都市全体に共通する様式であった。国民劇場は、ここにチェコの歴史を表した彫刻作品や絵画作品を加えることで、地域的な歴史性も有したのであった。

19世紀末頃からは、マーネス協会が既存のアカデミズムに対抗する分離派運動を展開していった。マーネス協会の結成は1887年であるが、本格的に活動を展開するのは1896年以降であり、翌年に結成されたウィーン分離派との関係が深い。様式上は主として象徴主義に傾倒した。チェコの初期の象徴主義はスタニスラフ・スハルダ（1866〜1916年）、ラジスラフ・シャロウン（1870〜1946年）らの彫刻作品やヤン・プライスレル（1872〜1918年）、フランチシェク・クプカ（1871〜1957年）らの絵画作品に代表される。20世紀に入ると、ヨゼフ・ヴァーハル（1884〜1969年）

抽象絵画の先駆けとなったクプカの《アモルファ、二色のフーガ》（National Gallery Prague 所蔵）

らが象徴主義を代表する芸術家グループ「スルスム」（１９１０〜１９１２年）を結成した。人間の内面世界を重視する象徴主義の思想は、その後表現主義、キュビスム、抽象芸術さらには戦後のシュルレアリスムに影響を与えていったとされている。

　プラハでのムンク展（１９０５年）に影響を受けて結成された「オスマ」（第14章参照）を皮切りに、チェコでは表現主義の運動が盛んに展開された。ドイツ表現主義を打ち立てた「ブリュッケ」のオットー・ミュラー（１８７４〜１９３０年）やエルンスト・Ｌ・キルヒナー（１８８０〜１９３８年）は１９１１年にチェコを訪れ、その後もオスマのメンバーであったクビシュタやノヴァクをはじめとして、プラハの芸術家たちと繋がりを維持した。なお、クビシュタはブリュッケの客員メンバーともなっている。

　１９１１年、マーネス協会から一部の芸術家たちが一斉に脱退し、彼らを主な構成員として「造形芸術家グループ」が立ち上げられた（ただし大半は第一次世界大戦中か大戦後にマーネス協会に戻っている）。メンバーの多くは、当初は表現主義に、１９１２年以降はキュビスムに傾倒した。チェコ語話者を中心とするグループではあったが、１９１２年秋に開かれた2回目のグループ展には、オスマのメンバーでもあったドイツ語話者のノヴァクとファイグルがゲストとして参加している。2人の他にも、ブリュッケのヘッケル、キルヒナー、ミュラー、シュミット＝ロットルフや、フランスからピカソ、フリース、ドランが参加した。また、造形芸術家グループはミュンヘンとベルリンでも展覧会を開いている。

チェコのキュビスムは、その表現主義との関係性の深さから、しばしばフランスのキュビスムとは区別され、美術史家のカレル・ラマチュはこれを「立体表現主義」と呼んだ。こうした傾向は、画家ボフミル・クビシュタや彫刻家オットー・グートフロイントにとりわけ強く見出された。また、一般にフランスのキュビスムが絵画上の潮流を指すのに対し、チェコではゴチャールやヤナークに代表される建築や産業芸術作品に対してもキュビスムという名称が用いられる。これらには「ロンドキュビズム」や「ナショナル・スタイル」、「チェコ・アールデコ」など様々な名称も付与されているが、このことは当該芸術作品をどの程度、あるいはどのようにナショナルなものとして解釈するかの違いに由来し、それ自体チェコの美術史上の難問となっている。

プラハで表現主義やキュビスムの運動が巻き起こったのと同じ頃、パリではクプカが抽象芸術の礎をまさに築かんとしていた。神秘主義やオカルティズムに傾倒しつつも、自然科学や生理学等の勉強にも励んだクプカは、生命の循環や宇宙の根源というテーマに関心を抱き、円環といった抽象的モチーフにたどり着いた。1912年のサロン・ドートンヌに出品された《アモルファ、二色のフーガ》は西洋美術における抽象絵画の先駆けと見なされている。彼の芸術思想は『造形芸術における創造』という本にまとめられ、1923年にマーネス協会から出版されたが、チェコ語であるために長らく西洋美術史の文脈において十分な評価を与えられてこなかった。現在では、クプカはカンディンスキー、

マレーヴィチ、モンドリアンに並ぶ抽象絵画の祖に位置づけられている。

近代チェコ芸術の発展は、言語的な障壁やナショナリズムの問題の複雑さから、ヨーロッパという広い文脈の中で体系的に理解することがとても難しいテーマである。しかし、かれらの活動はチェコという地域的な、あるいはナショナルな文脈に根差しつつも、絶えずヨーロッパ諸都市の芸術家たちとの関係性の中で展開されていった。幸いなことに近年では中東欧芸術に対する英語圏での関心が高まっている。ナショナルな枠に閉じこもらず、また西欧中心主義にも陥らない、よりバランスの取れた理解が今後は可能となっていくだろう。

（中辻柚珠）

48

20 世紀以降の造形芸術

―――★日常性のなかのポエジー★―――

ドイツやフランスなど、近隣諸国の芸術潮流の影響を受けてきたチェコ美術だが、独自の潮流を1つだけ挙げるとすれば、それはポエティスムとなるだろう。

1920年代、芸術理論家カレル・タイゲと詩人ヴィーチェスラフ・ネズヴァルが中心となって結成されたのが芸術家集団デヴィエトスィルだ。労働者のための芸術を探求する詩人、劇作家、建築家、画家などが集い、雑誌などを刊行して多様な表現を模索していたが、1924年、プロレタリア芸術から一歩先を進み、ポエティスムという独自の概念を提示する。日常生活のなかにポエジーを見出そうとするその芸術は、汗や涙を想起させるプロレタリア芸術とは異質のものだ。というのも、仕事に疲れた労働者は小難しい文章よりも、一瞬の安らぎをもたらす娯楽的な要素を求めているとして、かれらが手掛ける文学や雑誌には、旅やサーカスなどのモティーフが多用される。画家インジフ・シュティルスキー（1899～1942年）、トワイヤン（1902～1980年）がこの時期に手掛けた絵画も同様である。なかでも、タイゲが力を注いだのが装丁である。高名な画家の絵画は高価で庶民は入手できない、だが上質のデザイ

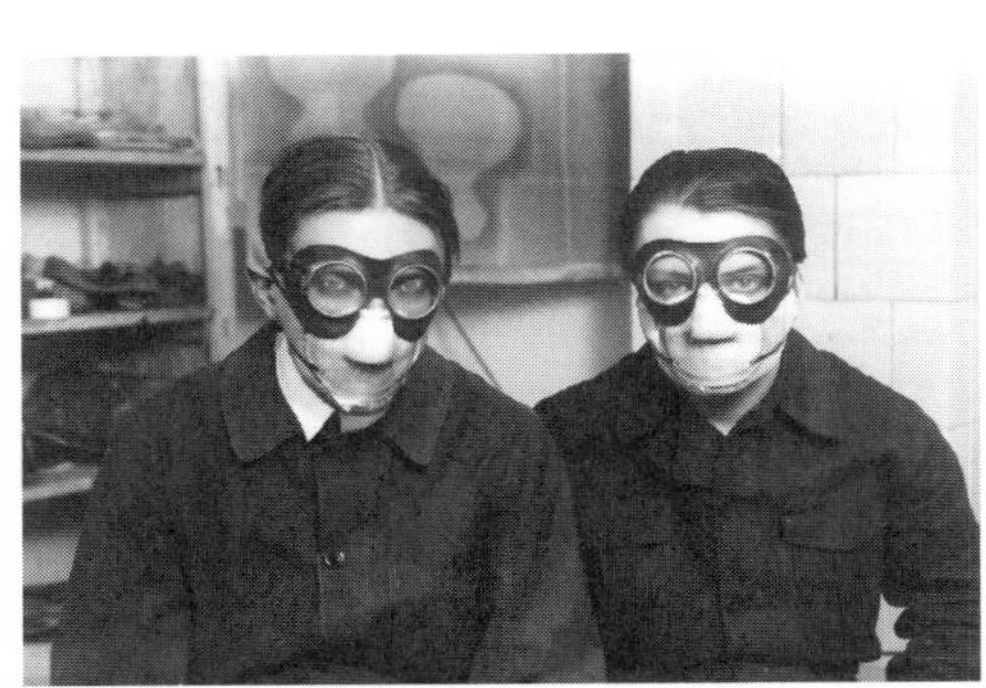
シュティルスキーとトワイヤン（撮影者・撮影年不明）

ンを施した書籍であれば、誰もが入手できると考え、複製芸術の重要性を説いたからである。

しかしながら1930年代に入り、戦争の足音が近づくと、ポエティスムの享楽的な世界観は訴求力を失う。代わって、勢いを増したのがシュルレアリスムである。パリ、ブリュッセルに次ぐシュルレアリスム第三の都市として、プラハはその名を轟かせることになる。シュティルスキーは絵画と写真において、トワイヤンは油絵と素描において独創的な世界を創出し、20世紀芸術に大きな影響を残す。シュティルスキーは戦中に他界し、トワイヤンは戦後パリに移住するが、タイゲは妥協なき姿勢でシュルレアリストであり続ける。その妥協なき姿勢はのちにヤン・シュヴァンクマイエル（1934年〜）ら、次世代のシュルレアリストたちに多大な影響を与える（今日なお、チェコにはシュルレアリスムグループが存続している）。

戦後、社会主義体制になって芸術の環境だけではなく、芸術の位相も変質する。たしかに社会主義リアリズムは、芸術の幅を狭め、内面世界を表出するシュルレアリスムは否定され、それゆえ、民衆的、労働者を意識した作品が称揚されたが、変化は主題だけではない。理論家インジフ・ハルペツキー（1910〜1990年）は、社会主義体制下のチェコの芸術と西側の芸術は、その条件だけではなく、芸術そのものが異なっていると指摘する。西側の芸術家は観衆に直接訴え欠けることが可能だが、チェコの芸術家は展示の機会がなく、外部から刺激を受けることもない。だが時代の潮流や市場の動向に影響されることもなく、モノローグ的な作品が多く見られるとする。彫刻家カレル・ネプラシュ（1932～2002年）の《対話》の作品群、あるいは、シュヴァンクマイエルの映画「対話の可能性」などはモノローグ的な探求が多い中で対話への渇望を示している。

戦後、多くの芸術家の精神的な支柱となっていたのが、詩人、コラージュ作家イジー・コラーシュ（1914～2002年）である。ハルペツキーとともに「グループ42」の一員として活動したのち、プロレタリア芸術の可能性を信じ、前衛的な詩を書き続けていたが、60年代の視覚的な詩を経て、コラージュに至る。脳梗塞を患い、文字を知らない、書けない人が詩を書いたらどうなるだろうか、という問いかけが彼のコラージュの原点となっている。実験を恐れず、かつ芸術における倫理性を重視した彼の姿勢は、パリに亡命してからも多くの人々に影響を与えた。

ダヴィット・チェルヌィーによる聖ヴァーツラフ像（1999）。プラハ中心部のルツェルナ内にある（筆者撮影）

1989年以降の美術もまた、その性質を変容させた。批評家イジー・プシーバーンは、現代のポストモダン美術の特徴として、歴史の再利用を挙げている。ダヴィット・チェルヌィー（１９６７年〜）はその典型的なアーティストの1人だ。プラハの中心部のシンボルはヴァーツラフ広場の聖ヴァーツラフ像だが、ダヴィットは馬を１８０度上下に回転させた彫像をつくり、同広場に隣接するルツェルナ宮内に設置した。またプラハ城はこれまで権威の象徴であったが、その手前にピンク色のネオンによるハート型のオブジェ《プラハ城のハート》を設置し、ポップで親しみやすい城へと変貌させた。

イヴァン・ピンカヴァ（１９６１年〜）は圧倒的な質感と荘厳さを写真にもたらす芸術家である。２０１４〜15年シーズンのブルノ国立劇場のポスターを手掛けた際には、歌手ではなく、劇場に働く裏方の人々をモデルとし、市井の人々の威厳ある姿を見事に描き出した。

カテジナ・シェダー（１９７７年〜）もまた日常性を礼賛するアーティストの1人だ。「あそこには何もないよ」と言われるモラヴィアの村に住む三百人の村民に対して、土曜日に同じ活動（起床、買い物、食事）をしてもらうが、予想外のことに、夜になると皆で宴を始める。この様子は映画、書籍の形で収録され、日常的な行動が特別な意味をもつ瞬間を見事に捉えている。

ポエティスムの芸術家たちは日常性にポエジーを見出そうとしたが、その精神は、時代を経てもなお、また対象や媒体が多様化しながらも新しい世代の芸術家に継承されている。

（阿部賢一）

49

クラシック音楽（1）

★古典派からロマン派へ★

いわゆるクラシックのジャンルに含まれるチェコの作曲家は150人に及ぶ。その系譜を具体的に知りたい方は、『チェコピアノ作品集』（全2巻・全音楽譜出版社、解説・関根日出男）、および、その実演を収録したCD（演奏・伊藤仁美ほか）を参考にされると良いだろう。代表的な作曲家15名のピアノ曲に限られるとはいえ、音楽を聴きながら18世紀から20世紀前半までの変遷を辿ることができるのは貴重である。

チェコの作曲家たちが最初の大きな輝きを見せたのは18世紀である。例えば、マンハイム楽派の創始者となったヤン・スタミツ（ドイツ語圏ではヨハン・シュターミッツと呼ばれる。1717～1757年）や、イタリアで活躍し、モーツァルト（1756～1791年）にも影響を与えたヨゼフ・ミスリヴェチェク（1737～1781年）らが挙げられよう。古典派様式の発展に貢献した彼らは、多くの場合、チェコ以外の場所に活躍の場を見いだしていた。18世紀末にヨーロッパ各地を旅行したイギリスの音楽家チャールズ・バーニーは、ボヘミア（現在のチェコ西部）における充実した音楽教育を称賛しつつも、この地域の貧しさを指摘している。当時のチェコでは、才能ある音楽家を支えるだけ

モーツァルトの「ドン・ジョヴァンニ」が初演されたプラハのエステート劇場（筆者撮影）

の富裕な貴族や市民が少なかったのである。

こうしたなか、有力貴族のノスティツ伯爵により、1783年にエステート劇場（チェコ語名スタヴォフスケー劇場。当初の名前はノスティッツ劇場）が建てられたことは、大きな意味を持っていた。プラハではこれまでなかったような壮麗な劇場にて、モーツァルトのオペラ「ドン・ジョヴァンニ」も初演された。プラハの人びとは、ウィーンにて必ずしも正当に評価されていなかったモーツァルトを熱狂的に歓迎したと言われている。当時はヨーゼフ2世による急進的な改革が進んでいた時代である。彼の望みは、多様性に富んだハプスブルク帝国を中央集権的な国家へと変え、一元的かつ合理的な統治をもたらすことだった。だが、あまりにも性急な改革は各地で反発を呼び、地域ごとの愛郷主義（パトリオティズム）を引き起こすこととなる。プラハの人びとがモーツァルトに並々ならぬ関心を示した背景には、音楽自体の素晴らしさはもちろんだが、ウィーンへの対抗という含みがあったのかもしれない。

冒頭で紹介した『ピアノ作品集』の第1巻が18世紀の「古典派」を扱っているのに対し、19世紀以降の「近代」を対象とする第2巻はベドジフ・スメタナ（1824～1884年）の楽曲から始まる。だが、両者には同じ地域の音楽とは思えないほどの違いがある。この断絶を理解するうえでは、ウィーンを中心に活躍したルートヴィヒ・ヴァン・ベートーヴェン（1770～1827年）が手がかりとなる。フランス革命の影響下で本格的に音楽家としてのキャリアをスタートさせた彼は、自立した個人を前提とした作品を書くようになった。例えば「英雄」と題する交響曲第3番では、個人の成長物語が音楽のなかで表現されている。最後は大団円で終わる場合であっても、その過程では個人の挫折や葛藤が示され、人間の内面や感情に踏み込むロマン派的な描写が目立つようになった。

スメタナが生きたのは、ベートーヴェン以降の時代、すなわち、近代的な個人主義を前提とするロマン派の時代であった。ここにもう1つの要素としてナショナリズムが加わる。プラハを含むヨーロッパ各地で勃発した一八四八年革命の際、当時24歳だったスメタナは、他の多くの者と同様チェコ人としての自覚を持つようになり、チェコのマルセイエーズ（現在のフランス国歌）たらんとする「自由の歌」を作曲した。

とはいえ、スメタナがすぐに国民学派と呼ばれるような作曲家になったわけではない。革命が鎮圧された後のハプスブルク帝国では、民族の権利を求める運動は抑え込まれた。その後のスメタナは、イェーテボリ（スウェーデン）にて音楽教師の職に就き、その傍らピアニスト兼作曲家としての活動を継続した。彼にとってのモデルは、超絶技巧のピアニストとしてヨーロッパ各地で人気を博していたフランツ・リスト（1811〜1866年）である。当時の彼は、敬愛するリストに倣って交響詩の作曲に心血を注いでいるが、この時に書かれた3曲の交響詩は、いずれもチェコとは関係のない題材を用いて作られている。

だが1860年よりハプスブルク帝国における自由化が進み、チェコでの民族運動が活発化する兆しを見せ始めた段階で、スメタナは故郷への帰還を決意した。それまで使っていたフリードリヒというドイツ語の名前をチェコ語の表記に変え、ベドジフ・スメタナと名乗るようになったのもこの時である。60年3月には、家族以外の者に対して初めてチェコ語の手紙を送っている。その冒頭では、「何よりもまず、私の文章において数多く見られる綴りと文法の誤りについてお許し願いたい」との文言が添えられていた。母語がチェコ語であったとはいえ、初等学校より一貫してドイツ語で教育を受けてきた彼にとっては、チェコ語で書くことは困難だった。しかし、これは珍しいことではなかった。母語がどちらであるにせよ、当時のエリート層は例外なくドイツ語で教育を受けていた。チェコ人として生きることを選択した人びとは、ドイツ語が問題なく使えるにもかかわらず、相当な努力をしてチェコ語を用い、ドイツ人社会とは異なる独自の公共空間を創出しようとしたのである。

スメタナもまた、音楽の領域において、チェコ人として誇りうる文化を生み出していく。オペラ「売られた花嫁」や「ヴルタヴァ（モルダウ）」を含む6曲からなる連作交響詩「我が祖国」が特に有名である。だが当時は、チェコ的な音楽とは何かということ自体が議論の対象となっていた。スメタナは、リストの交響詩やヴァーグナー（1813〜1883年）のオペラなど最先端とされた音楽を積極的に学び、自らの作品に取り込んだが、まさにその点が批判された。農村において歌い継がれてきた民謡こそがチェコ音楽の本質と考える「保守派」からすれば、スメタナのような「進歩派」はドイツ音楽の後追いに過ぎなかった。逆に「進歩派」から見れば、農民の歌を寄せ集めただけの「遅れた」音楽に甘んじていては、いつまでたっても近代的なドイツ音楽に追いつけないのであった。以上はやや単純化した説明だが、こうした「進歩派」と「保守派」の対立に、スメタナ、そして、彼より年下のアントニーン・ドヴォルザーク（1841〜1904年）など当時の作曲家は、好むと好まざるとにかかわらず巻き込まれていったのである。

（福田宏）

50

クラシック音楽（2）

★国民楽派とその後★

１８８７年10月29日、プラハではモーツァルトの「ドン・ジョヴァンニ」初演１００周年を記念する公演がチェコ人側とドイツ人側で別々に行われた。前章で述べたように、18世紀末にはウィーンへの対抗という意味での地域単位の愛郷主義（パトリオティズム）が高まりつつあったものの、チェコ内部でのドイツ人とチェコ人の違いといった点はあまり意識されていなかった。また、当時においてはオペラをイタリア語で書くことは半ば常識であり、「ドン・ジョヴァンニ」もイタリア語の台本を元に作曲されていた。エステート劇場での１００周年公演にあたり、ドイツ系主催者はオリジナルの再現という意味でイタリア語での上演を予定していた。だが、それに対して反発が生じたことから、19世紀末の記念公演はドイツ語で上演された。ドイツ系ナショナリストからすれば、モーツァルトはドイツ人であり、その作品はドイツ語で演じられなければならなかった。

これに対し、チェコ系主催者は「ドン・ジョヴァンニ」をチェコ語で上演した。ただし、イタリア語版のオリジナルを忠実に再現すべく、その後の上演でカットされた部分などを付け加えた結果、通常は３時間弱の長さに収まるところ、この時の公演では4時間半もの時間を費やした。モーツァルトの「普遍的」作品をオーセンティックに演奏することは、チェコ文化のレベルの高さを示すことと理解された。このように19世紀末のチェコ社会は、100年前のモーツァルトを巻き込んでしまうほど、ナショナリズムの強い磁場の下に置かれていたのである。なお、チェコ側の「ドン・ジョヴァンニ」は、チェコ文化の殿堂として1881年に建てられた国民劇場（火災による焼失後83年に再建）において上演されている。88年にはドイツ側の新ドイツ劇場も建設されたため、既存のエステート劇場と併せ、プラハでは3つのオペラハウスが林立することとなった。

さて、スメタナと並ぶチェコ国民楽派の代表的作曲家、アントニーン・ドヴォルザーク（1841〜1904年）は、こうした本格的なナショナリズムの時代に自らのキャリアをスタートさせた。ドヴォルザークがスメタナと大きく異なっていたのは、自らの作品が国際的に知られるようになったことである。そのきっかけは、ヨハネス・ブラームス（1833〜1897年）がドヴォルザークを高く評価し、楽譜出版社に彼を紹介したことだった。ヒット作となったのはピアノ連弾用に書かれた「スラヴ舞曲集」である。当時は、数を増しつつあった新興市民層がピアノを購入し、子どもたち（多くの場合、娘たち）に習わせようとした時代でもあった。その際、うってつけの素材となったのが、親しみやすいメロディーを持つ「スラヴ舞曲集」や、ブラームスの「ハンガリー舞曲集」だったのである。

ドヴォルザークは、ニューヨークの私立音楽院にも院長として招かれている。アメリカ先住民（インディアン）の伝統音楽や黒人霊歌に魅了された彼は、アメリカ独自のオペラを作って欲しいという要望にも積極的に応えようとしていた。題材としたのは、先住民の英雄を謳ったロングフェローの叙事詩「ハイアワサの歌」である。このオペラは完成に至らなかったものの、当時のスケッチの一部は、彼の代表作であるチェロ協奏曲や交響曲第9番「新世界より」にも使われたと考えられている。

ここまで見てきたように、程度の差こそあれ、どの作曲家についても多種多様な相互作用のなかで作品を生み出してきたのであり、何をもってチェコ的な音楽かを判断することは難しい。だが、ナショナリズムが高まる時代においては、これは極めて重要な問題だった。特に、スメタナとドヴォルザークのどちらが真のチェコ音楽なのかという論争は、むしろ当人たちが亡くなった後の20世紀初頭に激化し、その余波はさらに半世紀あまりにわたって続いたのである。

とはいえ、こうした終わりのない対立を軽やかに乗り越える作曲家も現れた。その1人がボフスラフ・マルティヌー（1890～1959年）である。彼は第一次世界大戦末期に荘厳なカンタータ「チェコ・ラプソディ」を作曲し、チェコスロヴァキアが独立した直後の初演で大成功を収めたが、こうしたナショナリスティックな作品は例外的だった。両大戦間期にはフランスを中心に活躍し、ビッグバンドを思わせる「ル・ジャズ」や、サッカーの試合を見てインスピレーションを得た「ハーフタイム」など軽妙洒脱な管弦楽曲を発表した。多作かつ研究熱心な作曲家として知られた彼は、ルネサンス期のポリフォニーからイーゴリ・ストラヴィンスキー（1882～1971年）に至る多様な音楽を学び、合計で約400の作品を書いている。彼は第二次世界大戦におけるナチスのフランス占領を受けてアメリカに亡命した後、戦後は故国への帰還を望んでいたようである。だが、チェコスロヴァキアがソ連を中心とする東側ブロックに組み込まれたために帰国を断念し、最後はスイスで没した。

マルティヌーとは対照的に、ローカルな場に留まりながらも、ある意味で地域を飛び越えるような

普遍的な音楽を生み出した作曲家もいる。モラヴィアを拠点として活動したレオシュ・ヤナーチェク（1854～1928年）である。彼はドヴォルザークのすぐ下の世代だが、広く知られるきっかけとなったオペラ「イェヌーファ」を書き上げたのは20世紀初頭の50歳を目前にした頃だった。そのプラハ初演は1916年、彼が61歳の時である。だが、その後の活躍は目覚ましい。主要な作品の多くは両大戦間期に書かれており、例えば「シンフォニエッタ」や「グラゴル・ミサ曲」といった管弦楽曲は、70代の作品とは思えないほどの強烈なエネルギーを発している。

ヤナーチェクは積極的に民謡を収集しただけでなく、発話旋律、すなわち言葉自体がメロディーになりうるとの発想に基づき、街角での人びとの会話まで五線譜に書き取っていた。例えば、「こんばんは」という挨拶の言葉1つとってみても、本人の性格や会話の相手によってイントネーションや声の調子が変化するものである。彼は市井の人びとによる人間模様を、方言による発話そのままの形で音楽に凝縮し、オペラへと発展させた。

ヤナーチェクと同じモラヴィア出身のアロイス・ハーバ（1893～1973年）は、微分音の作曲家として知られる。その原点となったのは、彼自身が幼少期に馴染んでいた民謡だった。日本も含めた世界各地には、西洋音楽のドレミとは異なる音律が多数存在したものの、その多くは西洋化の過程において失われ、古くから歌われてきた民謡についても、オクターヴを構成する12音のどれかに当てはめて五線譜に記録されるようになった。だが、ハーバは半音階よりさらに細かい四分音（例えば「ド」と「ドのシャープ」の間の音）を設定し、12音に当てはまらない音を表現しようとした。

20世紀初頭は、こうした微分音だけでなく無調や一二音技法などの試みによって近代的西洋音楽の前提が覆されつつあった時代である。ハーバはウィーンやベルリンでの滞在中に音楽の新しい潮流を吸収し、アラブ音楽における微分音の存在についても学んだ。彼は１９３２年にエジプトのカイロで開催されたアラブ音楽会議に招かれ、自らが設計した四分音ピアノを披露してもいる。代表的な作品としては、四分音を用いたオペラ「母」のほか、五分音や六分音をも含む弦楽四重奏曲が挙げられる。

ここまで２つの章を使ってクラシック音楽について紹介してきた。チェコと言うとどうしても国民学派が注目されがちであり、実際にナショナリズムの影響が強かったことも事実だが、どの作曲家の活動についてもチェコという枠のなかで完結していたわけではない。音楽配信サービスが発達した現在では、かなりマイナーな作品まで聴くことが可能である。それぞれの時代について、ドヴォルザークとブラームス、マルティヌーとストラヴィンスキーといった横のつながりを意識しながら作品を聴いてみることをお勧めしたい。

（福田宏）

ハーバによって考案された四分音ピアノ（1924年製造）（VitVit, CC BY-SA 4.0）

51

演劇

★わが故郷を作る劇場はいずこ★

犬も歩けば劇場に当たると言えるほど、プラハやブルノ、オロモウツなどのチェコの街には劇場がひしめきあっている。これだけ今も演劇が人々に愛されている背景には、チェコ社会において演劇と劇場が果たしてきた意義の大きさがある。本章では駆け足になるが、それを追って紹介していこう。

チェコで記録されている最初の演劇は、中世に遡(さかのぼ)る。概して中世のヨーロッパでは、演劇とキリスト教が伝道という観点から密接に関わっていた。14世紀に書かれた『3人のマリアの劇』は、チェコの地で残存する最古の典礼劇だ。世俗的要素を含む劇『軟膏売り』は、ラテン語だけでなくチェコ語のやりとりが見られる最古の戯曲。これらの演劇の役者は、教会に所属する聖職者や修道士、遍歴の道化師であった。

フス派戦争後は大学やイエズス会の教会などを中心に、ラテン語の演劇が繁栄した。特に教育学者のヨハネス・アモス・コメニウス（1592〜1670年）は、自身の教育学の体系に演劇を組み込んだ。また、各地の城に劇場が設けられ、外国からの劇団が客演を行った。17世紀にチェスキー・クルムロフ城に併設された劇場は、世界でも数少ない現存するバロック劇場だ。

そして当時、チェコ語演劇は、農村部の教師や修道士の手による民衆演劇として受け継がれていった。

近代チェコの民族運動において、演劇に期待された役割は大きい。それは、ハプスブルク帝国下で公式な場ではあまり用いられなくなったチェコ語とその文化の存在証明、チェコ語話者の教育・啓蒙、さらにチェコ語コミュニティをつなぐメディアとしての役目である。こうして、チェコ人のための劇場開設とチェコ語演劇の発展が目指された。１７８１年設立のプラハのノスティッツ伯爵劇場では、主にドイツ語作品が上演され、モーツァルトのオペラ『ドン・ジョヴァンニ』（１７８７年）の世界初演も行われたが、１８１２年からは毎週日曜日と祝日の午後に定期的なチェコ語公演が認められた。ちなみにこの劇場は「エステート劇場」という名で今も劇場として使われている。そしていよいよ19世紀前半には、チェコ語の公演に特化した国民劇場の開設が唱えられるようになり、チェコ語の劇作家も増えていった。その代表人物ヨゼフ・カイェターン・ティル（１８０８～１８５６年）の戯曲『フィドロヴァチカ』（１８３４年）の挿入歌「わが故郷はいずこ」は、現在のチェコ国

1960年代から今まで公演が行われているナ・ザーブラドリー劇場（筆者撮影）

ヴルタヴァ川ぞいにそびえる国民劇場（筆者撮影）

歌となっている。

国民劇場建設への道のりは長かった。1851年に劇場建設のための募金が始まり、62年には仮劇場が完成、68年の国民劇場定礎式は、象徴的な一大イベントとなった。ついに1881年、ベドジフ・スメタナ（1824～1884年）のオペラ『リブシェ』の初演によって、悲願の国民劇場開場が果たされるも、2ヵ月後に火災により全焼し、1883年に再開された。20世紀に入ると、プラハ市内、またブルノやプルゼンといったほかのチェコの都市にも、多くの劇場が開設されていった。

19世紀末にかけて、スメタナやドヴォルザークといった作曲家のオペラの傍らでチェコの劇場を彩ったのは、農村を舞台としたリアリズム戯曲だった。ムルシュチーク兄弟（アロイス1861～1925年、ヴィレーム1863～1912年）の『マリシャ』（1894年）やガブリエラ・プライソヴァー（1862～1946年）の『彼女の養女』（1890年）は中でも傑作で、特に後者はのちにヤナーチェクが『イェヌーファ』（1904年）というタイトルでオペラ化している。

第51章
演　劇

第一次世界大戦後の時期は、才能ある演劇人の宝庫だ。劇作家・ジャーナリスト・作家のカレル・チャペック（１８９０〜１９３８年）は、『ロボットＲＵＲ』（１９２０年）や『白い病』（１９３７年）、『母』（１９３８年）など、広く人道に訴えかける作品を生み出した。また、アヴァンギャルドの影響を受けた小劇場も隆盛を迎える。俳優ヤン・ヴェリフ（１９０５〜１９８０年）とイジー・ヴォスコヴェツ（１９０５〜１９８１年）、作曲家兼ピアニストのヤロスラフ・イェジェク（１９０６〜１９４２年）が活躍した、時代の諷刺と軽妙な言葉遊びが持ち味の解放劇場や、「ヴォイスバンド」という音楽的な韻文朗読を特徴とするエミル・フランチシェク・ブリアン（１９０４〜１９５９年）の劇場などは、演劇界に新しい刺激をもたらした。ナチス占領時はチェコ語の公演が制限され、その反動で、チェコの愛国的な作品が盛んに上演された。

第二次世界大戦終結後、共産党政権が樹立すると、１９４８年に劇場法が発令され、チェコとスロヴァキアのすべての劇場が政府の管理下におかれた。社会主義リアリズムが文化の規範となり、検閲が行われた。そんな状況に風穴があきはじめるのが、「雪解け」期を経た１９５０年代後半から60年代だ。ヨゼフ・トポル（１９３５〜２０１５年）の『彼らの日』（１９５７年）やミラン・クンデラ（１９２４〜２０２３年）の『鍵の所有者』（１９６２年）など、党のイデオロギーを払拭した優れた戯曲が執筆された。また、政府管理下の大きな劇場に対抗するように、ナ・ザーブラドリー劇場、セマフォル、演劇（チノヘルニー）クラブ（クルプ）といった小劇場が勃興し、それまでの石化した演劇文化と一線を画した。特にナ・ザーブラドリー劇場は劇作家ヴァーツラフ・ハヴェル（１９３６〜２０１１年）のデビュー作『ガーデンパーティー』（１９６３年）など、日常生活に潜む権力の不条理を題材とする演目で、議論を巻き起こした。

ヴァーツラフ・ハヴェル（1962年）撮影：ヤロスラフ・クレイチー（Jaroslav Krejčí, CC BY-SA 4.0）

このように文化の栄えた「黄金の60年代」も、１９６８年のワルシャワ条約機構軍の侵攻によって終わりを告げる。70年代の「正常化」時代には、多くの劇作家や演劇人が、公式の場での活動を大きく制限された。小劇場の伝統は、より非公式で即興性の高いスタジオ型劇場や、個人の邸宅・別荘などを会場とする非常設型の公演などに受け継がれた。一方共産党のお膝元となった国民劇場では、ハヴェルが発起人に名を連ねた反体制運動・憲章77を受けて、政府側の弾圧運動「反憲章」が結ばれた。権力と抵抗の応酬の場としての演劇文化と劇場がその究極的役割を発揮したのは、１９８９年のビロード革命の際である。様々な反体制勢力が小劇場の演劇クラブに集結し、ハヴェルをトップとする市民フォーラムが形成されて、革命後の政府の中核となった。

１９８９年以降は、検閲の廃止によって、それまで活動を制限されていた演劇人たちが復権し、新しい世代の才能ある演劇人たちが頭角を現した。今日に至るまで、大小の劇場で名作の演劇・オペラ、最新の実験的なパフォーマンス上演が行われるなど、演劇文化は根強く残っている。英語字幕付きの演目も近年は増えているので、チェコを訪れた際は、ぜひ劇場に足を踏み入れてみてはいかがだろうか。

（豊島美波）

52

チェコの人形劇

★伝統に根付くチェコの無形文化遺産★

チェコ共和国は、演劇、音楽、建築、アニメーション、絵本など様々な芸術が盛んな国である。中でも「人形劇」は世界的に見ても盛んな国といえる。では、「チェコの人形劇」はどのようなものだろうか。新しい表現を模索し発展し続けている「チェコの人形劇」は、一口で説明しきれない。それだけ、多くの演出家や舞台美術家が存在し、多種多様な劇があり、日本人が人形劇と聞いて想像するようなクラシカルな人形劇から、ダンスやサーカスとコラボしたもの、巨大な人形から小さな人形、最先端の技術や映像を駆使したものや様々な素材でできた人形が存在する。多様な文化との融合を果たしている。時には、人形劇として観劇しているにもかかわらず人形が登場しない場合もある。子供から大人まで楽しめる娯楽性もあり、芸術性も高い一面も持っている。そのような「チェコ人形劇」は、チェコの歴史と伝統の結晶であることが認められ、２０１６年にユネスコから評価され無形文化遺産に登録された。

どうしてチェコで「人形劇」が発展してきたのか。

その背景には、中央ヨーロッパに位置するチェコが、周囲の国の脅威に晒されてきた歴史がある。17世紀以降、役所などのてきたと言われている。

言語はドイツ語が主となり、チェコ語の利用できる場は限られていた。18世紀後半になると、チェコ語での人形劇の上演が増えたため、「人形劇」はチェコ人の言葉を守り、「アイデンティティ」を守ってきたと言われている。

また、ソ連の強い影響下に置かれていた社会主義体制時代には、西側の文化に傾倒することは禁止されていた。社会批判、政治批判をするだけで「政治犯」として投獄されてしまう危険性があったため、人々は内なる想いを声に出せずに堪えしのぐ生活を強いられていたのだ。思想を広く流布できる演劇は厳しく当局の台本検閲を受けてきたが、「人形劇」は子供のためのものと位置づけられ、比較的、検閲を厳しくされないという利点があった。人々は人形たちに「人々の心の本音」や「政治批判」を代弁させて暗に政権と戦っていたのだ。

そのような歴史的背景を持つチェコでは、「人形劇」の役割は大きかったと言える。したがって、現代にいたるまで、各都市に人形劇場があり、学校、家族で観劇をする習慣――「人形劇」に対する文化が根付いている。世界で初めて「人形劇」を学べる国立大学が誕生したのもチェコであった。

1945年10月27日、チェコの首都プラハにて、プラハ芸術アカデミー演劇学部（DAMU）が設立された。本校ではストレート・プレイ（セリフや演技による俳優の掛け合いで、ストーリーが展開される一般的な劇）と人形劇を学べる学部がある。一学年の人数が、俳優（男女5名ずつ）、演出家・脚本（5名程度）舞台美術（5名程度）、プロダクション（5名程度）と、25名程度の少数精鋭な環境下でプロの教授陣から学ぶことができる。現在では、英語で学べる科も誕生し留学生が来やすい環境になっている。まずは、サマー・スクールも開講されているので試してみるのも良いだろう。

日本でも人気の高いアニメーション作家、映画監督のヤン・シュヴァンクマイエルも同校の人形劇学科を卒業している。多くの作品の中で、シュヴァンクマイエルにとって人形劇が大きく影響しているだろうと言われている。

また、世界中の人形劇人で組織された国際人形劇連盟（通称：ウニマ）も１９２９年にプラハ（当時はチェコスロヴァキア）で設立された。設立時は11ヵ国からなる組織だったが、現在ではおおよそ１００ヵ国以上の国から成り立ち人形劇の発展に貢献している。

また、人形劇とは少し離れるが、１９６７年から始まった舞台美術のオリンピックといわれているプラハ・カドレンナーレ（通称：ＰＱ）という国際舞台美術エクスポも4年に1回プラハで開催されている。

スペイブルとフルヴィーネック劇場（プラハ６区）の壁面（筆者撮影）

このように、チェコの人形劇・演劇は世界に大きく影響している。プラハを訪れる機会があれば、一度、人形劇場に足を運んでみることをお勧めする。

現代の人形劇では、大概の場合、人形を操る俳優も人形と共に舞台に登場し演技をしている場合が多い。日本には「人形遣い」という言葉があるが、チェコでは人形を操る人たちも「俳優」という位置づけになり、人形を操り、自分自身も演じ、歌い、

『アンネの日記』（ウヘルスケー・フラジシュチェ、スロヴァーツケー劇場にて筆者撮影）

踊り、時には楽器も演奏するのである。また、音楽家たちによる生演奏で上演されることが多いので迫力や躍動感が抜群である。

もちろん、日本人が想像するタイプの人形劇——人形しか出てこない人形劇も存在する。チェコにおいては「古典人形劇」というカテゴリーになる。

20世紀初頭、ヨゼフ・スクパ（1892〜1957年）が率いた「スペイブルとフルヴィーネック劇場」が誕生する。この劇場は、最初プルゼンにおいて設立され戦後プラハに移動し、チェコにおいて最初のプロの人形劇場となる。先に書いた人形のみで構成された古典人形劇で、現在でもプラハにて観劇することができる。

プラハにおける人形劇場は、他にも「ミノール劇場」「ブフティ・ア・ロウトキ劇場」などがとても有名である。これらの劇場では、現代的な人形劇を観劇することができる。

人形劇を見にチェコへ行きたいという方がいたら、人形劇フェスティバルがおすすめだ。

1日の間に何回も上演がありチェコだけでなく、周辺国の人形劇場も上演するケースもある。プラハでの観劇であれば、毎年8月後半に開催される「レトニー・レトナー（夏のレトナー）」がお勧めだ。プラハ7区にあるレトナー公園の敷地内に沢山の上演用テントが建ち、メインはコンテンポラリー・サーカスの演目が繰り広げられる。コンテンポラリー・サーカスとは、サーカスという枠組みを越えてアクロバティックな動きとストーリーが融合したシルク・ドゥ・ソレイユのような演目である。その中のテントに人形劇を上演するテントや野外劇場などもあり多くの人で賑わう。

各都市に大きな人形劇フェスティバルはあるが、他にも7月にプルゼンとリベレツの街で交互に開催される「マテジンカ」や、6月に開催されるフラデッツ・クラーロヴェーの「ヨーロッパ地方の演劇祭」なども有名である。

演劇の醍醐味は、観客がいることではじめて劇として成立し、演者との間のその瞬間にしか生まれない臨場感にある。同じ演目を100回公演しても、決して同じものにはならないのだ。コロナ禍で劇場での上演が難しくなった時期には沢山の新たな「人形劇」の形が模索された。映画のように撮影された形で発表されたり、なんとか生感を伝えたいとリアルタイムでネット上に放送したり。多くの模索は次への発展につながる切っ掛けとなった。映像で見ることが可能になれば、時間も場所も関係なくなりより多くの人に見てもらえる可能性を秘めている。

とは言うものの、その場その時その瞬間でしか生まれない生の「人形劇」を見ていただきたいものだ。

（林由末）

『親指姫』（ブルノ、ラドスト劇場にて筆者撮影）

53

映　画

★市井の人々を映す★

チェコではじめて映画が上映されたのは1898年のことである。1896年にフランスで発明されたシネマトグラフをチェコの技師や建築家のグループが購入し、プラハの展示場に特設テントを設置して、数ヵ月間にわたって興行を行ったのである。1900年代以降、都市部を中心に常設映画館が作られ、定期的な上映が催されるようになると、映画は都市生活における新しい娯楽として浸透していった。

1918年、オーストリアから独立すると、チェコでも映画の撮影がさかんになり、制作数は年々伸び、1920～30年代には1年あたり40本程度にまで増えた。大規模な映画撮影所が創設され、映画産業はますます成長した。『エロティコン』（公開年1929年、監督マハティ）（以下、作品名の後の括弧内は公開年、監督名）、『春の調べ』（1933年、マハティ）などが映画祭で注目を集め、国際舞台でチェコ映画の存在を知らしめた。国内では有名な喜劇俳優を主演にした喜劇映画、『悪党の恋人たち』（1927年、インネマン）、『土曜から日曜へ』（1931年、マハティ）、『世界は私たちのもの』（1937年、フリッチュ）などが人気を集めた。コメディは、その後も一貫してチェコ映画の中

第53章
映　画

心的なジャンルであり続けたが、この時期にすでにその基盤が形作られたと言える。その一方で、20年代後半から『バタリオン』（1927年、プラシュスキー）、『これが人生』（1930年、ユングハンス）、『絞首台のトンカ』（1930年、アントン）などは社会の冷酷さとそこに生きる市井の人々の人生を描き出し、これらはチェコ映画史において脈々と受け継がれていく社会的なリアリズム映画の礎となった。

1939年にナチス・ドイツによってチェコが保護領化されると、映画制作の資材をはじめ出演者およびスタッフの大部分はドイツに徴収された。チェコの映画は廃れ、少数のプロパガンダ映画が作られるのみにまで縮小した。しかし、戦時中、チェコ人映画関係者たちは密かに戦後映画産業のあり方をめぐって議論を重ね、その甲斐あって、終戦後まもなく映画産業は国営化され、建て直しがはかられた。当然、すぐに戦前の水準まで引き上げることは難しかったものの、19世紀の労働運動を物語るドラマ『サイレン』（1947年、ステクリー）や文芸作品の翻案映画『クラカチット』（1948年、ヴァーヴラ）など名作が作られた。

1948年に共産党政権が樹立すると、イデオロギーを伝える重要なメディアとしての映画の役割がより明確に意識されるようになり、映画の制作は共産党の推奨するイデオロギーと齟齬をきたさぬよう統制された。資本主義の市場原理とは異なる評価基準をもって映画の内容が管理されたのである。1950年代中頃までは、新たな基準による厳しい管理が行き届いていた。

ところが1953年にスターリンおよびゴットヴァルトが死去すると、潮目が変わった。統制が徐々に緩み、戦後の行き過ぎた管理社会を道徳的に問い直すような映画が作られた。『九月の夜』（1956年、ヤスニー）、『父親学級』（1957年、ヘルゲ）、『終点』（1957年、カダール／クロス）などである。これらは特定の個人や、具体的な政治体制に対する批判ではなく、自分たちの生きる社会の現在を問う姿勢を示した点が画期的だった。いわゆる「社会主義リアリズム」を代表的な指針とする、共産党の芸術理念によれば、芸術は、より理想的な未来を具体的に示し人々をそこへ導くものである。注意すべきことは、それはリアリズムという言葉を含んではいても、単に現実を描写するものではなかったということだ。50年代後半になって、チェコの映画作家たちはそれとは異なる姿勢で、必ずしも良い未来に向かっているとは思えない現状を理想化せずに、むしろ批判的に切り込んだのであった。このような姿勢は、共産党政権にとっては、現政権に批判が向きかねないものであり、看過できるものではなかった。共産党当局は1959年にこのような「新しい傾向」を持つ映画を公に非難し、制作に携わった映画作家たちはその後数年間、制作の道を閉ざされた。

1960年代に入ると、戦後創設されたプラハ芸術アカデミー映画学部（FAMU）の卒業生たちの作品が世に出始めた。『叫び』（1964年、イレシュ）、『他のことについて』（1963年、ヒチロヴァー）、『コンクール』『黒いペトル』（共に1964年、フォルマン）、『ブロンドの恋』（1965年、フォルマン）、『親密な灯り』（1966年、パッセル）などだ。これらはアマチュア俳優を起用したり、ロケーション撮影を多用したり、既存の慣習に縛られない自由なナラティヴを展開した。家庭や職場など、個人が暮らすコミュニティの雰囲気を、その混沌や倦怠感ごと描き出し、矛盾や滑稽さ、細やかな感情に満ちた人間のあり方をスクリーン上に晒した。このような人間像は、共産党政権下で模範的あるいは理想的とされた人物像とは異質のものであった。結果的に、これらの映画は、当時の観客にも批評家にも新鮮な驚きを持って迎えられ、チェコ映画に新たな息吹をもたらした。これらの映画に呼応するように、型にはまらない多様な映画、『夜のダイヤモンド』（1964年、ニェメッツ）、『厳重に監視された列車』（1966年、メンツル）、『ひなぎく』（1966年、ヒチロヴァー）、『火葬人』（1969年、ヘルツ）、『つながれたヒバリ』（1969年制作・1999年、メンツル）、などが次々に作られた。この盛り上がりは「ノヴァー・ヴルナ（新しい波）」、あるいは「黄金の60年代」などと称された。

1968年、ワルシャワ条約機構軍がプラハに侵攻し、チェコの自由化の機運は弾圧された。映画産業も大々的に改革され、侵攻直後の混乱期にはまだいくつかの作品が完成を迎えたものの、再び厳しい管理のもとに置かれることとなり、映画制作は苦境に陥った。ただし、政治的な介入を受けにくいコメディの分野などは勢いを失わず、『アデラ／ニック・カーター、プラハの対決』（1977年、リプスキー）、『カルパテ城の謎』（1981年、リプスキー）など荒唐無稽な娯楽映画の秀作、また劇場やテレビでも活躍していたスヴィエラーク／スモリャクによる『給仕人逃げる』（1981年、スヴィエラーク／スモリャク）、『横たわり眠るヤーラ・ツィムルマン』（1983年、スヴィエラーク／スモリャク）などが生まれた。1980年代中頃から、再び徐々に自由裁量の余地が増してくると、『スイート・スイート・ビレッジ』（1986年、メンツル）などが作られた。

『親密な灯り』（イヴァン・パッセル、1965年）より
提供: The Czech Fim Fund

1989年の民主化以降、映画産業は民営化され、大きな転換を余儀なくされた。これにより経済的な基盤が揺らぎ、映画産業全体は低迷したが、徐々に環境が整い始めると、『コーリャ愛のプラハ』（1996年、スヴィエラーク）、『白痴の帰郷』（1999年、ゲデオン）、『心地よい部屋』（1999年、フジェベイク）など、チェコの新しい社会の状況を映し出したドラマが作られた。2000年代になると『この素晴らしき世界』（2000年、フジェベイク）、『幸運』（2005年、スラーマ）など、身近な人間関係を基軸にコメディ要素の効いたドラマが安定した人気を誇り、いわゆる誰でもない人々の悲喜こもごもを豊かに描いた。一方で、2010年代以降は偉人を取り上げた伝記映画、『マサリク』（2017年、シェフチーク）、『ヤン・パラフ』（2018年、セドラーチェク）、『ザートペク』（2021年、オンドジーチェク）などが立て続けに上映され、歴史的な題材への関心の高まりが見られる。また『カラマーゾフ』（2008年、ゼレンカ）、『ペインティッド・バード』（2019年、マルホウル）など文芸作品を元にした重厚な作品も制作されている。

（富重聡子）

チェコの切手のあゆみ

コラム14

市川敏之

チェコスロヴァキア、そして分離独立後のチェコは日本で10本の指に入る人気を誇る切手発行国である。理由はチェコスロヴァキア初の切手「プラハ城切手」をアルフォンス・ムハ（ミュシャ、1860～1939年）がデザインし、かつこれが製造面において様々な角度から非常に楽しめること、また1950年代以降は様々な題材をとりあげ切手に反映させたため、非常に集め甲斐があり、見ごたえあることが挙げられるためである。そしてなによりも重要なのは常に自国の最高の印刷技術、最高の画家やイラストレーターを起用して最高の切手を製造し続けていることである。ここではそんなチェコスロヴァキアおよびチェコの切手で注目すべきものを時系列で紹介する。

最初のチェコスロヴァキア切手は先述の通りムハが図案を手がけ、1918年12月18日にアール・ヌーヴォー様式の切手が発行された。10月28日に独立宣言したチェコスロヴァキアはこの切手を大急ぎで印刷せざるを得ず、最初は切手のギザギザ（目打）が備わっていな

1918-1919年発行 プラハ城切手（筆者所蔵・撮影）

かった。これが「プラハ城切手」であり、印刷の際に様々な不具合が起きたため、個体差に注目して集める楽しみもあり、現在でも世界中で大変な人気を誇る。また、１００年以上前の発行であるにもかかわらず、多くは日本でも10円や20円で購入可能である。したがって、「プラハ城切手」はもっとも簡単に入手できるアール・ヌーヴォー作品であり、ムハ作品であるといえる。

１９２０年代に入ると、チェコスロヴァキアはアメリカ製の凹版印刷機を導入した。凹版印刷は紙幣などに多用され、偽造防止に向き、かつ繊細で芸術的な印刷を可能にする。ここからチェコスロヴァキア切手の印刷の質は大幅に上がり、チェコスロヴァキア切手＝凹版印刷というイメージを抱かれるようになった。

第二次世界大戦後のチェコスロヴァキアでは、１９４８年に社会主義体制が成立し、ソ連式に年間の切手発行件数を大幅に増加させた。このことはチェコスロヴァキアにとっては魅力的な切手を多種発行することにつながり、この国の切手は国内外でますます高く評価されるようになった。

チェコスロヴァキア切手の黄金時代は止まらず、例えば１９６６年に今でも特に女性に大人気のベドジフ・スメタナ（１８２４〜１８８４年）が作曲したオペラ作品「売られた花嫁１００周年」が発行されたり、同年から今に至るまで毎年「絵画切手」が発行開始されたりしている。これは、60年近いロングシリーズであり、原則縦55ミリ、横45ミリの大画面にほぼ全てが凹版印刷で埋め尽くされている。この様は「紙の芸術品」の名前に相応しく、その美しさを国内外に誇示し続けている。

１９９３年にチェコとスロヴァキアに分離独立した後は、チェコとして引き続き切手製造を行っている。大体は凹版印刷を受け継いでいるものの、時代の流れとともに印刷方法や、裏糊や、額面表記などを替えている。

チェコスロヴァキアやチェコの切手はごく一部をのぞき非常に安く、例えばチェコスロヴァキア切手500種類セットは3000円位である。チェコ語はローマ字で表記されているため、全く読めないということもないので、非常に親しみやすい切手発行国といえる（ただし、この国の切手の裏糊は日本のような湿気があるところに強くないので注意が必要）。この機会にチェコスロヴァキアやチェコの切手を手に取ってみてはいかがだろうか。

1966年発行 売られた花嫁100周年（部分）
（筆者所蔵・撮影）

凹版でもなく、裏糊方式でなくさらに無額面。2013年発行
「もぐらくんとロケット」（筆者所蔵・撮影）

54

チェコ・コミック

★チェコ近代史とともに歩む★

マンガ誕生を語るのは難しい。なぜなら初期のマンガは今の私たちが想像するよりもずっと絵本に近いもので、枠線やふきだしは徐々に登場したからだ。どの段階でマンガと見るかは解釈によるので、チェコ史にみるマンガの誕生時期は19世紀後半と、含みを持って言わざるを得ない。この発展時期は、なにも当時ハプスブルク帝国の一地方だったチェコ語圏特有のものではなくて、多少のずれはあっても、他のヨーロッパ地域でも大概同じだ。その後20世紀に入って最初の数十年間、マンガの成長は目覚ましかった。社会風刺や子ども向けに限定されていた内容は、様々なテーマを扱うまでになった。このままであればチェコ・コミックは、フランスやベルギー、イギリスなどの他のマンガと同じく、順調に発展したはずだった。何がその後の運命を違えたのか。その直接の理由は、次々とチェコ語圏を襲った2つの独裁、1939年から1945年までのナチス政権と、1948年から1989年までの共産党一党独裁政権だ。特に共産主義政権は、マンガは西側帝国主義の産物で、絶対に受け入れられないと言っていた。チェコ語でマンガにあたる「komiks」という言葉を使うことすら許されず、「連続した

5 FERDA MRAVENEC NAPSAL A NAKRESLIL ONDŘEJ SEKORA
Pomóc!

オンドジェイ・セコラ「ありのフェルダ」『リドヴェー・ノヴィニ』（1933年1月29日）

絵で描かれたお話」と呼ばれた。マンガの原点と言われる政府批判や社会への問題提起は許されなかったし、道徳的で教育的であることが求められた。それは、マンガ文化消滅の危機と言っても大げさではなかった。

それでもいつか花開こうと、チェコ・コミックは未来に続く路を必死に探した。実際に何人かの作家と、何作かのシリーズものは、幼児・若者向けの定番マンガの地位すら獲得した。日本語でも出版されたオンドジェイ・セコラ（1899〜1967年）の愛くるしい『ありのフェルダ』（1933年）は本やマンガが大人気となり、国民的キャラクターになった。ボーイスカウト作家のヤロスラフ・フォグラル（1907〜1999年）と画家のヤン・フィッシェル（1907〜1960年）が生み出した『速い矢』（1938年）探検クラブの5人の男の子の冒険物語は、発表されてすぐにチェコの子どもたちの間で一大ブームを巻き起こした。しかし作品の出版は、その時々の政策と検閲レベルによるところが大きかった。いくら支持を得ていても、発売禁止命令が急に出ることもあった。『速い矢』も、何度も禁止された。その頃の旧共産圏を知らない方は、この純情で品行方正、大人しい読み物のどこに禁止理由があるのか分からないと思うが、スカウト的と見なされたことが原因だ。

1960年代末に、表現の自由に対し緩和政策がとられた期間があった。短かったが、創作活動にとって貴重な時期で、チェコ・コミックの

ヤロスラフ・フォグラル原作、ヤン・フィッシェル画『速い矢と65回の素晴らしい冒険』1940年

伝説とも呼ばれる2人のマンガ家が出現した。全く違うスタイルの両者だったが、どちらも勝るとも劣らない力強さを持つ。1人は政策の隙を突いて彗星のごとくチェコ・コミック界に現れたカーヤ・サウデク（１９３５〜２０１５年）だ。幼児・青少年向け漫画ばかりだったチェコ・コミックに、大人を対象とした作品を突き付けた作家の1人で、情報統制下にあったにもかかわらず、アメリカ・西側のビジュアルスタイルを学び、独自の世界観を構築した。画力と構造力において、チェコではサウデクの右に出るものはいないだろう。絶対に超えられないチェコ・コミックの目標地点の1つと言われる。そしてもう1つの伝説は、サウデクのスタイルの対極にある。原画を担当するヤロスラフ・ニエメチェク（１９４４年生まれ）と原作者ルユバ・シュティープロヴァー（１９３０〜２００９年）の2人組が描く『四葉のクローバー（チティジリーステック）』シリーズだ。１９６９年に創刊されてから今日まで続く、同名の子ども向け雑誌に連載される長寿マンガだ。誕生から50年経った今も常に子ども読者を引き付けるこの作品は、チェコ・コミック界の巨頭だ。

このマンガを取り巻く一連の環境は、１９８９年にビロード革命が起こると一変した。常日頃、監視されてきた「表現の自由」と「海外との交流」が解き放たれて、禁じられた何十年分もの西側の大衆文化が、そしてありとあらゆるマンガ作品が雪崩を打ってチェコ国内に入ってきた。あれほどまでに渇望した表現の自由だった。やっと好きなように創作活動ができる。依頼が来るはずだと信じて、コミック作家は期待に胸を膨らませた。けれども、そうはならなかった。なぜなら一党独裁政権後の変化に社会は大混乱だったからだ。金融業界、教育機関、出版業界、芸術関連施設など、独裁権力に少なからず寄り添った業界しかない社会だったから、過去を一掃すると言ってもどこから手を付ければよいのかほとんどの人が分からなかった。業界人を総入れ替えするわけにもいかない。それにチェコスロヴァキアが2つの独立国家に分裂したことが重なった。今まで社会的にほとんど存在しなかったチェコ・コミックに注目する理由も、心のゆとりもチェコ人にはなかった。マンガを読みたい若者は、新しいツールのパソコンを使い、ネットで海外作品を検索するのに夢中だった。道端で警察から取り調べを受けてカバンから海外マンガが出てきても、「これはマンガか。フランス語だな。どこの闇市で仕入れたんだ」など聞かれて殴られるような時代は終わった。

人々は海外の情報に熱狂した。革命直後の十数年間、作家たちが思い描いたような伸びはチェコ・コミック界に訪れなかった。だから、いつかチェコ・コミック現代史が書かれるとしても、チェコ・コミック再出発の年にビロード革命が始まった1989年が選ばれることはないだろう。あるとすれば2000年だ。それまで離れ離れの場所で独自に活動を続けていたチェコ・コミック作家が、共通の発表の場を持ち始めたことで存在感が増した年だ。川に例えれば、支流が繋がり、やっと1つの大きな流れを作ったとでも言おうか。

この2000年前後に名が知られるようになった若きコミック作家たちは、一般的に「ジェネレーション0」と呼ばれている。2000年にちなんだ「0」なのはもちろんのこと、共産主義に染まらない新たな世代、新たな出発と希望を象徴としての「0」だった。マンガ家たちは、出版の可能性0%

の状況や、報酬0といったないないだらけの「0」なんだと、状況を皮肉って面白がった。これら新しいチェコ・マンガは、『アアルグ〈AARGH!〉』や『ポット〈POT〉』、『スクラト〈ZKRAT〉』などの同人誌で紹介された。チェコ現代史において、時の政権によって何度も断絶されかけたチェコ・コミックは、失われかけた過去の伝統文化の再発見であると同時に、翻訳出版されるようになった海外マンガからインスピレーションを受けた新しい創造の形の1つとして社会に登場した。これらの作品は、従来のチェコ・コミックとは違って、大人を対象としたものが多いのも特徴的だ。文学的で詩のような作品もあれば、社会的な傾向のものも、成人向けのマンガもある。出版スタイルも、雑誌の連載一辺倒ではなくなり、読みきりの短編やグラフィックノベルが主体となった。芸術的で、実験的な要素に富んだものが多かった。２０００年代初期の数年間に登場した作家は、一時期の流行りで終わることなく今でも活躍している。彼らの新作は待望の的だ。イジー・グルス（1978年生まれ）、ヤロミール99（1963年生まれ）、ヴォイチェフ・マシェク（1977年生まれ）、ブランコ・イエリネク（1978年生まれ）などがこのグループに属している。

同じく２０００年に登場したパヴェル・チェフは、その暖かみのある画から「イジー・トルンカの再来」と呼ばれ、チェコで展覧会が開催されない日がないほどに愛されている。チェフの半自伝的大作『ペピーク・ストジェハの大冒険』は、日本初のチェコ・コミックとして２０２３年に邦訳出版されたばかりだ。

女流作家には、チェコ・コミックとして世界で一番訳されているだろうルツィエ・ロモヴァー（1964年生まれ）がいる。彼女は、ビロード革命以前から活躍を始め、現代チェコ・コミックを代表する1人となった。子どもを対象としたマンガで大人気を博した後、大人にも読みごたえのあるマンガを何作も描いている。

男性作家が多かったチェコだが、ここ数年は、才能ある女性が何人も登場し、政治的なテーマや自伝を描くようになった。TOY-BOX、カテジナ・チュポヴァー（1992年生まれ）、シュチェパーンカ・イスロヴァー（1992年生まれ）の3人を初めとした新世代はは、チェコ・コミックの新たな起爆剤となっている。彼女たちは安定したクオリティーを提供しつつも新たな挑戦に積極的だ。マンガ界をダイナミックに引っ張り、常に注目される。

2023年現在、チェコ・コミックには何十人、いや何百人もの才能を持った作家がいる。チェコ・コミック市場がほぼ存在しなかった2000年だが、今や1冊のマンガは初版時で1500から2000冊も印刷されるまでになった。チェコは人口1000万人ほどの国だ。日本の人口と比べて10分の1以下と考えると、チェコ・コミック市場の奮闘振りが分かる。雑誌『四葉のクローバー』に至っては、一度に5万6000部も出荷される。これからのチェコ・コミック市場の発展にぜひ注目してもらいたい。そしてチェコ・コミックを手にするとき、チェコ現代史にも思いを馳せていただければ、これほど嬉しいことはない。

（ジャン＝ガスパール・パーレニーチェク／髙松美織訳）

パヴェル・チェフ『ペピーク・ストジェハの大冒険』（2012年）より

55

建　築

★ロマネスク建築から「ダンシング・ハウス」へ★

チェコの建築史、特に首都プラハの建築は建築様式の教科書のようだ、と言われることがあるが、それには当然それなりの理由がある。

チェコ共和国の首都はヴルタヴァ川のほとりという立地にあり、何百年も入植者たちを惹きつける、ある意味では完璧かつ典型的な土地だった。そのため、様々な建築様式で表現された歴史の層が、今日まで奇跡的に残っている。一方、国境付近の建築は、北はドイツ、南はオーストリアなど近隣諸国との関係が濃く見られる。

キリスト教徒としての帰属を示すためにキリスト教会の強い影響下で中世初期の指導者たちが建てたロマネスク建築の教会も残っている。ロマネスク建築は、その広大な壁と、力強い塔、丸いアーチ、装飾された列柱、クロスアーチの屋根、窓の間の堅牢な壁によって特徴づけられ、ローマとビザンチン様式の融合のように見える。

聖イジーのバジリカはプラハの教会建築で最古のものである。この重要なロマネスクの建造物は、920年頃にヴラチスラフ一世によって建てられ、プラハ城の一部としてイジー広場に今も残っている。石屋根のある2つの塔と、2列のロマネスク様式の窓は後に設置されたものである。17世紀、バジリカはバロック様式に改装されたが、ロマネスク的な要素は１８８７年から１９０８年の改修で復活している。ロマネスク建築の多くの例は、ボヘミアの田園地帯やモラヴィアにも見られる。

プラハ城それ自体が、カレル4世統治下でボヘミアが栄えていた頃の、雄大なゴシック様式の例となっている。彼は膨大な数の建築プロジェクトに関与し、今日でもチェコで見られる多数のゴシック建築を後世に残した。１３４４年にはフランス人の建築家アラスのマティアスに聖ヴィート大聖堂の建設を命じた。１３５７年7月9日午前5時31分、カレル4世はカレル橋の礎石を置いた。これはこの王に仕えていた天文学者が、この日時が縁起がよいと助言したためと言われている。カレル橋は当初単なる「石橋」として知られており、著名なドイツ人建築家ペーター・パーラーが設計を率いた。大聖堂建設に取り組んでいたアラスのマティアスが１３５６年に亡くなると、パルラーが同事業を引き継いだ。

聖イジーのバジリカ（920年頃）。プラハ城内最古の建造物（Prazak, CC BY-SA 2.5）

チェコにはルネッサンス建築はそれほど多くないが、その理由として、１５２６年以降、国と首都が中欧の重要な中心からハプスブルク帝国の辺境へと変わったことが挙げられる。プラハ城の敷地内にある「夏の離宮」は、イタリア以外で鑑賞できるルネサンス建築の代表作のひとつである。同所はアンナ王妃が夏に過ごせる

「夏の離宮」（1538）。プラハ城内にあるルネッサンス建築（VitVit, CC BY-SA 4.0）

施設として、１５３８年にフェルディナント一世が建設したものである。素晴らしい構造は、イタリアの熟達した石工による努力と、通路のアーチと古典的装飾を担当したヴォニファーツ・ヴォールムートとハンス・チロルの協力によるものだった。

ルネッサンス建築が少数であるのとは対照的にバロックとロココ様式の建造物は多数あるが、そこには、三十年戦争後にボヘミアに土地を新たに獲得した国際的な貴族の動向が見られる。コスモポリタン的で、流行に敏感であった当時の貴族はプラハや地方にある古びた宮殿を刷新する必要性を感じていた。国の再カトリック化は、大きな教会と女子修道院を建築するプロジェクトにつながる。豊かなバロック的な想像力がボヘミアの辺境地の様相を変えることともなった。

プラハ城近くにあるロレッタ教会は、丁寧に装飾が施された正面ファサードにより、バロックの傑出したモニュメントとなっている。正時に建物の前を通ると、鐘の音が聞こえる。中庭には聖母マリアの家を模した聖なる家（サンタ・ガーザ）が建っている。奥には降誕教会があり、プラハのロココ様式の内装としては最も驚異的なもののひとつである。

美しいバロック様式のトロヤ城は、ローマの郊外邸宅に影響を受けている。フランス人の建築家ジャン＝バプティスト・マテイ（１６３０〜１６９６年）が取り組んだプロジェクトは１６７８年から

1695年の間に建てられ、装飾は1703年に完成する。周りは幾何学的な美しい庭で囲まれている。

プラハの新古典主義を代表するのは、1783年に完成したエステート劇場である。当時の原形をほぼ残している、ヨーロッパでも数少ない劇場の1つであり、モーツァルトの「ドン・ジョヴァンニ」は作曲家自身の指揮により、1787年10月29日、同所で初演された。

歴史主義的な建築様式は、実質的にはロマン主義が再燃したもので、それはいくつかの重要な建造物に表れている。その多くが、チェコという国家のナショナリズム的感情の昂揚を体現していた。国立博物館のメインビルディングは歴史主義の好例である。開館した1891年以降、ヴァーツラフ広場上部を特徴づけるものとなった（なお、国立博物館という名称自体は、プラハ内外の十数棟の建造物に適用できるものである）。同博物館の目的は、ヨーロッパ大陸及び世界的な文脈の中でチェコという国家のアイデンティティを提示することにあった。メインビルディングは建築家ヨゼフ・シュルツ（1840～1917年）によりネオ・ルネッサンス様式で設計され、濃い赤と金色が印象的なメインホールの内装が訪問者を迎える。内装には、チェコの有名な城を描いた絵画や有名なチェコ人の胸像などがしつらえられていた。

アール・ヌーヴォー様式には国民感情を高揚させる側面もあったが、それは、アルフォンス・ミュシャ（1860～1939年）が1910年から1928年にかけて制作した究極の作品《スラヴ叙事詩》に表れている。市民会館は1905年から1911年にかけて王宮の跡地に建てられたが、同施設が壮麗なコンサートホールを併設していること自体がこの建築表現の特徴とも言える。建物の装飾は内装も外装も含めて、ミュシャに加え、ミコラーシュ・アレシュ（1852～1913年）、マックス・シュ

旧「一般保険局」（1934）。機能主義建築の代表格。その後「労働組合会館」となった（Elis J, CC BY-SA 3.0）

ヴァビンスキー（1873〜1962年）など、20世紀初頭のチェコを代表する画家、彫刻家たちが手掛けた。

強化コンクリート構造による「黒い聖母の家」はチェコ建築におけるキュビスムの素晴らしい例である。ヨゼフ・ゴチャール（1880〜1945年）によって設計され、1911年から1912年に建設されたこの建物は、キュビスムのアーティストたちが新しいスタイルを作り出す決意の表明でもあった。プラハの古い建築物に影響を受けた建築におけるキュビスムは、そのため、旧市街の雰囲気とも馴染み、バロックのファサードやゴシック様式の塔とも相性がいいものだった。黒い聖母の家はキュビスム的な角度のある出窓、窓の間の象徴的な柱頭、キュビスム的に細工されたバルコニーの鉄柵を特徴とする。内部には「グランド・オリエント・カフェ」を擁し、現存するキュビスム的なインテリアとして傑出したものの1つである。

チェコスロヴァキアのための新しい建築物は、1918年に成立し、ボヘミアという土地に固有のスタイルを用いた実験や、ウィーンのモダン建築の流れと、ロンドキュビズムのいくつかの独立した例とともに始まる。

ヨゼフ・ゴチャールは、第一次世界大戦後、1921年から1923年にかけて建設された軍団銀行（レギオバンカ）においてこの新しいキュビスムを発展させた。シンプルながらも革新的な形を持ったモダニズムはチェコの機能主義と称されるようになり、ヨゼフ・ハヴリーチェク（１８９９〜１９６１年）とカレル・ホンジーク（１９００〜１９６６年）が手掛けたプラハの一般保険局が示すように当時の流行になった。

第二次世界大戦後は、新しい政治秩序と、緊密ではなかったとはいえ、ソヴィエト連邦との関係において動きがあった。この文脈の中、チェコでも社会主義リアリズム建築が生まれ、フランチシェク・イエジャーベクによるインターナショナル・ホテル（１９５２〜１９５６年）がその一例である。

ヴルタヴァ川沿いに立つ「ダンシング・ハウス」（1996）（Diego Delso, CC BY-SA 4.0）

１９６０年代から80年代の建築の名作は、国際的な現代建築の協力関係の下で補完される。ビロード革命後には、ヴラド・ミルニッチ（１９４１〜２０２２年）とフランク・O・ゲーリー（１９２９年〜）が設計した「ダンシング・ハウス」（１９９６年）が建設された。

チェコの建築には様々な歴史的様式が集積されているが、現代的な建築の創造的な事例は欠いている。

（ヘレナ・チャプコヴァー）

56

チェコ写真の系譜

★内省的なモノクローム★

写真を用いたチェコの芸術家たちは日常に夢想のための空間を発見し、現象を概念化するためにモノクローム表現を用いる。彼らは写真の技法を基軸としながら、詩や即興演劇の手法を制作に取り入れることにより、鑑賞者の認識をゆさぶり実存的な問いへと導く。

第一次世界大戦後、チェコスロヴァキアとして独立したあとの戦間期に、キュビズムやシュルレアリズム、構成主義に反応した芸術家たちは積極的に写真を用いて作品を発表してゆく。チェコの前衛写真運動を牽引したヤロミール・フンケ（１８９６～１９４５年）はグラスや鏡などの光を屈折させる物質のなかに多面的な構図を見出し、インジフ・シュティルスキー（１８９９～１９４２年）はウィンドウディスプレイのなかに日常のなかに無意識下に隠された「超現実」を捉えた。また、フランチシェク・ドルチコル（１８８３～１９６１年）はピクトリアリズム手法で女性のヌード写真を詩的に表現し、ユージン・ウィスコフスキー（１８８８～１９６４年）は自然界の幾何学的な型を切り撮る構成主義写真の実践者となる。

１９３９年のナチス・ドイツによるチェコスロヴァキア解体、

および第二次世界大戦後の社会主義体制下で、個人主義をつらぬいた芸術家たちは室内や郊外に息を潜めた。そのなかの1人、ヨゼフ・スデク（1896～1976年）は「光と影の写真家」「プラハの詩人」と呼ばれる20世紀を代表するチェコの写真家である。スデクは1896年にコリーンで生まれ、製本職人の見習いとして働いたのち、第一次世界大戦従軍中に片腕を失い写真家に転身する。スデクは木製の大型ビューカメラを抱えてプラハの市街地や郊外の風景を撮影し、暗室でベタ焼き（印画紙に直接

プラハにあるアトリエ・ヨゼフ・スデク（筆者撮影）

アトリエ・ヨゼフ・スデクの窓から中庭を臨む（筆者撮影）

フィルムを置く手法）で制作した。当初彼は、生計を立てるために広告のブツ撮り、建築、美術カタログ用の複製写真の仕事に従事する。１９２８年には、聖ヴィート大聖堂の改修工事を撮影したシリーズで、プラハ市の公式写真家の称号を得た。しかしチェコがナチス・ドイツに占領されていた時期には、商業活動から退き、アパートメント中庭にある自宅兼アトリエに隠棲しながら、窓辺の風景を約14年間撮影した代表作『私のスタジオの窓』（１９４０～１９５４年）、『私の庭の散歩』（１９４４～１９５３年）、『私のスタジオの庭』（１９５０～１９７０年）、『私のスタジオの窓の静物』（１９５０～１９５８年）を完成させる。彼が中庭ですごした内省的な時間そのものが、戦前から戦後のチェコの人々の心情を表したといってもいいだろう。アトリエは、メインルーム、台所、暗室からなる61平米の小屋で、写真史家のアンナ・ファーロヴァーによると、スデクはクラシック音楽を愛好し、１９５０年代から１９７０年代にかけて、所有のレコードを掛けるコンサートを行い、アトリエは人々が密やかに集うサロンになっていた。１９４８年以降のチェコスロヴァキアでは「社会主義リアリズム」の理念の下に芸術の形式は制限され、スデクの愛した個人的な動機による芸術表現は、ブルジョア的であると非難された。

次にスデクの系譜を継ぎながら、写真を概念芸術に接続させた作家としてヤン・スヴォボダ（１９３４～１９９０年）を紹介する。初期のスヴォボダの作品は、詩的なモチーフの選択によりスデクからの強い影響がうかがえるが、中期以降は写真に対するメタ的な問いかけを作品化し、前衛写真からポストモダン芸術の結節点となる作品を発表した。スヴォボダの主たるモチーフは、スデクと同じくアトリエ内の静物（テーブルや棚、日用品）である。プリントはモノクロの軟調仕上げで、およそ実物大に引き延ばして裏打ちし、薄い金属製のゲタによって壁から浮かすことにより、写真の物質性を強調している。1963年に前衛芸術家集団のマーイに写真家として参加し、彫刻家のスタニスラフ・コリーバル、映画監督のヤン・シュヴァンクマイエルら芸術家たちと交流した。1968年にアンナ・ファーロヴァーの企画により、カレル広場ギャラリーで初個展を開催する。1982年には英国のフォトグラファーズギャラリーとオックスフォード現代美術館で展示するまたとない機会を得るが、政府から渡航許可がおりなかったため訪英することは叶わなかった。1989年末ビロード革命によってチェコスロヴァキアの民主化が実現されたが、スヴォボダは翌年1月に自身のアパートでひっそりと死亡した。初期のスヴォボダの作品は、糊跡のある壁に自身のサインを描き撮影した『写真の裏側』などの作品からうかがえるように、既存のファインアート（絵画や彫刻）の価値付け制度に対する風刺的な意味合いを帯びている。中期から後期にかけては、写真が写真たり得る条件に関心を向け、過去に撮影したフィルムやミスプリントをふくむ図像の断片を室内に配置して物質としての写真と、写真のなかの写された対象を脱構築させる作品を制作した。スヴォボダの作品は、写真の真正性に対して懐疑を投げかける試みであり、現代写真の諸相―あらゆる場所に存在し、集合と離散を繰り返しながら意味付けされてゆく状況を予感させる。

最後にプラハの、今日の写真シーンに触れておく。筆者が大学で学んでいた際には、毎日どこか大小問わず展覧会のレセプションのお誘いがやってきた。プラハの写真文化は美術館や大学、公的な助成を受けたギャラリーが、キュレーターやアーティストと愛好家たちによる親密なコミュニティによって支えられている。チェコの文化予算は2021年度GDP比0.6%（日本は0.1%）であり、0.4%ほどの隣国ドイツを超えている。公的教育費も5.8%（日本は3.42%）であり、教育文化への支出は国民にも一定程度支持されている。そういう背景もあり、チェコでは大学の研究活動がアートシーンに大きな影響を与えている。写真学科を持つプラハ芸術アカデミー映像学部（FAMU）やプラハ工芸美術大学（UMPRUM）は毎年気鋭の若手作家を輩出しており、14万点もの写真コレクションで知られるチェコ科学アカデミーの美術史研究所では、1階にある大きな窓のスペースで研究発表の展示が定期的に行われている。主要なギャラリーとして、現代美術系の若手・中堅作家の登竜門であるアトリエ・ヨゼフ・スデク、ドキュメンタリー写真のライカギャラリープラーグ、写真誌の発行とフォトフェスティバルを主催するフォトグラフギャラリーがある。また、プラハ市美術館（GHMP）一部であるハウスオブフォトグラフィーはブックショップも併設している。

（大坪晶）

57

工芸

★ガラスと陶磁器★

ブルノのモラヴィア美術館の常設展に2021年から新しい展示“Black & Light Depo”が加わった。“Black Depo”では暗闇のような真っ黒な展示室に黒枠のショーケースが凸凹と天井近くまで積み重なり、その中に陶磁工芸のコレクションがぎっしり並んでいる。足を踏み入れると、その漆黒の中に眩しい照明が相まって、宇宙空間に映し出された星を見ているような非日常の演出に驚かされる。目が慣れると、今まで収蔵庫に眠っていたであろう様々な陶磁器作品群が立ち現れてくる。なかなか目にすることのなかった貴重な作品が、余白も解説もなく所狭しと押し並べられていることに困惑しつつも圧倒される。どこか異界のアンティークバザールに入って宝探しをしているような気分だ。他方の展示室“Light Depo”では真逆の白い空間に白い枠のガラスショーケースがやはり凸凹と配置され、そこに光り輝くガラスのコレクションが堂々と鎮座している。非常に幅広く、中世のガラスから現代チェコガラス芸術の生みの親と言われるスタニスラフ・リベンスキー（1921〜2002年）とヤロスラヴァ・ブリフトヴァー（1924〜2020年）夫妻の作品まで一堂に出会えるという贅沢さだ。この収蔵品展の試みについては「個々の作品を見ようとするには十分でない展示方法だ」、「工業製品とアートが混ぜこぜに展示されている」等、賛否両論あると聞くが、ガラスだけでなく陶磁器にも焦点があてられたこと、その大胆な対比には一見の価値がある。

チェコの工芸といえば、ボヘミアクリスタルとして知られるガラス工芸が一番にあげられる。それまでの主流であるヴェネチアガラスに比べ、より硬質なカリガラスの開発とそれによって可能になったカット・研磨・エングレービング（銅などの回転砥石でガラスの表面に模様を彫りこむグラヴィール彫刻）の技術発展で、ボヘミアのガラスの繁栄は、17世紀、一躍世界でその名を知られることになった。その後もゴールドサンドイッチ（金箔の文様を2層のガラスに閉じ込める技法）や、多彩な有色ガラスの発展（色被せカットガラス、ハイアライト［Hyalit］ガラス、虹彩ガラス、発光するウランガラス等）は、新しい技術を発展させチェコガラスの遺産は非常に多種多様で枚挙にいとまがない。時に戦争などで生産が途絶えても、ガラス職人たちはその度に新しい技術を生み出し伝統を繋いできた。本書の前書『チェコとスロヴァキアを知るための56章』のチェコガラスの章に大変詳しく書かれているので是非そちらも読んでいただきたいが、その伝統は戦後、共産主義の特殊な環境下にあってさらに現代ガラスアートへと飛躍、工芸の域を超えたダイナミックな作品で、世界に再度チェコの名を知らしめることとなってゆく。

一方、チェコの陶芸美術、陶磁器産業はガラスの影に隠れて世界的にはあまり知られていない。チェコには常に陶磁器文化が存在するものの、何か特許的技術革新もなければ著しい成功といえる事象も少なく、陶芸美術専門の美術館もギャラリーも皆無、ガラスのようにスポットライトを浴びる機会は少ない。しかし注意深く観察すると興味深いものも沢山あるのだ。古くは欧州に広く行き渡ったモラ

第57章
工　芸

ヴィアのロシチツェ、陶器、ハバーン陶器（Habaniと呼ばれる新洗礼派の移民集団が、16世紀末〜17世紀初めの短期間モラヴィアに定住し、制作したファイアンス［低温白釉陶器］、モラヴィアの工芸に多大な影響を残した）、「モラヴィアン・ウェッジウッド」と言われたヴラノフ陶器など、地元の良質な粘土と豊かな森に支えられ、様々な高温焼成の良質な陶器が各地で焼かれてきた。そして欧州で工芸業界全体に劇的な変化をもたらしたのは、やはり磁器の登場だろう。当時東洋から輸入された「白い金」として金と同じ価格で取引されていた磁器が自国で作れるようになったのだから工芸界の大革命だ。1709年ザクセン公国で硬質磁器の焼成に成功すると、翌年にはマイセン磁器（ドイツ）が誕生した。その後、多数の磁器工場が現在のドイツとチェコの国境を挟んだ両側に次々と建ち、今でもその頃からの伝統ある磁器会社がたくさん残っている。それらはカルロヴィ・ヴァリ（チェコ）郊外のセドレツで磁器の原料に欠かせないカオリンが採れることも要因し、自ずとこの地域は磁器生産に適した地理的環境であった。それらの工場で多くの造形家がデザイナーとして関わってきた背景もあり、今日まで多くの磁器の個人作家やデザイナーを生み出している。

ボヘミアのガラスの歴代名品を見ていると、この欧州磁器誕生ブームの時代には乳白色ガラスにエナメルの絵付けをされた作品など、磁器に似せた作品が少なからず残っていることに気付く。重厚な雰囲気のハイライトガラスに、中国風の金の絵付けが施されたものなど、非常に東洋陶磁器に影響を受けたものも散見される。中には磁器のオーナメント片が象徴的にガラスの層に挟み封じ込まれた作品まで残っている。ルビーガラスに当初は金を赤の発色に用いたが（その後は銅も使用）、実際に「金貨をガラスに溶かし込むことで制作している」という当時の記述が残っている。同じようにカルロヴィ・ヴァリのピンク磁器は、金によってピンク色の素地を作り出している非常に高価な技術だ。ルビーガラスなどの開発で有名なフリードリッヒ・エガーマン（1777〜1864年）の回顧録をたどると、彼はガラス職人であるが、一時期マイセン磁器工場で絵付師として働いている。この背景にはガラス産業の一時的な停滞があったのか、磁器産業の隆盛に伴ってそちらに職人が移ったことが窺われる。その後エガーマンは独自の技術を武器に様々なガラス工房で経験を積んだ後、ボヘミアでガラスを研究開発し成功を収めた。彼の作品の多くには磁器や、孔雀石のような貴石を模した作風が多く見られることも特徴的である。当時英国で成功を収めたウェッジウッドのジャスパーウエア（陶器）のスタイルを模倣したマットな色ガラスの作品に挑戦していることも興味深い。

同じようにチェコの陶磁器を見れば、20世紀初めのアールデコ、キュビズム期の陶器に見られる大

「NICETWICE」(2014) Markéta Kalivodová (1989 -)（撮影:Václav Marian）
白青白と三層に鋳込まれた磁器にボヘミアガラスのカット技術を組み合わせた磁器作品

胆なデザインは、ボヘミアガラスのダイヤモンドカット造形を彷彿とさせる。現代の若い磁器作家においても、白と青の2層になった磁器本体にボヘミアガラスの象徴的なダイヤモンドカットの装飾を施した作品が現れるなど、チェコガラスのアイデンティティーを磁器作品に反映させた創作も記憶に新しい。これらはほんの少しの例に過ぎず筆者の偏った視点の提案でしかないが、2つの工芸に見られる影響の行き来を再認識することでチェコの工芸的嗜好を考察できるのではないだろうか。建築家のボジェック・シーペック（1949～2016年）や、イジー・ペルツェル（1950年～）など、チェコのデザイナーたちが提供してきた現代の工芸デザインにも、これら2つの素材への意識はより一層強くなっているように思われる。

共に窯業であり、この国の豊かな森林と土と珪砂に支えられた工芸美術であるガラスと陶磁器。化学的、技術的そして美学的にも共通項を持ち、パラレルな歩みを進めてきた、2つの工芸の歩みに、多重なる光と影を再発見してみてはいかがだろうか。

（西田泰代）

チェコの藍染め

小川里枝 コラム15

チェコで「モドロチスク」（modrotisk：直訳すると青いプリント）と呼ばれる青地に真白い模様の特徴的な布は、藍の着物や浴衣、法被やのれんになじんだ日本人から見ると、どこか郷愁を誘うものでもある。tisk（プリントという意味）といわれるのは、型を用いて染料の染着を防止する糊を布地に「プリント」し、その生地を染液に浸けることで白く文様を染め抜く技法（型染めの一種）によるものだからである。型染め技法は、アジアからヨーロッパにもたらされたもので、17世紀末から18世紀にかけてヨーロッパ中に広がり、チェコでは18世紀末以降から19世紀にかけて、顕著な広がりをみせた。

こうした衣料が広まったのは、まずチェコで藍染めに適した素材、亜麻や大麻の生産が盛んだったこと、また木綿の輸入量が増大したことが理由にあげられる。また「型染め」とは、型を用いた染色技法を総称するもので、「手描き」に対するものであり、同じ文様で何枚も染めることができるため、量産に向くものである。そして大航海時代にインドからもたらされたインド藍は、藍の含有量が多く、藍の含有量が少ないヨーロッパ産の藍草、大青から作られた藍染料にかわり、大量に供給されるようになった。以上のことからモドロチスクは民族衣装の一部となり、庶民に愛用されるに至ったと考えられる。衣料の用途は、日常着や晴れ着としてスカートやエプロン（男性用も含む）、女性が頭巾のように使うヘッドカチーフ、また羽根布団のカバーやクッションなどであった。

この技法では、染料の藍のほか、防染糊、そ

コラム15
チェコの藍染め

「ヴァラシュスコの未婚の男女」ヴィルヘルム・ホルンによる版画集「モラヴィアの民族衣装」（1837年）より。藍染めの衣料として現在でもよく知られているものに、ヴァラシュスコの女性の民族衣装（スカート）がある

して防染糊を布地に置くための木型が大切な道具となる。型染めの型には、おもに紙製、木製、金属製があり、チェコでは凸版の木型が使われた。木型には、固く、高級な素材の梨の木などが使われ、大きな文様であればそのまま木に彫り込み、細かな文様であれば真鍮（しんちゅう）製の鋲を打ち込んで、いずれも木型職人が製作する。文様には地域の動植物をモチーフとしたものや幾何学的なものが見られる。またパップ（ドイツ語のPapp：接着剤に由来）と呼ばれる糊の主な材料はカオリンとアラビアゴムで、職人の経験によって改良が重ねられてきたものである。この糊の良し悪しが染め上がりを左右するので、商売敵になるほかの工房には伝わらないよう配合方法は秘密にされていたという。インドから届く藍は、水分を取り去った固形で流通していた。藍は水に溶けないので、還元する必要がある。砕いてパウダー状にした藍に還元剤として石灰や亜鉛末などを加えて染液とし、キパとよばれる浸染用の槽を満たして、糊置きした布を何度も浸し染め、その後、染め上がった布の糊を落とし、ローラーがけをして仕上げる。なお、このローラーがけにより、布の表面に光沢が生まれる。この光沢は人々に大変好まれたようで、画家のアルフォンス・ミュシャの民族衣装コレクション中にも、光沢のある藍染めの生地を使った晴れ着用のエプロンがある。

第一次世界大戦後、人々が衣服のより実用的な面を重視し、民族衣装はしだいに姿を消していった。その後設立されたÚLUV（民族工芸品研究所）において、テキスタイルデザイナーと藍染め職人が協力して製作したことにより、この技法は途切れることなく伝えられてきた。

2018年にはユネスコ無形文化遺産に登録されるに至り（オーストリア、チェコ、ドイツ、ハンガリー、スロヴァキアによる共同提案）、チェコ国内における藍染めに対する関心も再び高まっている。

58

チェコのサッカー

──★オーストリア・ハンガリー帝国時代からビロード離婚後まで★──

チェコのような小国がW杯で2度準優勝し、欧州選手権では優勝したことがあるのは、よほどのサッカーファンでもなければ意外な事実だろう。しかし、日本人がチェコサッカーの強さを知ったのは意外に早く、1919年のことだった。シベリアからチェコ軍団を移送するヘフロン号が神戸に寄港した際、軍団の有志が神戸一中と親善試合をしたのである。結果はチェコ軍団の圧勝。この試合に出た一中OBの回想には、「敵手の速いショートパスに眩惑されて8—0で完敗した」とある。いまだキック&ラッシュ戦法の段階にあった当時の日本サッカーにとって、洗練されたパスワークは衝撃的だったらしい。

中欧にサッカーを伝えたのは、産業革命の成果の移入のため工場建設や鉄道敷設のためにイギリス連合王国から招聘されたエンジニアや工場支配人などの専門家たちであった。オーストリア・ハンガリー帝国の中でも鉄道網が整備され、最先端の工業地帯であったボヘミアは、同時にサッカーの先進地域ともなった。近代文明の象徴でもあったサッカーは地元の市民階級や学生たちに受け入れられ、彼らによってサッカークラブが創設された。今なおチェコサッカー界をリードする名門スラヴィア・プラハは、1892年に大学生たちによって創設され、1905年にはグラスゴー・セルティックスの元選手ジョニー・マッデンを監督に招き、30年までの四半世紀スラヴィアの指揮を委ねている。

オーストリア・ハンガリー帝国のサッカー界は国際交流に積極的であり、1920年代になっても頑なにスコットランド、アイルランド、ウェールズ以外と試合を行おうとしなかったイングランド代表が、上記三協会以外の代表と初めて試合をしたのは、08年のオーストリア、ハンガリー、ボヘミア各代表との連戦だった。27年には欧州選手権の前身とされる中欧インターナショナルカップが始まり、イタリアやスイス、ルーマニア、ポーランドなどの代表チームも参加するようになっていった。サッカーの歴史において真に革新的な代表チームや画期的な戦術は通称で呼ばれることが多く、1930年代の「ヴンダーチーム」、50年代の「マジックマジャール」、70年代の「トータルフットボール」は、その代表格だ。その中の前二者の、すなわち30年代のオーストリア代表と50年代のハンガリー代表にとってお披露目の舞台となったのが中欧カップであった。皮肉なことに、54年W杯のマジックマジャールも74年W杯のオランダ代表も優勝できなかったし、ヴンダーチームに至っては、ムッソリーニに買収された審判のため34年のW杯の準決勝で地元イタリアに敗れてしまった。しかし、このW杯でイタリアと決勝を戦ったのがチェコスロヴァキアであり、ジュゼッペ・メアッツァのみならず審判をも敵に回しながら、延長の末の惜敗は評価されるべきであろう。しかし、真に評価されるべきチームはオーストリア代表――世界の得点王ヨゼフ・ビツァンを要するヴンダーチームであった。

1939年から44年まで5シーズン連続で欧州得点王となり、クリスチアーノ・ロナウドに抜かれるまで公式戦のゴール数の世界記録保持者であったヨゼフ・ビツァン（1913～2001年）はウィーン生まれのチェコ人で、当初はウィーンのクラブでプレーし、オーストリア代表に加わっていたが、5シーズン連続欧州得点王になった頃はスラヴィア・プラハのエースストライカーであった。ウィーンのコメンスキー学校に通いチェコ語で教育を受けた彼のアイデンティティはチェコにあったようで、38年以降は代表チームもチェコスロヴァキアを選んでおり、２００１年に亡くなるまでプラハに住み続けた。

次にチェコスロヴァキアがW杯で決勝に進出するのは１９６２年のチリ大会であった。当時世界最強を誇ったブラジルに3対1で敗れはしたが、同年の欧州最優秀選手に選出されたヨゼフ・マソプスト（１９３１〜２０１５年）の先制点をアシストしたトマーシュ・ポスピーハル（１９３６〜２００３年）のバックラインの穴を通すようなスルーパスが契機になって、チェコではスルーパスが「ウリチカ（小路）」と呼ばれるようになった。なぜか日本では「ウルチカ」と語形が変わり、チェコ軍団以来のショートパス戦術のイメージがあるためか、狭いスペースで素早く交換されるパスというふうに意味にもズレが起こりはしたが、今でもチェコサッカーと聞けば、反射的にウルチカパスを連想する日本のサッカーファンは多い。

ヴィシェフラット墓地にあるヨゼフ・ビツァンの墓碑（筆者撮影）

ウルチカが日本とチェコでしか通用しないのに対して、日本も含め全世界のサッカーファンの人口に膾炙していながら、チェコ本国では使われない語が

「パネンカ」だ。その語が生まれたのは1976年欧州選手権の決勝のPK戦であった。この大会のチェコスロヴァキアは、準決勝でオランダを――2年前のW杯で準優勝に終わったものの「トータルフットボール」という新語が生まれるほどの革新的なサッカーで世界を驚かせたオランダに勝ちきり、決勝で74年W杯に優勝した西ドイツと対戦した。そして延長戦でも決着がつかず、PK戦で勝負を決した最後のキックは、チェコスロヴァキアの優勝をも上回る伝説となった。チェコが4人全員成功したのに対し、西ドイツは4人目のヘネスが外す。先攻のチェコスロヴァキアの5人目が決めれば欧州チャンピオン……想像を絶するようなプレッシャーの中、当時世界最高のGKと目されていたマイヤーと対峙したアントニーン・パネンカ（1948年〜）のキックは、左に飛んだマイヤーをあざ笑うようにふんわりとゴール中央に吸い込まれていった。これ以来、GKが左右に飛んで留守になった中央をあえてチップキックで狙うPKは、世界中でパネンカと呼ばれるようになった。ただし、チェコ本国以外では。パネンカばかりが話題になりがちだが、チェコスロヴァキア代表の欧州制覇が偉業であったことは、対戦相手がクライフのオランダとベッケンバウアーの西独であったことからも明らかである。準決勝が3対1、決勝が2対2だったのだから、守り切ったわけではない。サッカーがもっとも革新的であったこの時期に、チェコスロヴァキアもその一翼を担っていたのであり、この大会の代表チームは今日に至るまで語り継がれている。

ただビロード離婚によってチェコ代表になってからは、チェコスロヴァキア時代ほどの成績は残せていない。だが、それでも２００４年の欧州選手権ではベスト4に入っている。この大会のチェコ代表は、前年に欧州最優秀選手に選出されたパヴェル・ネドヴェト（1972年〜）を中心にしたスペクタクルなサッカーでファンを魅了した。中でも2対0の劣勢から3点を連取して逆転勝ちしたオランダ戦は、大会のベストゲームとしてサッカーファンの記憶に深く刻まれ、その動画は今も飽きることなく再生され続けている。

（大平陽一）

チェコのアイスホッケー

林忠行　コラム16

アイスホッケーは、サッカーと並んで、チェコで最も人気があるスポーツである。現在のチェコ代表チームは世界の最強豪チームの1つとされている。チェコ人は「礼儀正しく、物静な人々」というイメージがあるが、ことアイスホッケーに関してそれは当てはまらない。

この競技は、1880〜1910年代のカナダで現在のかたちとなり、ほぼ同時期にヨーロッパにも伝わり、当時はハプスブルク君主国の一部であったボヘミア諸邦でもそれは定着した。ボヘミアの代表チームの最初の対外試合は1909年とされるが、このときの競技はバンディという別な競技とアイスホッケーの混ざったものであったという。北米ではその後、ナショナル・ホッケー・リーグ（NHL）傘下のプロチームを中心にこの競技は発展するが、ヨーロッパではアマチュアチームがこの競技を主導することになる。

当初は屋外の天然氷のリンクで競技は行われていたが、1931年にチェコスロヴァキア最初の室内リンクがプラハに完成している。36年から国内リーグが発足した。チェコスロヴァキアが分裂した93年からは、チェコとスロヴァキアそれぞれのエクストラ・リーグに引き継がれた。なお、現在の同リーグはその下部リーグも含めてプロ化されている。

チェコスロヴァキア代表チームは1920年の第1回大会から世界選手権に参加している。なおこの年から68年までのオリンピック大会での同競技は世界選手権を兼ねていた。1940〜46年の間、戦争で世界選手権は中止となった

コラム16
チェコのアイスホッケー

が、ドイツ支配下のボヘミア・モラヴィア保護領の代表チームは41年にドイツ代表とのエキシビション・ゲームを戦い、勝利を収めている。戦後、47年のプラハ大会から世界選手権が再開され、この大会でチェコスロヴァキアははじめて金メダルを獲得した。また、48年には代表チームの6選手が航空機事故で命を落とすという悲劇があったが、それでも同チームは49年の世界選手権で優勝している。しかしそれ以後は金メダルから遠ざかった。54年にソ連が世界選手権に初参加し、初優勝した。その後、ソ連チームとしては最後の参加となる91年の大会まで22回優勝し、そのうち63〜71年には9連覇を成し遂げている。

1969年の世界選手権はプラハでの開催予定だったが、前年のソ連によるチェコスロヴァキアへの軍事侵攻事件のため、開催地はストックホルムに変更された。この大会は6チームの2試合総当たりというリーグ戦で実施され、チェコスロヴァキアはソ連に2勝した。第2戦のあった3月29日、勝利に熱狂した多くのプラハ市民は中心街のヴァーツラフ広場に繰り出したが、このときソ連航空(アエロフロート)の事務所が群衆に襲われるという事件が起きた。その事件を口実として、なお政治指導部にとどまっていたアレクサンデル・ドゥプチェク共産党第1書記は解任された。結局、チェコスロヴァキアはスウェーデンに2敗し、この大会では3位に終わった。なお、1972年の大会では久しぶりの優勝を果たし、ソ連の大会10連覇を阻止した。このときの対ソ連戦は1勝1分だった。

チェコスロヴァキアはオリンピックで金メダルを取ることはできなかったが、後継のチェコ・チームは98年の長野大会で初めてオリンピックでの金メダルを獲得した。この大会は

NHL所属選手の参加が全面的に解禁され、ドミニク・ハシェク（1965年～）やヤロミール・ヤーグル（英語読みではヤーガー、1972年～）など、チェコ出身のNHL選手が活躍した。チェコ人のアイスホッケー・ファンにとって「ナガノ」は聖地となった。

1998年のオリンピック優勝記念切手（市川敏之所蔵・撮影）

DNES
WinIS
SPORT
Hokejový sen: máme zlato
Výhra nad Rusy završila olympiádu
Naši vsítili gól a celé náměstí vybuchlo štěstím

1998年2月23日付のチェコの新聞。見出しは「ホッケーの夢：金を得る」

1998年、長野オリンピックでのチェコ対ロシアの決勝の様子（Canadaolympic989, CC BY-SA 3.0）

59

食文化

★伝統と進化★

先日、久しぶりにチェコを訪れて友人宅に招かれた際、メインディッシュに「蛸のソテーとたっぷりの温野菜」が出てきて、びっくりしたことがあった。90年代に留学した頃は、家庭でも外食でも、お腹にたまる肉料理や揚げ物が定番だったものだが、チェコ人の食卓もずいぶん変わったものだとしみじみ感じた瞬間だった。

滞在中は、家庭料理だけでなく、街中のレストランのメニューにも目を見張ることがしばしばであった。あるときなどは伝統的なチェコの肉料理のメニューが並ぶ中にエスカルゴの文字を見つけ、思わず「珍しいですね」とウエイターに声をかけると、これは戦前の伝統の復活なのですという答えが返ってきた。聞けば、1989年の民主化によって国が開かれて以降、この30年は、冷戦時代に停滞していたチェコ料理業界が、復活を期して奮闘した歳月であり、その際、大きなよりどころになったのが昔のレシピなのだそうだ。とくに多くの料理家のインスピレーションになったのが、19世紀の料理家、マグダレナ・ドブロミラ・レティゴヴァー（1785～1845年）のレシピ本『家庭の料理書』であったという。古い本であるが、19世紀のチェ

『家庭の料理書』の著者、マグダレナ・ドブロミラ・レティゴヴァー

コ民族再生運動においてチェコ料理の確立のシンボルとしてバイブル視され、現在も多くの家庭に置かれている名著だ。後でためしに探してみると、エスカルゴのレシピもちゃんとあった。

とはいえもちろん、チェコといえばビールの国であり、ビールに合う伝統的な肉料理の人気は根強い。このチェコ料理を見直す30年のプロセスには、「チェコ料理とは何ぞや」という問いもついて回ったそうだが、一般に代表的な料理として上がるのは、やはり栄養たっぷりの次の2つの肉料理だ。

まずはレティゴヴァーが最初に紹介したことでも知られるスヴィーチコヴァー・ナ・スメタニェ（牛ヒレ肉のクリームソース）。そもそもチェコの牛肉料理は濃厚なソースと共に頂くのが一般的だが、スヴィーチコヴァーの決め手も、根セロリ、人参などの根菜を煮詰めて裏ごしし、生クリームと合わせた薫り高いソース。そこにさらにサワークリームとクランベリージャムをあしらい、見た目もゴージャスなこの料理は、結婚式でもふるまわれるハレの日のごちそうだ。各シェフが腕を競う品でもあり、レシピの紹介者に敬意を表し、「レティゴヴァー風スヴィーチコヴァー」を看板メニューに掲げるレストランもある。

もう1つは、俗にヴェプショ・クネドロ・ゼロ（豚肉・団子・酢キャベツ）と呼ばれる「肉じゃが」のようなシンプルな料理。その名のとおり、ローストポークに、クネドリーキと呼ばれる茹で団子と、ラードで煮たまろやかな酸味の酢キャベツがセットになったものである。豚肉は昔から中欧の料理全般に欠かせない食材であり、チェコでも肉の消費量の5割近くを占める。冬場には、豚1頭を解体して、その場で茹でた肉をふるまったり、ソーセージやゼリー寄せにするザビヤチュカと呼ばれる豪快な伝統行事もある。20世紀の国民的な作家、ボフミル・フラバル原作の映画「剃髪式」には、主人公らがビールジョッキを片手に肉汁したたるザビヤチュカの豚をほおばるシーンがあるが、これを見れば、誰でも自然に唾がわくこと請け合いだ。

そしてこの2つの料理の付け合わせとして必ず添えられるのが、陰の主役とも言うべき茹で団子、クネドリーキ。チロル地方から入ってきたと伝わるが、ドイツやオーストリアでは丸い団子の形で出されるのが多いのに比べ、チェコでは通常、フランスパンのような形にこね、それをスライスして出す。このクネドリーキ、昔は付け合わせではなく、主食だった。今でも、中に甘酸っぱい果物のコンポートを詰めて、上に溶かしバターとカッテージチーズ、粉砂糖をまぶしたものは、スープの後にメインとして食される。20世紀初頭のチェコスロヴァキア共和国初代大統領のマサリクはこの果物入り、特にプルーン入りに目がなかったという。美食家としても有名であった19世紀の文豪ヤン・ネルダに至っては、このプルーン入りクネドリーキこそチェコの郷土料理だと言い切る。そもそもオーストリア、南ドイツと共通する食文化圏にある中で、

伝統的な肉料理、ヴェプショ・クネドロ・ゼロ（筆者撮影）

何がチェコ独特の料理なのかは答えの出ない議論だが、こうした粉物料理は、主にウィーンで奉仕していたモラヴィア の料理女からウィーンにもたらされたものだという専門家もいる。

プルーン入りクネドリーキと肉料理のどちらがよりチェコらしいかはさておき、いずれもチェコ人がこよなく愛しているのは間違いない。そして最近ではいずれも見違えるように洗練された形で提供されるようになった。果物入りクネドリーキに関して言えば、近年、これをアレンジしてさまざまな餡を詰めた変わり種を出す店、その名も「クネドリーン」がプラハの繁華街にお目見えした。店頭に並ぶ色とりどりのクネドリーキは、あたかもマカロンかとみまごうような美しさ。観光客の受けも上々で、2022年、この店は大手旅行サイトの賞を獲得した。またつい先日、目抜き通りのヴァーツラフ広場には、スヴィーチコヴァーやヴェプショ・クネドロ・ゼロなどの伝統料理を小皿のタパス形式で楽しめるビュッフェがオープンした。さらに最先端のレストランが運営する人気店、「私たちのお肉屋」には、手軽に食べられる美しい肉総菜がずらりと並ぶが、ここの売りは第一共和国時代のレシピだ。これらは伝統に新しい技術を組み合わせた探求が成功した例と言えるだろう。

こうしたクネドリーンやタパスや総菜などの手軽なチェコ料理は、時間のない現代人の生活スタイルにも合っている。もともと昼食を重視する食文化圏にあるチェコでは、昔からお昼に温かい肉料理が食されてきた。社員食堂であれレストランであれ、スープ、メインとしっかり食べてエネルギーを摂取するのが当たり前だった。しかし、昨今の健康志向に加えて新型コロナや急激なインフレの影響もあり、最近ではオフィスにお弁当を持参する人やテイクアウトを利用する人も増え、お昼のスタイルも多様化しつつあるからだ。

さて、こうして変わりはじめたチェコ料理はどこへ向かうのか。洗練された伝統料理の旗振り役として、クッキング講座やイベントなどの啓蒙活動にも熱心な人気レストランチェーン「アンビエンテ」の２０２３年の予測トレンドを見てみれば、地場地産、サステナブル食品、ネオ・エコロジーといったキーワードが並んだあとに、こんな太字の一文が。

「チェコの食文化から肉は主役を降りつつある」

少なくともチェコの食文化の復活の時代は終わり、さらに多様化に向けて新たな一歩を踏み出していることはまちがいなさそうだ。

（平野清美）

60

ビール

★「典型的」なチェコの世界★

イェリーネク亭にて

プラハのユングマン通りに面して、パヴェル・ヤナークが設計したキュビズム建築の1つ、壮麗なシュコダ・パレスが立っている。この建物の裏側の横丁にごく小さな居酒屋がある。木製の扉があくのは午前10時、入り口を入ると右側、ビールサーバーの向こう側でオーストリア帝国時代さながらのカイザー髭をたくわえた伝説中の人「ボホウシェク」氏が次々にビールを注いでいる。サーバーの周りにはたくさんの人がひしめいて、ビールを置くことができるのは小さなハイテーブルと壁に設えられた細い棚ばかりだ。この奥には常連用のテーブルがたった1つ、右に入ると小さなホールがあってここにもテーブルは5脚ほどしかない。近所には国民劇場をはじめたくさんの劇場があるので、終演時間になると俳優や楽士たちでいっぱいになる。ボホウシェク氏が笑顔を見せることはめったにないが、半リットルのグラスを飲み干すころになるとかならず目をあわせて、次のグラスを無愛想に差し出すことだろう。まっしろな泡がグラスのそこまで届くようだが、受け取ってほんのしばらくおいておけば、白と黄金の境目はきっちりと「0・5リットル」

と表示されたグラスの線に収まるはずだ。

イェリーネク亭は第一次世界大戦直後に開業しているからシュコダ・パレスより古い。社会主義期をはさんで創業者一族が経営に携わっている数少ない居酒屋の1つである。ヤロスラフ・ハシェクの『兵士シュヴェイクの冒険』は聖杯亭（ウ・カリハ）で始まっているが、彼がこの小説を書き始めたのは、そして物語を最初に常連に語って聞かせたのはこの小さなイェリーネク亭でのことだった。戦間期には解放劇場のイジー・ヴォスコヴェツ、ヤン・ヴェリフ、そして劇場に数々の音楽を提供したヤロスラフ・イェジェクもここに通った。そのころからいままで居酒屋の空気を統べる「場所の霊」はおそらく変わっていない。

黒牛亭、黄金の虎亭、2匹の猫亭、新しいところでは河馬亭、ルドルフィヌム亭などなど、プラハの居酒屋（ホスポダ、ホスチネツ）にはそれぞれの物語があり、物語は居酒屋を中心に紡ぎ出されてきた。もし広く中央ヨーロッパでカフェ文化が重要な役割を果たしてきたとすれば、チェコ、とくにボヘミアでは居酒屋がカフェと同じかそれ以上に社交、議論、情報交換の場を作り出してきた。チェコのビールはバイエルンの影響を強く受けているが、チェコにはバイエルンの町々にあるような大規模なビアホールは稀で（ヒトラーのミュンヘン一揆はビアホールで始まった！）、居酒屋はより親しい空間を形作っている。

「ピルスナー」の誕生

村や町、農民、貴族を問わず、ボヘミアの社交にビールは欠かせなかった。村々の寄り合いは居酒屋で行われ、村にはたいてい豊かな農民たちと貧しい人々が通う居酒屋が別々にあった。しかしビールの醸造・販売は領主の特権で、農民たちがビールを購入できる醸造所は限られていた。1848年に3月革命が起こると、農民たちはたくさんの請願書を提出して領主の横暴を訴えたが、その中にはビール醸造特権の廃止を求める請願が少なくない。ある請願は次のように訴えている。「村の居酒屋は領主から高額でビールを買い取らなければなりません。村には自由な居酒屋がないので私たち村民は高い金で悪いビールを飲まざるをえないのです。しかもこの醸造所は村から4時間も離れており、そこへ行く道もたいへんな悪路ですから、そうでなくても悪質なビールは運ぶうちにさらに悪くなるのです。特に夏場はすっぱくなってとても飲めません。プラハの醸造所の方が近いのに」。

1848年の革命でビールの醸造特権は廃止されたが、現在のチェコでふつうに飲まれる「明るいビール」が作り出されたのはその直前のことである。プルゼン（ドイツ語でピルゼン）市が市営のビール醸造所（町々は領主と同じく醸造特権を持っている）の立て直しをはかってバイエルンから醸造職人を呼び寄せて作らせた上面発酵のビールである。やがて工業的に生産されるようになるとこのプルゼン風ビール、ピルスナーはすぐに町々の居酒屋を潤し、チェコから輸出さえされるようにもなった。こうしてチェコでビールが大規模に消費される条件が整った。

チェコ文化と居酒屋

「チェコ文化」と居酒屋、ビールが強く結びつくようになったのは、「民族再生期」の文化が創造される19世紀のことである（第8章を参照）。『小地区物語』（邦訳『フェイエトン』）で居酒屋に集う人々を活写したヤン・ネルダはみずからも若いころから居酒屋に入り浸っていたが、居酒屋と再生期の文化についてこう書いている。「１８３０年代のことだったか、当時、白獅子亭で語られた話を聞いて悪寒にふるえぬ者はいなかった。文人をはじめ愛国者たちが白獅子亭の常連で、『もしここの天井が落ちてきたら、もうチェコ民族は終わりだ』、というのである」。「天井が落ちてきたら」といったのはユングマンだという説もあって、冗談ともつかないこの話は19世紀の愛国者たちには広く共有されていたのだろう。再生期にチェコ文化を担う人々がとても狭いサークルに留まっていた、という自己韜晦であると同時に、彼らにとって居酒屋がいかに社交の中心だったかを物語っている。ドイツ語が文人たちの教養言語であった時代、居酒屋はチェコ語の可能性を試し、チェコ語による文化的な社会生活を創造する親密な避難所だった。愛国者たちはフス派の過去をチェコ史の栄光の時代として称えたが、プラハを訪れたフランツ・リストが、愛国者たちが居酒屋で放吟する歌に着想を得て「フス派の歌」を作曲したのはこのころのことだった（１８４０年）。しかしそのじつリストが聞いたのはヨゼフ・テオドル・クロフが書いた愛国歌「素敵な希望で幸せに」（１８２０年）で、リフレインはこう歌う。「愛し合おう、負けないぞ、力をつけよう、さあ飲もう！」典型的な居酒屋歌である。この挿話は居酒屋が再生期の文化の揺籃だったことをよく物語っている。

19世紀なかばに採集された次の歌もビールと居酒屋が「チェコらしさ」の自負を支えていることを示している。「ビールではなくコーヒーを／またはただ火酒ばかりなら／そんなところはあとにして／もっと良いところがあるでしょう／ビールのジョッキが行き交うところ／そんなところに急ぎなさい。もしボヘミアのどこかにて／あなたが『ヴェア・ダー』（ドイツ語であなたは誰）と聞かれたら／チェコ語でこうして答えなさい／いつもチェコ語しか話さない／ドイツ語なんか関係ない／ここはボヘミア、ドイツじゃないんだから」。コーヒーやワインはしばしば気取った社交、民衆から離れた「ドイツ人」の飲み物とみなされ、一方、火酒は生活を破壊する野蛮な東方の飲み物と考えられた。１８５０年代に刊行された「スロヴァキア紀行」という小文は、スロヴァキアの山村では「妊婦でも火酒を飲み、子供は生まれながらにアルコールに侵されている」と書いて、ビールを飲むチェコと対照させている。ビールは文化的で文明的な飲み物、しかも快活な社交の軸で、ビール杯を交えれば文人も庶民も隔てなく談論風発、なのである。

ブロウチェク氏とシュヴェイク

しかし19世紀の末になると居酒屋に「チェコの世界」の自閉的で卑小な姿をみる人たちも現れた。スヴァトプルク・チェフはプラハで貸家を所有するマチェイ・ブロウチェク氏を主人公とする2篇の小説を書いている。ブロウチェク氏はチェコの愛国者を衒(てら)いながら、居酒屋で心地よい時間を過ごすことが何より大事な小市民である。『ブロウチェク氏の次なる画期的な旅行、今度は15世紀へ』（１８８８年）はブロウチェク氏が聖ヴィート教会脇の居酒屋ヴィカールカ亭で酔ううちに地下室から15世紀、フス派戦争の時代という異世界に迷い込む物語である。ヤン・ジシュカの軍隊に徴募されたブロウチェク氏はヴィートコフの戦いを前にして逃げ出したが、ジシュカに捕まって火刑を宣告される。「私は15世紀の人間じゃない、19世紀に帰るんだ！」と絶望的に叫ぶブロウチェク氏に対してジシュカは冷ややかに応じる。「そんな卑怯者、裏切り者が我らの子孫であるはずはない」。あわや火刑になろうというときに目が覚めるとブロウチェク氏はヴィカールカ亭に戻っているのだった。

皮肉に満ちたこの小説は、ブロウチェク氏の姿を通じて、チェコの小市民たちが居酒屋に立て籠もって勇ましいフス派を談じるさまを揶揄しているようにも見える。『兵士シュヴェイクの冒険』でもまた居酒屋「聖杯亭」は世界戦争という異世界への入り口だった。ただし居酒屋からフス戦争の時代に迷い込んで右往左往するブロウチェク氏とちがって、シュヴェイクは世界戦争を果てしない居酒屋でのおしゃべりに変えてしまう。酒場をこよなく愛したハシェクは、逆に居酒屋で展開するチェコの世界を現実世界に投影してその不条理さを際立たせたのであった。

居酒屋で形づくられる「チェコの世界」は男性たちの世界である。居酒屋を政治や文化のアジールだといって男たちが気炎をあげた時代は過去のものかもしれない。イェリーネク亭も新しい物語を紡ぎ始めるのだろうか。

（篠原琢）

チェコをもっと知るための参考文献

●言　語

石川達夫『チェコ語初級』（大学書林、１９９２年）
石川達夫『チェコ語中級』（大学書林、１９９６年）
石川達夫（編）『チェコ語日本語辞典　チェコ語の宝――コメンスキーの追憶に』（全5巻、成文社、２０１９年）
金指久美子『中級チェコ語文法』（白水社、２０１０年）
金指久美子『チェコ語のしくみ　新版』（白水社、２０１４年）
金指久美子『チェコ語の基本　入門から中級の入り口まで』（三修社、２０１２年）
小林正成・桑原文子（編）『現代チェコ語日本語辞典』（大学書林、２００１年）
千野栄一・千野ズデンカ『チェコ語の入門』（白水社、１９７５年）
保川亜矢子『ニューエクスプレスプラス　チェコ語』（白水社、２０１９年）

●概説、通史

薩摩秀登『物語チェコの歴史　森と高原と古城の国』（中公新書、２００６年）
薩摩秀登『図説チェコとスロヴァキアの歴史』（河出書房新社、２０２１年）
柴宜弘・伊東孝之・南塚信吾・直野敦・萩原直（監修）『新版　東欧を知る事典』（平凡社、２０１５年）
中欧・東欧文化事典編集委員会編『中欧・東欧文化事典』（丸善出版、２０２１年）
沼野充義（監修）『中欧　ポーランド・チェコ・スロヴァキア・ハンガリー』（新潮社、１９９６年）
南塚信吾（編）『ドナウ・ヨーロッパ史』（世界各国史19、山川出版社、１９９９年）
森安達也（編）『スラヴ民族と東欧ロシア』（民族の世界

史10、山川出版社、１９８６年）

●歴史（第一次大戦以前）

岩崎周一『ハプスブルク帝国』（講談社現代新書、２０１７年）
エヴァンズ、Ｒ・Ｊ・Ｗ（中野春夫訳）『魔術の帝国　ルドルフ二世とその世界』（ちくま学芸文庫、２００６年）
オーキー、ロビン（三方洋子訳、山之内克子・秋山晋吾監訳）『ハプスブルク君主国１７６５－１９１８』（ＮＴＴ出版、２０１０年）
桐生裕子『近代ボヘミア農村と市民社会　19世紀後半ハプスブルク帝国における社会変容と国民化』（刀水書房、２０１２年）
コーン、ハンス（稲野強他訳）『ハプスブルク帝国史入門』（恒文社、１９８２年）
薩摩秀登『王権と貴族　中世チェコにみる中欧の国家』（日本エディタースクール出版部、１９９１年）
薩摩秀登『プラハの異端者たち　中世チェコのフス派にみる宗教改革』（現代書館、１９９８年）
篠原琢・中澤達哉（編）『ハプスブルク帝国政治文化史　継承される正統性』（昭和堂、２０１２年）
シュタットミュラー、ゲオルク（丹後杏一訳）『ハプスブルク帝国史　中世から１９１８年まで』（刀水書房、１９８９年）
相馬伸一『ヨハネス・コメニウス　汎知学の光』（講談社選書メチエ、２０１７年）
中根一貴『政治的一体性と政党間競合　20世紀初頭チェコ政党政治の展開と変容』（吉田書店、２０１８年）
藤井真生『中世チェコ国家の誕生　君主・貴族・共同体』（昭和堂、２０１４年）

●歴史（チェコスロヴァキア共和国成立以降）

阿部賢一『ヴァーツラフ・ハヴェル『力なき者たちの力』　一〇〇分de名著』（ＮＨＫ出版、２０２０年）
石川達夫『マサリクとチェコの精神　アイデンティティと自律性を求めて』（成文社、１９９５年）
クーデルカ、ジョセフ（阿部賢一訳）『プラハ侵攻１９６８』（平凡社、２０１１年）
シク、オタ（林三郎訳）『チェコ経済の真実』（毎日新聞社、１９７０年）
ドプチェク、アレクサンデル（森泉淳訳）『希望は死な

ず　ドプチェク自伝』（講談社、１９９３年）
ドプチェク、アレクサンデル（熊田亨訳）『証言プラハの春』（岩波書店、１９９１年）
長與進『チェコスロヴァキア軍団と日本１９１８－１９２０』（教育評論社、２０２３年）
中田瑞穂『農民と労働者の民主主義　戦間期チェコスロヴァキア政治史』（名古屋大学出版会、２０１２年）
ハヴェル、ヴァーツラフ（飯島周監訳）『反政治のすすめ』（恒文社、１９９１年）
ハヴェル、ヴァーツラフ（阿部賢一訳）『力なき者たちの力』（人文書院、２０１９年）
林忠行『粛清の嵐と「プラハの春」　チェコとスロヴァキアの40年』（岩波ブックレット、１９９１年）
林忠行『中欧の分裂と統合　マサリクとチェコスロヴァキア建国』（中公新書、１９９３年）
林忠行『チェコスロヴァキア軍団　ある義勇軍をめぐる世界史』（岩波書店、２０２１年）
福田宏『身体の国民化　多極化するチェコ社会と体操運動』（北海道大学出版会、２００６年）
フレーザー、アンガス（水谷驍訳）『ジプシー　民族の歴史と文化』（平凡社、２００２年）
水谷驍『ジプシー　歴史・社会・文化』（平凡社新書、２００６年）
森下嘉之『近代チェコ住宅社会史　新国家の形成と社会構想』（北海道大学出版会、２０１３年）

●文化

赤塚若樹『シュヴァンクマイエルとチェコ・アート』（未知谷、２００８年）
赤塚若樹『ミラン・クンデラと小説』（水声社、２０００年）
阿部賢一『複数形のプラハ』（人文書院、２０１２年）
阿部賢一『カレル・タイゲ　ポエジーの探求者』（水声社、２０１７年）
井口壽乃・加須屋明子『中欧のモダンアート　ポーランド・チェコ・スロヴァキア・ハンガリー』（彩流社、２０１３年）
石川達夫『プラハのバロック　受難と復活のドラマ』（みすず書房、２０１５年）
石川達夫『チェコ・ゴシックの輝き　ペストの闇から生まれた中世の光』（成文社、２０２１年）
市川敏之『チェコスロヴァキア美術館　絵画で鑑賞　至高の絵画コレクション』（えにし書房、２０１８年）

ＩＮＡＸギャラリー企画委員会企画『チェコのキュビズム建築とデザイン１９１１−１９２５　ホホル、ゴチャール、ヤナーク』（ＩＮＡＸ出版、２００９年）
井上暁子（編）・三谷研爾・阿部賢一・藤田恭子・越野剛『東欧文学の多言語的トポス』（水声社、２０２０年）
ウルヴェル、スタニスラフ（編）（赤塚若樹編集・翻訳）『チェコ・アニメーションの世界』（人文書院、２０１３年）
ヴァーゲンバッハ、クラウス（須藤正美訳）『カフカのプラハ　改訳決定版』（水声社、２０２２年）
ヴェーニグ、ヤン（関根日出男訳）『プラハ音楽散歩』（晶文社、１９８９年）
奥彩子・西成彦・沼野充義（編）『東欧の想像力　現代東欧文学ガイド』（松籟社、２０１６年）
小野尚子・本橋弥生・阿部賢一・鹿島茂『ミュシャ　パリの華、スラヴの魂』（新潮社、２０１８年）
加須屋明子、井口壽乃、宮崎淳史、ゾラ・ルスィノヴァー『中欧の現代美術　ポーランド・チェコ・スロヴァキア・ハンガリー』（彩流社、２０１４年）
木村有子『チェコのヤポンカ　私が子どもの本の翻訳家になるまで』（かもがわ出版、２０２４年）
くまがいマキ（企画・編集）『チェコスロヴァキア・ヌーヴェルヴァーグ』（国書刊行会、２０１７年）
セイヤー、デレク（阿部賢一・河上春香・宮崎淳史訳）『プラハ、二〇世紀の首都　あるシュルレアリスム的な歴史』（白水社、２０１８年）
髙橋和・中村唯史・山崎彰（編）『映像の中の冷戦後世界　ロシア・ドイツ・東欧研究とフィルム・アーカイブ』（山形大学出版会、２０１３年）
田中充子『プラハ建築の森』（学芸出版社、１９９９年）
千野栄一『ポケットのなかのチャペック』（晶文社、１９８９年）
チャプコヴァー、ヘレナ（阿部賢一訳）『ベドジフ・フォイエルシュタインと日本』（成文社、２０２１年）
出久根育『チェコの十二ヵ月　おとぎの国に暮らす』（理論社、２０１７年）
内藤久子『チェコ音楽の歴史　民族の音の表徴』（音楽之友社、２００２年）
内藤久子『チェコ音楽の魅力　スメタナ・ドヴォルジャーク・ヤナーチェク』（東洋書店、２００７年）
西永良成『ミラン・クンデラの思想』（平凡社、１９９

8年）

半田幸子『戦間期チェコのモード記者ミレナ・イェセンスカーの仕事　〈個〉が衣装をつくる』（春風社、2023年）

平野嘉彦『プラハの世紀末　カフカと言葉のアルチザンたち』（岩波書店、1993年）

三谷研爾『世紀転換期のプラハ　モダン都市の空間と文学的表象』（三元社、2010年）

ローベル柊子『ミラン・クンデラにおけるナルシスの悲喜劇』（成文社、2018年）

●文学作品の翻訳

アイヴァス、ミハル（阿部賢一訳）『もうひとつの街』（河出書房新社、2013年）

アイヴァス、ミハル（阿部賢一訳）『黄金時代』（河出書房新社、2014年）

飯島周・小原雅俊（編）『ポケットのなかの東欧文学　ルネッサンスから現代まで』（成文社、2006年）

イェセンスカー、ミレナ（松下たえ子編訳）『ミレナ　記事と手紙　カフカから遠く離れて』（みすず書房、2009年）

イラーセク、アロイス（浦井康男訳）『チェコの伝説と歴史』（北海道大学出版会、2011年）

イラーセク、アロイス（浦井康男訳）『暗黒　18世紀、イエズス会とチェコ・バロックの世界』（成文社、2016年）

ヴォルケル、イジー（大沼有子訳）『製本屋と詩人』（共和国、2022年）

エルベン、カレル・ヤロミール（出久根育絵、阿部賢一訳）『命の水　チェコの民話集』（西村書店、2017年）

オウジェドニーク、パトリク（阿部賢一・篠原琢訳）『エウロペアナ　二〇世紀史概説』（白水社、2014年）

オルシャ・Jr、ヤロスラフ（編）・（平野清美編訳）『チェコSF短編小説集』（平凡社ライブラリー、2018年）

オルシャ・Jr、ヤロスラフ・ランバス、ズデニェク（編）（平野清美編訳）『チェコSF短編小説集2』（平凡社ライブラリー、2023年）

カフカ、フランツ（マックス・ブロート他編）『カフカ全集　決定版』（全12巻、新潮社、1980〜1981年）

カフカ、フランツ（多和田葉子編）『カフカ　ポケットマスターピース01』（集英社文庫、2015年）
木村有子（編訳）・出久根育（絵）『火の鳥ときつねのリシカ　チェコの昔話』（岩波少年文庫、2021年）
クラトフヴィル、イジー（阿部賢一訳）『約束』（河出書房新社、2017年）
クンデラ、ミラン（西永良成訳）『冗談』（岩波文庫、2014年）
クンデラ、ミラン（千野栄一訳）『存在の耐えられない軽さ』（集英社文庫、1998年）
クンデラ、ミラン（西永良成訳）『裏切られた遺言』（集英社、1994年）
小原雅俊（編）『文学の贈物　東中欧文学アンソロジー』（未知谷、2000年）
コメニウス、J・A（井ノ口淳三訳）『世界図絵』（平凡社ライブラリー、1995年）
コメニウス、J・A（藤田輝夫訳）『地上の迷宮と心の楽園』（東信堂、2006年）
サイフェルト、ヤロスラフ（飯島周訳）『新編ヴィーナスの腕　J・サイフェルト詩集』（成文社、2000年）
シュティフター、アーダルベルト（谷口泰訳）『ヴィティコー　薔薇と剣の物語（全3巻）』（書肆風の薔薇、1990年）
ダガン、アヴィグドル（千野栄一・姫野悦子訳）『宮廷の道化師たち』（集英社、2001年）
チェフ、パヴェル（ジャン＝ガスパール・パーレニーチェク、髙松美織訳）『ペピーク・ストジェハの大冒険』（サウザンブックス社、2023年）
チャペック、カレル（千野栄一訳）『ロボット(R.U.R)』（岩波文庫、1989年）
チャペック、カレル（阿部賢一訳）『白い病』（岩波文庫、2020年）
チャペック、カレル（木村有子訳）『長い長い黒猫の話』（小学館、2022年）
チャペック、ヨゼフ（木村有子訳）『こいぬとこねこのおかしな話』（岩波少年文庫、2017年）
チャペック、ヨゼフ（飯島周訳）『ヨゼフ・チャペックエッセイ集』（平凡社ライブラリー、2018年）
ツィマ、アンナ（阿部賢一・須藤輝彦訳）『シブヤで目覚めて』（河出書房新社、2021年）
ドスコチロヴァー、ハナ（ズデネック・ミレル絵、木村有子訳）『もぐらくんとゆきだるまくん』（偕成社、2004年）

ニェムツォヴァー、ボジェナ（栗栖継訳）『おばあさん』（岩波文庫、１９７１年）
ネルダ、ヤン（竹田裕子訳）『フェイエトン　ヤン・ネルダ短篇集』（未知谷、２００３年）
ハヴェル、ヴァーツラフ（阿部賢一・豊島美波訳）『通達／謁見』（松籟社、２０２２年）
パヴェル、オタ（菅寿美・中村和博訳）『ボヘミアの森と川　そして魚たちとぼく』（未知谷、２０２０年）
ハシェク、ヤロスラフ（栗栖継訳）『兵士シュヴェイクの冒険』（全4巻、岩波文庫、１９７２年）
ハシェク、ヤロスラフ（飯島周編訳）『不埒な人たち　ハシェク短編集』（平凡社ライブラリー、２０２０年）
平田達治・平野嘉彦（編訳）『ドイツの世紀末　第二巻　プラハ　ヤヌスの相貌』（国書刊行会、１９８６年）
フィリップ、オタ（北岡武司訳）『お爺ちゃんと大砲』（春風社、２０１５年）
フクス、ラジスラフ（阿部賢一訳）『火葬人』（松籟社、２０１２年）
フラバル、ボフミル（石川達夫訳）『あまりにも騒がしい孤独』（松籟社、２００７年）
フラバル、ボフミル（阿部賢一訳）『わたしは英国王に給仕した』（河出文庫、２０１９年）
ペルッツ、レオ（垂野創一郎訳）『夜毎に石の橋の下で』（国書刊行会、２０１２年）
ベロヴァー、ビアンカ（阿部賢一訳）『湖』（河出書房新社、２０１９年）
マイリンク、グスタフ（今村孝訳）『ゴーレム』（白水Ｕブックス、２０１６年）
モルンシュタイノヴァー、アレナ（菅寿美訳）『ひそやかな歳月』（未知谷、２０２３年）
ラダ、ヨゼフ（木村有子訳）『かしこいきつねの物語』（小学館、２０２２年）
ロジノフスカー、レンカ（木村有子訳、出久根育絵）『クリスマスのあかり　チェコのイブのできごと』（福音館書店、２０１８年）

おわりに

本書の前身にあたる『チェコとスロヴァキアを知るための56章』が刊行されたのは２００３年のことである。それから約20年を経て、内容を全面的に刷新したのが本書『チェコを知るための60章』である。

タイトルからも明らかなように、今回、「チェコ」と「スロヴァキア」はそれぞれ1冊ずつ刊行する運びとなった。旧チェコスロヴァキアが円満に分離の協議を進めたように、我々編者もまた友好的にそれぞれの道を選ぶこととなった。書籍としてはそれぞれ独立した1冊となるが、チェコとスロヴァキアは、言語的にも、文化的にも、そして政治的にも深い関係にある。ぜひ、本書とともに『スロヴァキアを知るための64章』（２０２３年）も併せて手に取っていただきたい。

さて、１９８９年のビロード革命から十数年後に刊行された『チェコとスロヴァキアを知るための56章』との違いは何だろうか。前著は、あまり知られていない国の文化を日本の読者に紹介するという側面がまだ強かったように思われる。当時「東欧革命」という言葉が使われていたように、チェコは「東欧」の国と形容されることが多くあった。２００４年にチェコ共和国がＥＵに加盟したことにより、社会主義圏のヨーロッパを意味する「東欧」という表現も有効性を失い、近年では「中欧」という形容が使われる機会が明らかに増えている。

また日本とチェコの関係も、この20年の間に大きな進展があった。プラハはヨーロッパでも屈指の魅力的な都市としてよく知られるようになったほか、チェコからも多くの観光客が日本を訪れるようになっている。とりわけ、文化、芸術、スポーツなどの「ソフトパワー」によって、チェコは日本での認知度を高めている。２００６年にはチェコセンター東京が開設され、各種イベントを開催するなど、チェコ文化の広報を積極的に行っている。２０１７年、東京の国立新美術館で開催された「ミュシャ展」には代表作《スラヴ叙事詩》がチェコ国外で初めてまとめて展示されたこともあり、65万を超える観客を動員した。２０１８年からはチェコでのワーキングホリデーも始まり、現地での生活に溶け込む人たちも大勢いる。スポーツの分野での交流も活発になり、２０２３年のワールド・ベースボール・クラシックでのチェコ代表の奮闘ぶりは、多くの日本のひとの心を動かすものだった。このように、交流の事例は枚挙にいとまがない。

こういった状況を踏まえ、本書では、前著よりも、チェコの文化を、より深く、より多面的にお伝えすることを心がけた。また刻々と変わっていく街の新しい様子も可能な限り反映するように試みた。1つの国の文化を1冊の本で概観するのは至難の業だが、多種多様なバックグラウンドを有する執筆者の協力により、チェコの多面的な魅力を伝える1冊に仕上げることができたように思われる。執筆者の皆さんには、この場を借りて、改めてお礼を申し上げたい。

なお、タイトルとして「チェコ」という言葉が前面に出ているが、あくまでもそれは今日のチェコ共和国を中心とする領土的な意味でしかない。かつて同じ国を構成していたスロヴァキアの人々はもちろん、歴史を振り返れば、ドイツ系、ユダヤ系の人々の存在なしに、この地の文化を語ることはできず、ウクライナからの避難民、それにロマの人々も忘れてはならない。現在の姿だけではなく、かつてこの地に暮らしていた人々のこと、あるいはあまり表には出ないが、ときに煌めきを放つ多種多様な文化についても考える契機を、本書から受け取っていただけたとしたら、編者としてはこの上ない喜びである。

最後に、思いのほか長きにわたった編集作業の期間、多種多様なサポートをしていただいた明石書店の長尾勇仁さんには、心よりお礼を申し上げたい。

2024年1月

阿部賢一

平野清美（ひらの　きよみ）［59］
カレル大学卒。訳書に『チェコ SF 短編小説集』（編訳）（平凡社）、フラバル『時の止まった小さな町』、シュクヴォレツキー『二つの伝説』（共訳）（以上、松籟社）など。

福田宏（ふくだ　ひろし）［27, 49, 50, コラム 7］
成城大学法学部准教授。チェコとスロヴァキアの近現代史と政治。主要業績：「東欧のロック音楽と民主主義」中野聡・木畑洋一編『岩波講座　世界歴史第23巻　冷戦と脱植民地化 II：20 世紀後半』（岩波書店、2023 年）など。

藤井真生（ふじい　まさお）［2, 3］
静岡大学人文社会科学部教授。主な業績：『中世チェコ国家の誕生』（昭和堂、2014 年）、ヴァーツラフ・フサ『中世仕事図絵』（翻訳、八坂書房、2017 年）。

ブルナ、ルカーシュ（Bruna, Lukáš）［45］
実践女子大学文学部国文学科准教授。共著に『チャペック兄弟とその時代』（日本チェコ協会、2017 年）、論考に「東洋と西洋の架橋 ――〈異界〉への扉を開くジャポニズム文学」（『文学＋』02 号、2020 年）などがある。

森下嘉之（もりした　よしゆき）［26, コラム 5, コラム 11］
茨城大学人文社会科学部准教授。主要業績：『近代チェコ住宅社会史 ― 新国家の形成と社会構想』（北海道大学出版会、2013 年）、「社会主義期チェコスロヴァキアにおける高層住宅団地の建設政策の歴史的意味 ― 1960-80年代を中心に」『東欧史研究』（45 号、2023 年、86-94 頁）。

中根一貴（なかね　かずたか）［10］
大東文化大学法学部政治学科教授。ヨーロッパ政治史、東中欧地域研究。主な業績『政治的一体性と政党間競合――20 世紀初頭チェコ政党政治の展開と変容』（吉田書店、2018 年）。

長與進（ながよ　すすむ）［コラム 12］
早稲田大学名誉教授。スロヴァキアの歴史と言語。主な著作は『チェコスロヴァキア軍団と日本』（教育評論社、2023 年）、〔共編〕『スロヴァキアを知るための 64 章』（明石書店、2023 年）など。

西田泰代（にしだ　やすよ）［57］
福岡県生まれ。チェコ在住、陶芸家。武蔵野美術大学工芸工業デザイン学科陶芸専攻卒業。複数のチェコの陶芸シンポジウム参加経験の後、チェコへ移住。Vladimir Groh と共同制作。滋賀県立陶芸の森、景徳鎮陶渓川国際工作室、ハンガリー・ケチケメート国際スタジオなどのレジデンス招聘作家。磁器制作を通して国際的に活動。

林忠行（はやし　ただゆき）［15, 17, 18, 23, コラム 16］
北海道大学名誉教授、東欧比較政治、東欧国際関係史、チェコスロヴァキア史専攻。著書:『チェコスロヴァキア軍団――ある義勇軍をめぐる世界史』（岩波書店、2021 年）など。

林由未（はやし　ゆみ）［52］
人形作家、人形劇舞台美術家。神奈川県横浜市生まれ。東京藝術大学大学院デザイン科 2004 年に修了。2010 年にプラハ芸術アカデミー演劇学部人形劇舞台美術科修了。現在、プラハ在住。チェコ・日本にとどまらず、世界の劇場で活躍の場を広げる舞台芸術家。

パーレニーチェク、ジャン＝ガスパール（Páleníček, Jean-Gaspard）［54］
文筆家、美術展企画アドヴァイザー。チェコ国立文学館職員。日本の日常を描いたコミック『Iogi 井荻』（第 15 回日本国際漫画賞入賞）原作者。「チェコ・コミックの 100 年展」（2017 ～ 18 年）では、日本で初めてチェコ・コミックを体系的に紹介した。

半田幸子（はんだ　さちこ）［22］
東北大学大学院情報科学研究科特任助教（研究）、戦間期チェコを中心とした中欧メディア文化、特にファッション・メディア。『戦間期チェコのモード記者ミレナ・イェセンスカーの仕事――〈個〉が衣装をつくる』（春風社、2023 年）。

高松美織（たかまつ　みお）［54］
フランス語通訳、翻訳家。邦訳した『ペピーク・ストジェハの大冒険』のクラウドファンディング企画が成立し、2023年に日本初のチェコ・コミックとしてサウザンブックス社から出版された。

チャプコヴァー、ヘレナ（Čapková, Helena）［55］
プラハ生まれ。立命館大学グローバル教養学部准教授。チェコ共和国・カレル大学哲学部日本学科・美術学院卒、ロンドン大学修士課程修了。ロンドン芸術大学TrAIN研究センターで博士号取得。早稲田大学国際教養学部助教を経て現職。編著書に『日本におけるアントニン・レーモンド―1948-1976―知人たちの回想』（Aula、2019年）など。

デブナール、ミロシュ（Debnár, Miloš）［コラム13］
1979年生まれ。龍谷大学国際学部国際文化学科准教授。社会学、移民研究。

富重聡子（とみしげ　さとこ）［53］
一橋大学大学院言語社会研究科博士課程。東京外国語大学非常勤講師。論文「飛行機を見上げる：ヴラーチル『ガラスの雲』における人物の視線」（『言語社会』16号、一橋大学言語社会研究科、2022年）など。

豊島美波（とよしま　みなみ）［51］
東京大学大学院人文社会系研究科博士課程。訳書にヴァーツラフ・ハヴェル『通達・謁見』（共訳、松籟社、2022年）、論文に「ヴァーツラフ・ハヴェルの戯曲における『書くこと／署名』のモチーフ」（『スラヴ学論集』第27号、2024年）など。

中田瑞穂（なかだ　みずほ）［24, 25, 29, 30］
明治学院大学教授。主要業績『「農民と労働者の民主主義」――戦間期チェコスロヴァキア政治史』（名古屋大学出版会、2012年）、網谷龍介・上原良子・中田瑞穂編『戦後民主主義の青写真――ヨーロッパにおける統合とデモクラシー』（ナカニシヤ出版、2019年）など。

中辻柚珠（なかつじ　ゆず）［14, 47, コラム6］
京都大学文学研究科非常勤講師。主な業績に「二〇世紀転換期プラハにおける芸術界とナショナリズム――マーネス造形芸術家協会を中心に」（『史林』104-6、2021年、1-35頁）、『ナショナリズムとナショナル・インディファレンス――近現代ヨーロッパにおける無関心・抵抗・受容』（共訳、ミネルヴァ書房、2023年）。

佐藤ひとみ（さとう　ひとみ）［28］
東京外国語大学大学院総合国際学研究科博士後期課程。業績として、「正常化体制期における「チェコスロヴァキア主義」――1980年代のスロヴァキア知識人による歴史議論」（『東欧史研究』第44号、2022年）、「1980年代後半のスロヴァキア作家同盟におけるスロヴァキア・ネイション論」（『クァドランテ』第26号、2024年）。

佐藤雪野（さとう　ゆきの）［33, 34］
東北大学大学院国際文化研究科・准教授。関連業績：「チェコ共和国における外国人住民の現状と難民問題」『国際文化研究科論集』（29、2021年、87-94頁）、「チェコとスロヴァキアのロマ」『思想』（1056、2012年、92-106頁）。

篠原琢（しのはら　たく）［8, 16, 19, 20, 21, 60］
東京外国語大学教授、カレル大学哲学部で歴史学PhD. 取得。主要業績：『ハプスブルク帝国政治文化史』（共編著、昭和堂、2012年）、『民族自決という幻想』（共著、昭和堂、2020年）、『岩波講座世界歴史21　二つの大戦と帝国主義II』（岩波書店、2023年）など。

須川忠輝（すがわ　ただてる）［31］
三重大学人文学部講師。主要業績：「体制転換後のスロヴァキアの地方自治――中央集権か地方分権かをめぐって」（長與進、神原ゆうこ編『スロヴァキアを知るための64章』明石書店、2023年）、「出先機関の制度設計：民主化後のスロヴァキアにおける地方行政の展開」（『年報政治学』2022-Ⅰ、2022年）。

須藤輝彦（すどう　てるひこ）［41］
東京大学助教。東京大学大学院博士課程修了。著書に『たまたま、この世界に生まれて――ミラン・クンデラと運命』（晶文社）。一般向けの読み物として、集英社新書プラス、webゲンロン、『文学＋』WEB版などにも寄稿している。訳書にアンナ・ツィマ『シブヤで目覚めて』（河出書房新社、阿部賢一との共訳）など。

相馬伸一（そうま　しんいち）［コラム2］
佛教大学教育学部教授。筑波大学大学院博士課程教育学研究科単位取得退学。博士（教育学）。主著に『教育思想とデカルト哲学』（ミネルヴァ書房、2001年）、『ヨハネス・コメニウス』（講談社選書メチエ、2017年）、『コメニウスの旅』（九州大学出版会、2018年）。

小川里枝（おがわ　りえ）［コラム 15］
チェコ工芸研究家、ヴィオルカ主宰。学芸員として「ボヘミアガラスの100年展」（高崎市美術館）を担当、その後『ミュシャ展』（国立新美術館）等の展覧会準備および翻訳に携わる。2014年よりヴィオルカを通じてチェコの伝統工芸を日本に紹介している。訳書に『藍染めのアポレンカ』（求龍堂、2023年）。

川島隆（かわしま　たかし）［44］
京都大学文学研究科准教授。ドイツ文学を専門とするかたわら、ジェンダー論やメディア論を研究している。主な著書に『カフカの〈中国〉と同時代言説』（彩流社、2010年）、主な訳書にフランツ・カフカ『変身』（角川文庫、2022年）など。

木村有子（きむら　ゆうこ）［43］
チェコ児童文学の翻訳家。幼少期プラハで暮らす。翻訳書に『こいぬとこねこのおかしな話』『長い長い黒猫の話』『火の鳥ときつねのリシカ』『きつねがはしる』など。エッセイに『チェコのヤポンカ 私が子どもの本の翻訳家になるまで』がある。

京極俊明（きょうごく　としあき）［11］
豊田工業高等専門学校准教授。「二重帝国期のオーストリアにおける言語境界地域での初等教育と民族問題」（『歴史学研究』874号、2010年、1-11頁）、「多民族帝国における多重言語能力の育成―モラヴィアにおける民族言語の相互習得をめぐる論争より―」駒込武、橋本伸也編『帝国と学校』（昭和堂、2007年、65-91頁）。

桐生裕子（きりゅう　ゆうこ）［9］
神戸女学院大学文学部准教授。主要業績：『近代ボヘミア農村と市民社会――19世紀後半ハプスブルク帝国における社会変容と国民化』（刀水書房，2009年）、「帝国の遺産――チェコスロヴァキアの行政改革の事例から」（大津留厚編『「民族自決」という幻影　ハプスブルク帝国の崩壊と新生諸国家の成立』昭和堂、2020年）。

坂田敦志（さかた　あつし）［35］
1980年生まれ。一橋大学大学院社会学研究科特別研究員。文化人類学、中東欧地域研究。主な論文に、「ポスト社会主義のトリックスター：チェコ共和国におけるポスト社会主義からポスト社会主義以後への移行の契機」（『文化人類学』87巻1号、2022年）などがある。

＊**薩摩秀登**（さつま　ひでと）［1, 4, 5, 6, 7, コラム 1, コラム 3, コラム 4, コラム 9］
編著者紹介参照。

＜執筆者一覧および担当章＞（＊は編著者）

浅岡健志朗（あさおか　けんしろう）［37］
東京大学大学院人文社会系研究科博士課程、専門は言語学、意味論。

＊**阿部賢一**（あべ　けんいち）［36, 38, 39, 40, 42, 48, コラム 10］
編著者紹介を参照。

池本修一（いけもと　しゅういち）［32, コラム 8］
在チェコスロバキア日本国大使館専門調査員、日本大学経済学部教授などを経て同特任教授。主な著作として『体制転換における国家と市場の相克』（編著、日本評論社、2021 年）など。

石田裕子（いしだ　ひろこ）［12, 13］
東欧近代史専攻。

市川敏之（いちかわ　としゆき）［コラム 14］
東京外国語大学大学院修了、カレル大学国費留学、チェコ政府観光局公認チェコ応援サポーター 2024、学芸員、切手収集家。

大野松彦（おおの　まつひこ）［46］
東京藝術大学大学院美術研究科博士課程修了。博士【美術】。日本学術振興会特別研究員を経て、現在、立教大学他で非常勤講師。主著に『黙示録の美術』（共著、竹林舎、2016 年）、『祈念像の美術』（共著、竹林舎、2018 年）。

大平陽一（おおひら　よういち）［58］
天理大学名誉教授。著書に『ロシア・サッカー物語』（東洋書店、2002 年）、編著書『自叙の迷宮：近代ロシア文化における自伝的言説』（水声社、2018 年）、編訳書『子どもたちの見たロシア革命：亡命ロシアの子どもたちの文集』（松籟社、2019 年）。

大坪晶（おおつぼ　あきら）［56］
写真家・美術家、和光大学表現学部芸術学科准教授。プラハ工芸美術大学ファインアーツ学科写真専攻修了、東京藝術大学大学院美術研究科先端表現芸術専攻修了、京都文教大学人間学部臨床心理学科卒業。

〈編著者紹介〉

薩摩秀登（さつま　ひでと）
明治大学経営学部教授。
1959 年生まれ。一橋大学大学院社会学研究科博士後期課程修了。専門は東欧・中欧の中世史および近世史。著書に『王権と貴族　中世チェコにみる中欧の国家』（日本エディタースクール出版部、1991 年）、『プラハの異端者たち　中世チェコのフス派にみる宗教改革』（現代書館、1998 年）、『物語チェコの歴史　森と高原と古城の国』（中公新書、2006 年）、『辺境のダイナミズム（ヨーロッパの中世 3）』（共著、岩波書店、2009 年）、『図説チェコとスロヴァキアの歴史』（河出書房新社、2021 年）などがある。

阿部賢一（あべ　けんいち）
東京大学大学院人文社会系研究科准教授。
1972 年生まれ。東京外国語大学外国語学部卒。カレル大学、パリ第 IV 大学留学を経て、東京外国語大学大学院博士後期課程修了。博士（文学）。専門は中東欧文学、比較文学。著書に『複数形のプラハ』（人文書院、2012 年）、『カレル・タイゲ　ポエジーの探求者』（水声社、2017 年）、『翻訳とパラテクスト　ユングマン、アイスネル、クンデラ』（人文書院、2024 年）、訳書にフラバル『わたしは英国王に給仕した』（河出書房新社、2010/2019 年）、オウジェドニーク『エウロペアナ　二〇世紀史概説』（共訳、白水社、2014 年、第 1 回日本翻訳大賞）、ハヴェル『力なき者たちの力』（人文書院、2019 年）、チャペック『白い病』（岩波文庫、2020 年）などがある。

エリア・スタディーズ　202

チェコを知るための60章

2024年3月30日初版第1刷発行

編著者　薩摩秀登
　　　　阿部賢一
発行者　大江道雅
発行所　株式会社　明石書店
〒101-0021 東京都千代田区外神田6-9-5
電　話　03-5818-1171
FAX　03-5818-1174
振　替　00100-7-24505
https://www.akashi.co.jp/
装　幀　明石書店デザイン室
印刷／製本　日経印刷株式会社

（定価はカバーに表示してあります）　ISBN978-4-7503-5704-1

エリア・スタディーズ

1 **現代アメリカ社会を知るための60章**
明石紀雄、川島浩平 編著

2 **イタリアを知るための62章【第2版】**
村上義和 編著

3 **イギリスを旅する35章**
辻野功 編著

4 **モンゴルを知るための65章【第2版】**
金岡秀郎 著

5 **パリ・フランスを知るための44章**
梅本洋一、大里俊晴、木下長宏 編著

6 **現代韓国を知るための61章【第3版】**
石坂浩一、福島みのり 編著

7 **オーストラリアを知るための58章【第3版】**
越智道雄 著

8 **現代中国を知るための54章【第7版】**
藤野彰 編著

9 **ネパールを知るための60章**
日本ネパール協会 編

10 **アメリカの歴史を知るための65章【第4版】**
富田虎男、鵜月裕典、佐藤円 編著

11 **現代フィリピンを知るための61章【第2版】**
大野拓司、寺田勇文 編著

12 **ポルトガルを知るための55章【第2版】**
村上義和、池俊介 編著

13 **北欧を知るための43章**
武田龍夫 著

14 **ブラジルを知るための56章【第2版】**
アンジェロ・イシ 著

15 **ドイツを知るための60章**
早川東三、工藤幹巳 編著

16 **ポーランドを知るための60章**
渡辺克義 編著

17 **シンガポールを知るための65章【第5版】**
田村慶子 編著

18 **現代ドイツを知るための67章【第3版】**
浜本隆志、髙橋憲 編著

19 **ウィーン・オーストリアを知るための57章【第2版】**
広瀬佳一、今井顕 編著

20 **ハンガリーを知るための60章【第2版】** ドナウの宝石
羽場久美子 編著

21 **現代ロシアを知るための60章【第2版】**
下斗米伸夫、島田博 編著

22 **21世紀アメリカ社会を知るための67章**
明石紀雄 監修　赤尾千波、大類久恵、小塩和人、
落合明子、川島浩平、高野泰 編

23 **スペインを知るための60章**
野々山真輝帆 著

24 **キューバを知るための52章**
後藤政子、樋口聡 編著

25 **カナダを知るための60章**
綾部恒雄、飯野正子 編著

26 **中央アジアを知るための60章【第2版】**
宇山智彦 編著

27 **チェコとスロヴァキアを知るための56章【第2版】**
薩摩秀登 編著

28 **現代ドイツの社会・文化を知るための48章**
田村光彰、村上和光、岩淵正明 編著

29 **インドを知るための50章**
重松伸司、三田昌彦 編著

30 **タイを知るための72章【第2版】**
綾部真雄 編著

31 **パキスタンを知るための60章**
広瀬崇子、山根聡、小田尚也 編著

32 **バングラデシュを知るための66章【第3版】**
大橋正明、村山真弓、日下部尚徳、安達淳哉 編著

33 **イギリスを知るための65章【第2版】**
近藤久雄、細川祐子、阿部美春 編著

34 **現代台湾を知るための60章【第2版】**
亜洲奈みづほ 著

35 **ペルーを知るための66章【第2版】**
細谷広美 編著

36 **マラウィを知るための45章【第2版】**
栗田和明 著

37 **コスタリカを知るための60章【第2版】**
国本伊代 編著

38 **チベットを知るための50章**
石濱裕美子 編著

39 **現代ベトナムを知るための63章【第3版】**
岩井美佐紀 編著

40 **インドネシアを知るための50章**
村井吉敬、佐伯奈津子 編著

41 **エルサルバドル、ホンジュラス、ニカラグアを知るための45章**
田中高 編著

エリア・スタディーズ

42 **パナマを知るための70章【第2版】**
国本伊代 編著

43 **イランを知るための65章**
岡田恵美子、北原圭一、鈴木珠里 編著

44 **アイルランドを知るための70章【第3版】**
海老島均、山下理恵子 編著

45 **メキシコを知るための60章**
吉田栄人 編著

46 **中国の暮らしと文化を知るための40章**
東洋文化研究会 編

47 **現代ブータンを知るための60章【第2版】**
平山修一 著

48 **バルカンを知るための66章【第2版】**
柴宜弘 編著

49 **現代イタリアを知るための44章**
村上義和 編著

50 **アルゼンチンを知るための54章**
アルベルト松本 著

51 **ミクロネシアを知るための60章【第2版】**
印東道子 編著

52 **アメリカのヒスパニック＝ラティーノ社会を知るための55章**
大泉光一、牛島万 編著

53 **北朝鮮を知るための55章【第2版】**
石坂浩一 編著

54 **ボリビアを知るための73章【第2版】**
真鍋周三 編著

55 **コーカサスを知るための60章**
北川誠一、前田弘毅、廣瀬陽子、吉村貴之 編著

56 **カンボジアを知るための60章【第3版】**
上田広美、岡田知子、福富友子 編著

57 **エクアドルを知るための60章【第2版】**
新木秀和 編著

58 **タンザニアを知るための60章【第2版】**
栗田和明、根本利通 編著

59 **リビアを知るための60章【第2版】**
塩尻和子 編著

60 **東ティモールを知るための50章**
山田満 編著

61 **グアテマラを知るための67章【第2版】**
桜井三枝子 編著

62 **オランダを知るための60章**
長坂寿久 著

63 **モロッコを知るための65章**
私市正年、佐藤健太郎 編著

64 **サウジアラビアを知るための63章【第2版】**
中村覚 編著

65 **韓国の歴史を知るための66章**
金両基 編著

66 **ルーマニアを知るための60章**
六鹿茂夫 編著

67 **現代インドを知るための60章**
広瀬崇子、近藤正規、井上恭子、南埜猛 編著

68 **エチオピアを知るための50章**
岡倉登志 編著

69 **フィンランドを知るための44章**
百瀬宏、石野裕子 編著

70 **ニュージーランドを知るための63章**
青柳まちこ 編著

71 **ベルギーを知るための52章**
小川秀樹 編著

72 **ケベックを知るための56章【第2版】**
日本ケベック学会 編

73 **アルジェリアを知るための62章**
私市正年 編著

74 **アルメニアを知るための65章**
中島偉晴、メラニア・バグダサリヤン 編著

75 **スウェーデンを知るための60章**
村井誠人 編著

76 **デンマークを知るための70章【第2版】**
村井誠人 編著

77 **最新ドイツ事情を知るための50章**
浜本隆志、柳原初樹 著

78 **セネガルとカーボベルデを知るための60章**
小川了 編著

79 **南アフリカを知るための60章**
峯陽一 編著

80 **エルサルバドルを知るための55章**
細野昭雄、田中高 編著

81 **チュニジアを知るための60章**
鷹木恵子 編著

82 **南太平洋を知るための58章** メラネシア ポリネシア
吉岡政德、石森大知 編著

83 **現代カナダを知るための60章【第2版】**
飯野正子、竹中豊 総監修　日本カナダ学会 編

エリア・スタディーズ

84 現代フランス社会を知るための62章　三浦信孝、西山教行 編著
85 ラオスを知るための60章　菊池陽子、鈴木玲子、阿部健一 編著
86 パラグアイを知るための50章　田島久歳、武田和久 編著
87 中国の歴史を知るための60章　並木頼壽、杉山文彦 編著
88 スペインのガリシアを知るための50章　坂東省次、桑原真夫、浅香武和 編著
89 アラブ首長国連邦（UAE）を知るための60章　細井長 編著
90 コロンビアを知るための60章　二村久則 編著
91 現代メキシコを知るための70章【第2版】　国本伊代 編著
92 ガーナを知るための47章　高根務、山田肖子 編著
93 ウガンダを知るための53章　吉田昌夫、白石壮一郎 編著
94 ケルトを旅する52章　イギリス・アイルランド　永田喜文 著
95 トルコを知るための53章　大村幸弘、永田雄三、内藤正典 編著
96 イタリアを旅する24章　内田俊秀 編著
97 大統領選からアメリカを知るための57章　越智道雄 著
98 現代バスクを知るための60章【第2版】　萩尾生、吉田浩美 編著
99 ボツワナを知るための52章　池谷和信 編著
100 ロンドンを旅する60章　川成洋、石原孝哉 編著
101 ケニアを知るための55章　松田素二、津田みわ 編著
102 ニューヨークからアメリカを知るための76章　越智道雄 著
103 カリフォルニアからアメリカを知るための54章　越智道雄 著
104 イスラエルを知るための62章【第2版】　立山良司 編著
105 グアム・サイパン・マリアナ諸島を知るための54章　中山京子 編著
106 中国のムスリムを知るための60章　中国ムスリム研究会 編
107 現代エジプトを知るための60章　鈴木恵美 編著
108 カーストから現代インドを知るための30章　金基淑 編著
109 カナダを旅する37章　飯野正子、竹中豊 編著
110 アンダルシアを知るための53章　立石博高、塩見千加子 編著
111 エストニアを知るための59章　小森宏美 編著
112 韓国の暮らしと文化を知るための70章　舘野晳 編著
113 現代インドネシアを知るための60章　村井吉敬、佐伯奈津子、間瀬朋子 編著
114 ハワイを知るための60章　山本真鳥、山田亨 編著
115 現代イラクを知るための60章　酒井啓子、吉岡明子、山尾大 編著
116 現代スペインを知るための60章　坂東省次 編著
117 スリランカを知るための58章　杉本良男、高桑史子、鈴木晋介 編著
118 マダガスカルを知るための62章　飯田卓、深澤秀夫、森山工 編著
119 新時代アメリカ社会を知るための60章　明石紀雄 監修　大類久恵、落合明子、赤尾千波 編著
120 現代アラブを知るための56章　松本弘 編著
121 クロアチアを知るための60章　柴宜弘、石田信一 編著
122 ドミニカ共和国を知るための60章　国本伊代 編著
123 シリア・レバノンを知るための64章　黒木英充 編著
124 EU（欧州連合）を知るための63章　羽場久美子 編著
125 ミャンマーを知るための60章　田村克己、松田正彦 編著

エリア・スタディーズ

126 **カタルーニャを知るための50章**
立石博高、奥野良知 編著

127 **ホンジュラスを知るための60章**
桜井三枝子、中原篤史 編著

128 **スイスを知るための60章**
スイス文学研究会 編

129 **東南アジアを知るための50章**
今井昭夫 編集代表 東京外国語大学東南アジア課程 編

130 **メソアメリカを知るための58章**
井上幸孝 編著

131 **マドリードとカスティーリャを知るための60章**
川成洋、下山静香 編著

132 **ノルウェーを知るための60章**
大島美穂、岡本健志 編著

133 **現代モンゴルを知るための50章**
小長谷有紀、前川愛 編著

134 **カザフスタンを知るための60章**
宇山智彦、藤本透子 編著

135 **内モンゴルを知るための60章**
ボルジギン・ブレンサイン 編著 赤坂恒明 編集協力

136 **スコットランドを知るための65章**
木村正俊 編著

137 **セルビアを知るための60章**
柴宜弘、山崎信一 編著

138 **マリを知るための58章**
竹沢尚一郎 編著

139 **ASEANを知るための50章**
黒柳米司、金子芳樹、吉野文雄 編著

140 **アイスランド・グリーンランド・北極を知るための65章**
小澤実、中丸禎子、高橋美野梨 編著

141 **ナミビアを知るための53章**
水野一晴、永原陽子 編著

142 **香港を知るための60章**
吉川雅之、倉田徹 編著

143 **タスマニアを旅する60章**
宮本忠 著

144 **パレスチナを知るための60章**
臼杵陽、鈴木啓之 編著

145 **ラトヴィアを知るための47章**
志摩園子 編著

146 **ニカラグアを知るための55章**
田中高 編著

147 **台湾を知るための72章【第2版】**
赤松美和子、若松大祐 編著

148 **テュルクを知るための61章**
小松久男 編著

149 **アメリカ先住民を知るための62章**
阿部珠理 編著

150 **イギリスの歴史を知るための50章**
川成洋 編著

151 **ドイツの歴史を知るための50章**
森井裕一 編著

152 **ロシアの歴史を知るための50章**
下斗米伸夫 編著

153 **スペインの歴史を知るための50章**
立石博高、内村俊太 編著

154 **フィリピンを知るための64章**
大野拓司、鈴木伸隆、日下渉 編著

155 **バルト海を旅する40章** 7つの島の物語
小柏葉子 著

156 **カナダの歴史を知るための50章**
細川道久 編著

157 **カリブ海世界を知るための70章**
国本伊代 編著

158 **ベラルーシを知るための50章**
服部倫卓、越野剛 編著

159 **スロヴェニアを知るための60章**
柴宜弘、アンドレイ・ベケシュ、山崎信一 編著

160 **北京を知るための52章**
櫻井澄夫、人見豊、森田憲司 編著

161 **イタリアの歴史を知るための50章**
高橋進、村上義和 編著

162 **ケルトを知るための65章**
木村正俊 編著

163 **オマーンを知るための55章**
松尾昌樹 編著

164 **ウズベキスタンを知るための60章**
帯谷知可 編著

165 **アゼルバイジャンを知るための67章**
廣瀬陽子 編著

166 **済州島を知るための55章**
梁聖宗、金良淑、伊地知紀子 編著

167 **イギリス文学を旅する60章**
石原孝哉、市川仁 編著